Hannah

MIX
Papier van
verantwoorde herkomst
FSC® C110751

Ronaldo Wrobel

Hannah

Uit het Portugees vertaald
door Arie Pos

DE GEUS – OXFAM NOVIB

Obra publicada com o apoio do Ministério da Cultura do Brasil/
Fundação Biblioteca Nacional
Deze uitgave is mede tot stand gekomen dankzij een bijdrage van het ministerie van Cultuur van Brazilië/National Library Foundation

MINISTÉRIO DA CULTURA
Fundação BIBLIOTECA NACIONAL

De vertaler ontving voor deze vertaling een werkbeurs van het Nederlands Letterenfonds

Nederlands letterenfonds
dutch foundation
for literature

Oorspronkelijke titel *Traduzindo Hannah*, verschenen bij Editora Record

Published by special arrangement with Villas-Boas & Moss Literary Agency & Consultancy and its duly appointed Co-Agent 2 Seas Literary Agency
Publicatie in samenwerking met Oxfam Novib
Omslagontwerp Mijke Wondergem

ISBN 978 90 445 3255 5
NUR 302

Hannah

Rio de Janeiro, 1936

Ingelijst aan de muur van het hoofdbureau van politie keek president Vargas Max doordringend aan. Wat wil die meneer van me, vroeg de ongelukkige zich af. Waren er problemen met documenten, stempels of zegels? Terwijl hij juist zo ordelijk en zorgvuldig was. 'Onmiddellijk mee voor een dringend onderhoud', had de agent gezegd die hem thuis was komen halen. Een onderhoud met wie, waarover? Ze hadden hem ruim een uur geleden in dat afgrijselijke kamertje gezet, zonder zelfs maar een glaasje water.

Uitwijzing bedreigde duizenden immigranten die oorlog, tirannie of ellende waren ontvlucht; ze zouden ernaar worden teruggestuurd zodra ze maar een beetje uit de pas liepen. En het paradoxale was dat ze al jarenlang in drommen het land binnenstroomden via de passagiersterminal op Praça Mauá, velen zonder enig benul van waar ze waren en anderen zonder ooit van het land te hebben gehoord. Voor de meesten was Brazilië een groot moeras waar bananen groeiden en slangen zich rond de benen slingerden van wie niet oppaste.

Achter de deur klonken voetstappen en vage stemmen. Op het bureau heerste de dagelijkse routine: opsluitingen, inbeslagnames, verhoren. In 1935 had een communistische couppoging het land in een hel zonder weerga gestort. Wapenstokken zochten naar prooi in huizen, werkplaatsen, winkels en overal waar de bloedhonden van politiechef majoor Filinto Müller iets subversiefs roken. Een speciaal gerechtshof maakte het werk af met standrechtelijke rituelen die de halve wereld veroordeelden, zonder de plichtplegingen van de normale rechtsgang. De gevangenissen van noord tot zuid zaten overvol. Zelfs schepen dienden als cachot en dobberden met hun schadelijke lading rond op de Atlantische Oceaan. Max zag zich al op volle zee, uitgemaakt voor smerige buitenlander en gevoed met koude rijst. Wat had hij in vredesnaam verkeerd gedaan?

In de Rua Visconde de Itaúna viel zijn werkplaatsje, dat hij om zeven uur stipt opende om met voorouderlijke vlijt de schoenen van Praça Onze te repareren, nauwelijks op. Zijn grootvader schreef hun roeping toe aan het zwerverslot van de familie: met goed schoeisel trotseerde je kou en lange afstanden. En wat had het Joodse volk in de laatste millennia anders gedaan dan over de wereld dolen en de volgende verdrijving uitstellen? Hoeveel 'dringende onderhouden' hadden zijn voorouders niet moeten doorstaan in Rusland, Spanje of het land van Vargas?

Nee, Max gaf Vargas niet de schuld van de nationale spanningen. Hoe kon je oorzaken aanwijzen waar alleen gevolgen waren? De wereld was uit de koers geraakt en had Brazilië meegesleurd. Voor de schoenmaker was Getúlio Vargas maar een gedienstige, geen leider maar een geleide, een pion in een spel dat al eeuwen aan de gang was. Niemand kon individueel verantwoordelijk worden gehouden voor – en al helemaal niet belast worden met de oplossing van – een probleem dat was begonnen ver voor Hitler zijn waanzin uitbralde en Stalin zijn eigen bondgenoten uitmoordde. Maar de stedenbouwprojecten van de president waren minder onschuldig. Nog onlangs was er sprake geweest van de aanleg van een grote avenida tussen het Marine-arsenaal en Cidade Nova, de doodsklap voor het geliefde Praça Onze. *Oy vey,** dat ontbrak er nog aan: alles tegen de vlakte!

Een staande ventilator piepte nerveus en op de klok was het half vijf. Voor het eerst had Max zijn werkplaats vroeger moeten sluiten. Wat zouden de klanten, de roddelaars, de *clientelshiks,** de dames die hem groetten of de idealisten met hun malle wereldverbeteraarsplannen wel denken? Wie kon zich voorstellen dat de schoenmaker werd vastgehouden op het politiebureau, opgebracht voor een 'dringend onderhoud'? Iedereen wist dat Max geen hogere doelen in het leven had dan zijn schoenen en dat hij zich altijd afzijdig hield van de controverses in de immigrantengemeenschap. Communisme of kapitalisme? Israël of de diaspora? Jiddisch of Hebreeuws? Het maakte hem weinig uit. Onlangs had hij een communist met pet en overall die hem aan de werkbank op de Rua Visconde de Itaúna kwam lastigvallen een lesje geleerd. Met opgeheven wijsvinger.

'Als je de wereld wilt verbeteren, leer dan eerst je schoenveters maar eens fatsoenlijk strikken!' En hij vertelde hem de parabel van Rebbe Zusha. Die wilde toen hij jong was ook de wereld verbeteren, maar toen hij ontdekte hoe groot en ingewikkeld die was, beperkte hij zijn ambities tot het verbeteren van zijn land. Maar dat land was ook groot en ingewikkeld, zodat Zusha besloot zijn stad te verbeteren. Op rijpe leeftijd zette hij zich in om zijn gezin te verbeteren en op zijn sterfbed

* Zie de Woordenlijst op p. 283

vertrouwde hij een vriend toe: 'Tegenwoordig hoop ik alleen nog dat ik mezelf kan verbeteren.'

'Een droevige geschiedenis', vond de communist. 'Als je het mij vraagt is die Rebbe Zusha uiteindelijk een grote egoïst geworden.'

'Dat heb je helemaal mis! Hij wilde nog altijd de wereld verbeteren maar was alleen van tactiek veranderd.'

Vijf uur 's middags, de zon door het tuimelraam belichtte president Vargas niet meer. Max prevelde een gebedje toen een corpulente officier het kamertje binnenkwam en hem de hand toestak.

'Hoe gaat het, Kutner?'

Het was kapitein Avelar, een hoffelijke gelegenheidsklant van de schoenmaker. Hij droeg een rode pet, een kaki uniform en zwarte laarzen. Zijn huid was gebruind en zijn buik goedgevuld. Hij liep met stijve passen om de tafel heen en haalde een papiertje uit zijn zak.

'Gevonden op Praça Onze. Wat is het?'

Max las een kort tekstje in Hebreeuwse letters.

'Joden', gromde de agent. 'Wat hebben ze nu weer verzonnen?'

De schoenmaker hield een onschuldig ingrediëntenlijstje in zijn hand.

'Wat voor ingrediënten?' Avelar stak een sigaret op.

Max las met een zwaar accent. 'Vierr krroten, twee aarrdappelen, een kilo vleisj ...'

'Kroten?'

'... een ui, wortelen. Het is een recept voor borsjtsj, kapitein. Een rode soep.'

'Rood? Communistisch?'

'Omdat er kroten in zitten. Rode bieten.'

Avelar lichtte zijn pet op en wreef langdurig door zijn haar. Hij was van zijn stuk gebracht en kon het brutale jodenmannetje wel wurgen. Was de dapperste kapitein van politie, een illustere patriot, gedecoreerd voor tal van heldendaden, kenner van alle volksliederen en vlaggen, een krotenjager geworden?

Om de ijzige stilte te verbreken improviseerde de schoenmaker: 'Heel smakelijk, hoor. Je kunt hem zout of zoet maken, warm of koud eten ...'

Een dreun op de tafel maakte een eind aan de uitleg.

'Hou op over die kleresoep! Warm, koud, zoet, zout ...'

De schoenmaker waagde het even opgelucht adem te halen toen de kapitein zijn autoriteit terugvond.

'Ik heb je voor iets anders laten ontbieden, Max Kutner.' Hij schraapte zijn keel. 'Niets ernstigs, hoor, jij bent een brave Jood. Dat is trouwens precies waarom we je nodig hebben. Zie je die man daar?' Hij wees naar Getúlio Vargas.

* * * * *

De klok sloeg bijna middernacht toen Max thuiskwam. Hij had doelloos door de straten van Praça Onze gelopen, piekerend over de woorden van de kapitein: 'Heb je wel eens van postcensuur gehoord? We hebben vertalers die alle post in alle talen en dialecten van de planeet controleren. Ze werken onvermoeibaar voor het heil van Brazilië. Jij spreekt vloeiend dat Joodse taaltje, niet? Ben je klaar voor een vaderlandslievende missie?'

Avelar doelde op het Jiddisch. Het werd gesproken door Oost-Europese Joden en was een soort verbasterd Duits dat werd geschreven in Hebreeuwse letters, van rechts naar links. Dit 'dialect' had in de loop van duizend jaar vorm gekregen in de zomen van de geschiedenis, ver van de centra van kennis en macht. In de voorgaande eeuw had het Jiddisch gaandeweg terrein en zichtbaarheid gewonnen in de wereld, tot afschuw van mensen die er een boosaardig complot in zagen, een door de Semieten listig gesponnen web om de mensheid te overheersen. Communisme, fascisme noch democratie was immuun voor het 'Joodse gevaar'. Geschriften als *De protocollen van de wijzen van Sion* waarschuwden dat Moskou, Washington en Berlijn op een dag gebukt zouden gaan onder het credo en de grillen van baardmannen die Jiddisch spraken en geen spek aten.

De schoenmaker had de vaderlandslievende missie aanvaard vanwege gebrek aan alternatieven – wat trouwens een troost was. Bestond er schuld als er niets te kiezen viel? Als hij de opdracht weigerde, waren er genoeg vervangers, en stempels voor zijn onmiddellijke deportatie. Maar het was een beangstigend gevoel in de kookketel van de Geschiedenis te worden gegooid als marionet van de machthebbers. Werken voor de politie betekende het einde van een vriendschappelijke routine zonder aspiraties of twistpunten. Sinds zijn aankomst in Brazilië, in 1928, gaf Max er de voorkeur aan te leven als een kruipplant: beneden de vuurlijn, hoewel onder de voet gelopen door de omstandigheden. Zelfs goede daden vermeed hij, want hij wist dat de weg naar de hel geplaveid was met goede bedoelingen. Het voorval met het spiegeltje was emblematisch geweest.

Op een rustige morgen was Roberto Z., een gedistingeerde heer, in zijn werkplaats verschenen met de vraag of Max het handvat kon repareren van de koffer waarin hij zijn van deur tot deur verkochte handelswaar vervoerde: stoffen, cosmetica, pennen. Kortom, de zoveelste clientelshik die de straten van de stad tot jachtterrein had. Max had niets voor de reparatie gevraagd en Roberto Z. had hem een zakspiegeltje cadeau gedaan met op de achterkant een roos op geglazuurd porselein. 'Een erfstuk van mijn schoonmoeder, dat dingetje is goud waard!' had de koopman hem vol dankbaarheid gezegd.

Dagen later, toen Max zich in het spiegeltje bekeek, zag hij een man die zich gedwongen voelde rechtvaardig te zijn. Hij wist niet alleen waar Roberto woonde, maar ook met wie: Frida moest haar echtgenoot een paar stevige klappen hebben gegeven toen ze haar spiegeltje miste. Het was tijd de arme koopman te verlossen, besloot de schoenmaker.

Met een engelachtige glimlach belde hij aan in de Lapawijk.

'Wat is dat?' vroeg Frida verbaasd. 'Hoe komt u daaraan?'

'Ik heb het van uw man gekregen en ...'

Het gezicht van de vrouw deed Max meteen het ergste vermoeden: niks erfstuk! Met een huivering stamelde hij: 'Ach, neemt u me niet kwalijk, ik moet me hebben vergist ... Gelukkig Nieuwjaar, dona Frida!'

'Nieuwjaar?? Het is maart, meneer Kutner!' Ze draaide met haar ogen en plantte haar handen in haar zij: 'Ik snap het al. Ik heb het helemaal door!'

Max wilde net opgelucht ademhalen toen Frida hem het spiegeltje uit de hand rukte en op de deur van de buurvrouw bonsde: 'Doe open! Maak die deur open, sloerie! Kom naar buiten, heks!'

Een roodharige deed open en Frida smeet haar het spiegeltje in het gezicht: 'Laat mijn man met rust, vuile teef! Messalina!'

De rooie raapte de scherven op: 'Dus hij heeft dat van me gestolen! De smerige dief! Mijn Limogesspiegeltje!'

Ontknoping: Frida en de sloerie allebei in het ziekenhuis en van Roberto Z. werd nooit meer iets vernomen.

Twee uur 's nachts en de opdracht van kapitein Avelar bleef spoken door het hoofd van de slapeloze schoenmaker. Een enkel voorwerp versierde zijn slaapkamertje: het portret van grootvader Shlomo, zijn betreurde raadsman. En nu, *zeide*,* is het wel of niet aanvaardbaar je landgenoten te bespioneren? Wat zeggen de wijzen daarover? Shlomo hief een wijsvinger en herinnerde hem aan de drie soorten zonden die hij op school had geleerd: de bewuste, de onvrijwillige en de opstandige. Max pakte het portret vast: en de gedwongen zonde, zeide?

'Een gedwongen zonde is geen zonde', legde de grootvader uit. 'Wanneer er geen sprake is van kwade trouw of nalatigheid, waarom zou je je dan schuldig voelen? Zij zijn het die zondigen, door middel van jou.'

Ja, ho even! reageerde Max. Wie schold er altijd op de 'bevelenuitvoerders' die moordden en roofden in naam van de tsaar? Wie hield ons altijd voor dat het het geweten is dat de mensen onderscheidt van de dieren? Hoeveel helden hadden hun leven niet gegeven om te voorkomen dat anderen door middel van hen zouden zondigen?

Hij schudde het portret heen en weer: Wilt u zeggen dat u die Russische soldaat vergeeft?

Shlomo zweeg, teruggeplaatst naar de winter van 1915. De

oorlog verwoestte Europa en de Polen waren naar het westen gevlucht. De Russen stonden op het punt het dorp binnen te vallen maar de koppige Shlomo had niet willen wijken van de plaats waar hij was geboren, tachtig jaar had gebeden en zijn kleinzoon wilde trouwen. Hij zwierf door de verlaten straten en leek het gebulder van de kanonnen niet te horen terwijl hij foeterde op zijn landgenoten. 'Als de Makkabeeën ook zo laf waren geweest, dan was het jodendom al duizenden jaren geleden verdwenen!' Op een dag zat Shlomo te dutten in de kamer toen hij de bel hoorde. Hij had de Russische Jood die voor de deur stond – een roodharige, sproeterige soldaat – nota bene omhelsd.

'*Sjolem!*•' had de oude baas gegroet, zich uitputtend in vriendelijkheden totdat een vuistslag hem vol in het gezicht trof. Liggend op de grond kostte het hem moeite de furie te begrijpen waarmee de jongen het huis plunderde. Etenswaren, metalen, kleding, zelfs asbakken werden in een canvas zak gepropt.

'*Gewalt!*•' had Shlomo nog kunnen uitbrengen. 'Hoe kun je dit een broeder aandoen?'

Daarmee had hij Rebecca weduwe gemaakt.

* * * * *

Het Hoofdbureau van Politie met zijn drie verdiepingen en ijzeren poorten besloeg een heel blok aan de Rua da Relação. Daar commandeerde majoor Filinto Müller zijn elite-eenheid die in nazi-Duitsland was opgeleid om de 'Moskovitische subversie' te bestrijden.

De chaotische drukte in de gangen smoorde het geschreeuw

in de kelders toen Max, begeleid door twee geüniformeerden, een trap op liep. Het ging naar rechts, naar links, deuren in en uit van wist hij veel welke diensten, tot hij aankwam in een zaaltje met een vierkante tafel, een stoel en het ongenaakbare portret van Getúlio Vargas.

'Mijn naam is Onofre', zei een mager en bleek jongmens met een zwart snorretje. Hij droeg een pakket met een etiket waar ARGENTINIË op stond.

Onofre haalde een map correspondentie, een potlood en een gelinieerd cahier tevoorschijn dat in het Portugees moest worden ingevuld. De brieven, al uitgevouwen en zonder envelop, moesten uiterst voorzichtig worden behandeld.

Max begon zijn 'vaderlandslievende missie' met een brief die afkomstig was uit de pampa's. Eenvoudig en beknopt vroeg een slager naar nieuws over zijn zoon. Een andere brief bevatte details over een bruiloft in een uithoek van Patagonië: zoetigheden, fluitmuziek, kantwerk. Uit een koud moeras vroeg iemand in de derde brief om geld. Het zweet brak Max uit aan zijn slapen: wat had dat te maken met de Braziliaanse soevereiniteit? Waarom in godsnaam die onschuldige stakkers bespioneren?

'U maakt een nerveuze indruk', zei Onofre. 'Dat is normaal in het begin, later went u eraan.'

Max nam de jongen vanuit een ooghoek met enige minachting op. Brazilianen hadden geen talent voor kazernediscipline: ze misten de houding, de bouw, de kilheid. Niet dat dat een geruststelling was. Integendeel, onbekwame soldaten konden even gevaarlijk zijn als de ergste kozakken. Max bette peinzend zijn slapen, hij zocht een vrede die hij nooit zou vinden, al zou het voorbijgaan der dagen zijn schuldgevoel temperen – en ook de tegenzin waarmee hij de salarisenvelop van de Centrale Politiedienst in ontvangst nam.

Het werk op het bureau kostte hem twee middagen per week. Hij kwam en ging gehuld in hoeden en jassen en liet zijn werkplaats over aan een in allerijl opgeduikelde jongeman die de klanten gerust moest stellen – nee, de schoenmaker was niet ziek! Als vroege vogel bestreed Max zijn slapeloosheid met het repareren van schoenen en denken aan het verleden.

Zijn grootvader had hem eens gezegd dat praten zilver was, maar zwijgen goud. Max begreep dat pas toen hij twaalf was, en op zijn veertiende durfde hij het oneens te zijn met zijn grootvader omdat 'het zwijgen dat dwaasheden verbergt ook wijsheden onuitgesproken laat'. Maar de jeugdige opstandigheid was van korte duur. Op zijn twintigste besloot Max alleen het hoogstnoodzakelijke te zeggen en te horen. Hij vermeed insinuerende blikken en negeerde gefluisterde roddels en onderonsjes aan zijn werkbank. Waarom moest hij de laatste roddels weten? Niet de laatste, niet de voorlaatste en ook niet de voorvoorlaatste. Hij was blij dat hij alleen woonde en dat zou altijd zo blijven. Vrouwen, alleen betaald en op afspraak. Hij hield evenmin van strijkages. Waarom glimlachen als je er geen zin in had? Dat moesten de clientelshiks met hun koffers ouwe lappen maar doen, om de koop te bevorderen van wat niemand nodig had met het geld dat weinigen bezaten, of de wereldverbeteraars met hun maffe idealen, zoals de zionisten die een Joodse Staat wilden stichten in het Midden-Oosten.

‘Ik collecteer voor Keren Kajemet Lejisraël*’, had een glimlachend meisje een paar dagen eerder gezegd. Ze zwaaide met een blauwmetalen busje. ‘Draag bij aan de stichting van de Joodse Staat!’

‘De Joodse Staat?’ Max spijkerde verder aan een zool. ‘Wat is dat voor een idiote droom?’

Het meisje verstijfde. ‘Idiote droom? Spreekt u zo over Israël? Ben Yehuda heeft het Hebreeuws doen herleven, Tel Aviv groeit, er is een Hebreeuwse universiteit in Jeruzalem, duizenden broeders maken *alia*.* En u noemt dat een idiote droom?’

Max antwoordde niet.

‘Meneer Kutner, hebt u een droom in het leven?’ vroeg het meisje eerder nieuwsgierig dan verontwaardigd.

‘Schoenen maken’, zei hij zonder haar aan te kijken.

Max was niet mooi en niet lelijk. Hij kleedde zich in witte overhemden en zwarte broeken – wat had je meer nodig? Hoewel hij zijn kaalhoofdigheid en sjofele uiterlijk betreurde, vond hij het praktisch er zo bij te lopen en niemand te verleiden. Liefde, geen denken aan. Liefdes waren niet anders dan kruitlonten. Eerst bevolkten ze de pleinen, daarna de godshuizen, dan de kraamafdelingen en uiteindelijk de bordelen. Het celibaat was nog altijd de kortste weg naar de hoeren. Nadat ze hem geriefd hadden, wandelde Max graag langs de waterkant, starend naar de horizon, overgeleverd aan een zelf dat alleen bovenkwam in de stilte.

Want nu, slechts nu pas, zevenendertig jaar oud, vermoedde hij dat het woord geen zilver en geen goud was, maar een enorme ertsmijn met kleurige aders.

De brieven, romantisch of triviaal, hele verhalen of korte krabbeltjes, gingen over alles: gezondheid, ontberingen, godsdienst, geld. Mietje had een zoon gekregen, Pietje was dikker geworden, nazi's defileerden door Buenos Aires. Een echtgenoot beklaagde zich tegen zijn broer over zijn vrouw, die in een andere brief haar gepassioneerde liefde aan dezelfde broer beleed. Jongeren citeerden Baudelaire, ouderen de Talmoed. De een had veel, de ander weinig, maar niemand had genoeg: de rijke miste liefde, aan de beminde ontbrak rijkdom. Geen mens was tevreden. Welbeschouwd waren degenen die meer hadden dan ze nodig hadden juist degenen die meer behoefden dan ze hadden. Elke ziel was een wereld op zich. Je had de verstilde meren en de woeste zeeën, bergtoppen en vlaktes. Het menselijk tekort trok in brief na brief voorbij, niet zelden vergezeld van een haarlok of een kindertekening. Soms stuitte Max op onbegrijpelijkheden – ASBIB, LJ, HPS – die hij prompt kopieerde in zijn gelinieerde cahier. Ingewikkelde of ontsporende zinnen wachtte hetzelfde lot. Zijn werk was vertalen, niet interpreteren of censureren. Het was al donker wanneer hij het bureau aangenaam vermoeid verliet. Voordat hij de tram nam ging hij naar een Chinees op het Praça Tiradentes en at hij een paar dubieuze vleespasteitjes, zijn heimelijke verrukking.

Aan de correspondentie met Argentinië had hij zijn handen vol (alleen Buenos Aires telde meer Joden dan heel Brazilië). Af en toe probeerde Max te berekenen hoeveel collega's bezig waren de rest van de wereld te vertalen. Misschien deden zijn eigen klanten dat wel. Volgens kapitein Avelar werden Noord-Amerika en Europa behandeld door een 'commissie' waarheen Max gepromoveerd zou worden als hij goed werk leverde. Maar voor de schoenmaker was de ontheffing van zijn taak de enige wenselijke promotie.

Of niet?

* * * * *

Aida opende het operaseizoen in de Stadsschouwburg. Max bestudeerde de glas-in-loodramen en de weelde van de monumentale deuren tegenover Cinelândia, het Broadway van Rio. Hij liep over de brede trottoirs, kijkend naar de drukke bars en het acrobatische af en aan lopen van de kelners met hun bladen bier. Elegante meutes vormden rijen voor de deuren van bioscopen, waar verliefde stelletjes gearmd naar buiten kwamen om de banken op het plein te bezetten, meetortelend met de duiven. In de nabijheid bevonden zich de theaters, de biljartzalen en de cafés waar de sterren straalden te midden van het publiek en politici bekokstoofden wat journalisten ijverig opschreven in hun notitieboekjes.

Max bleef staan voor de Cine Odeon om een aanplakbiljet van Charlie Chaplin te bekijken. De legendarische zwerver zat bekneld tussen het raderwerk van een enorme machine. Grote letters: Moderne Tijden. Een paar dagen eerder had iemand de film nog een 'communistisch pamflet' genoemd omdat hij de draak stak met het kapitalisme. Wie, wanneer?

Zes uur, het licht verplaatste zich uit de lucht naar lichtreclames, lantaarns, vensters. Boven op de Corcovado verduisterde Christus de Verlosser de eerste sterren en zegende de flonkerzee aan zijn voeten. De hoofdstad van Brazilië stak de verlichting aan voor weer een show die mensen van over de hele wereld zou betoveren. Maar niet alles was vervoering en gastvrijheid. Rio kon wreed zijn voor wie niet meeging in de feestgrage atmosfeer. De uitgelatenheid leek in niets op de troebele dagen in Polen met zijn eenzelvige mensen en geploeter door de sneeuw. Nostalgische landslieden probeerden Europa te herscheppen in de clubs en bars van Praça Onze, waar ze luisterden naar muziek en borsjtsj aten. Grauwe loopgraven belegerd door luidruchtig vertier. Anderen wilden de Oude Wereld liever vergeten, gefascineerd door het tropische bestaan. Vrome lieden op hun beurt bekeken Rio met reserves, wetend dat het grootste gevaar school in de achterbuurten, in de oecumenische losbandigheid die van februari tot februari de carnavals evenaarde. Niet voor niets zeiden de Iberische kolonisators dat er voorbij de evenaar geen zonde bestond. Wat altijd had ontbroken om het Uitverkoren Volk te verstrooien en zijn duizenden jaren oude erfenis van de aardbodem te doen verdwijnen, was de Braziliaanse sociabiliteit. Zelfs oorlogen en massamoorden hadden niet voor elkaar gekregen wat een handjevol mulattinnen vrolijk klaarspeelde: achttien echtscheidingen alleen in het afgelopen najaar! Daarom beweerde huwelijksbemiddelaar Adam S.: 'De vijand van ons geloof is niet de discriminatie. Integendeel, die is juist onze bondgenoot.'

In de Lapawijk ging Max naar een zwarte straatverkoopster uit Bahia die de beste kokostaartjes van Rio maakte. Daar vlakbij kon je mals en heerlijk gekruid braadvlees eten in de Clube dos Democráticos. Een liefhebber van *bacalhau* moest naar een spelonk in de Rua dos Inválidos om daar meteen ook de zelfgestookte likeurtjes te proeven. Max was kortom een specialist geworden in barretjes, restaurants en straattentjes –

niet omdat hij er zelf zo vaak kwam, maar dankzij Carlos, een kok uit Nilópolis die zijn eigen brood bakte en recepten stuurde naar familie in Argentinië.

Trouwens, ene Amália W. was degene die kritiek had gehad op Charlie Chaplin. Ze volgde alle nieuwe Hollywoodfilms, somde de sterren op en beoordeelde hun kwaliteiten, de decors, de kostumering en de muziek. De commentaren van Amália W. gingen tot technische details als belichting en continuïteit, en brachten de schoenmaker ertoe voor het eerst een bioscoop binnen te gaan.

Om negen uur 's avonds wandelde Max langs de waterkant van Glória. Hij vroeg zich af wat hij aan moest met de onrechtmatige kennis die hij uit de brieven opdeed. Hij was niet in staat de geheimen te negeren van zijn oude klant dona Berta of de zwakke gezondheid van de moheel* die pasgeboren jongetjes van Praça Onze besneed. Hij was geschrokken toen hij ontdekte dat de nog altijd levenslustige Rosa F. de pest had aan haar schoonzoon de meubelmaker, die op een dag haar doodskist zou maken. En Isaac P. schepte op over een rijkdom die hij niet bezat. En de arme Helena, die alleen niet hoefde te beknibbelen op problemen? Ze bleek een heel gelukkig mens. Brief na brief onthulde Max mysteries, zegeningen die de vervloekten omzweefden en vervloekingen die de gezegenden boven het hoofd hingen. Hetzelfde feit verscheen in uiteenlopende versies en niet altijd verdedigbare beweringen. Velen hadden hun redenen, maar niet noodzakelijkerwijs het gelijk aan hun kant. De roos die Raquel heerlijk vond geuren, prikte Samuel. En de liefde, beleden in proza en verzen, oversteeg maar zelden twee bij elkaar passende eenzaamheden die waren verbonden door de gewijde strikken van de verdrukking.

Uiteraard dacht huwelijksmakelaar Adam S. daar heel anders over. Hij verscheen regelmatig voor de werkbank van Max en bladerde door zijn album met keurige meisjes:

'Deze heeft haar bruidsjurk al, alleen de bruidegom ontbreekt nog. En deze is voor de derde keer weduwe geworden, steenrijk is ze.' En meteen vervolgde hij verontwaardigd: 'Ben je van plan altijd vrijgezel te blijven? Wil je dat er een eind komt aan het Joodse volk, Kutner? "Gaat heen en vermenigvuldigt u", dat is toch het eerste gebod?'

Max pleegde de man vloekend weg te jagen. Het tafereel herhaalde zich aan het eind van de middag, wanneer Adam S. alle ongetrouwde mannen uit de buurt weer eens had verwenst. Maar op een dag gebeurde het onverwachte. Adam S. keek vreemd op toen hij in de Rua Visconde de Itaúna met een glimlach en een mok koffie werd onthaald. Ze keuvelden aangenaam terwijl Max de meisjes bekeek. Uiteindelijk sloeg hij het album dicht en vroeg: 'Ken je toevallig niet iemand die Hannah heet?'

Adam S. krabde zijn kin: 'Niet dat ik weet ... Wel of niet getrouwd?'

'Dat weet ik niet.'

'Er bestaan veel Hannahs. Hoe ziet ze eruit?'

'Geen idee.'

'Hoezo, geen idee?'

Max praatte eroverheen. Maar na een ernstig zwijgen zei de koppelaar: 'Je moet niet denken dat ik gek ben, Max Kutner! Veertig jaar op de wereld hebben me het een en ander geleerd. Wie hier niet in staat wil niet trouwen!' Hij borg het album op in zijn tas. 'Denk aan het zevende gebod voor het te laat is. Waag het niet andermans leven te verwoesten!'

Mooi, intelligent, verstandig, moedig. In haar brieven kreeg Guita er geen genoeg van haar zus te loven. 'Niemand leert je per ongeluk kennen, Hannah. En wie je eenmaal kent, vergeet je nooit meer. Hoe komt het toch dat je zo'n wonderbaarlijk iemand bent?' In de volgende brief vervolgde Guita: 'De wereld is beter geworden toen jij werd geboren. Een grappenmaker hier in Buenos Aires zegt dat je beter kunt trouwen met een vrouw die lichamelijk minderbedeeld maar geestelijk goed begaafd is dan met een vrouw die lichamelijk goed bedeeld maar geestelijk minderbegaafd is. Wie jou kent, Hannah, hoeft niet te twijfelen. Jij bent in alle opzichten geweldig.'

Hannah blonk uit in bescheidenheid. 'Veel dank voor je vleiende woorden, lieve zus, maar ik vind dat ik je loftuitingen niet waardig ben. Zoals de dichters zeggen: de waarde ligt in het oog van de beschouwer.' Twee weken later schreef Guita: 'Wees niet te bescheiden, Hannah! Iedereen wordt op slag verliefd op je. Je eerste man was helemaal idolaat van je. Maar goed, dat is voorbij. Vertel me nu eens over José. Waar heb je hem ontmoet, wie is hij, wat doet hij?' Hannah omschreef haar verloofde als iemand die 'arm maar fatsoenlijk' was en meldde dat ze alleen voor de burgerlijke stand zouden trouwen, omdat slingers en strikken haar met haar vierendertig jaar niet meer pasten. Bovendien verboden de Joodse wetten haar opnieuw te trouwen.

Welke Joodse wetten?, dacht de schoenmaker. Waarom kon Hannah niet trouwen in de synagoge?

Als Max nog in Polen was geweest, hadden velen hem meteen uit de droom kunnen helpen. In de dorpjes in het binnenland paste het leven in een handvol geboden en werden de rabbijnen erbij geroepen om onenigheid te voorkomen of te verhelpen, of om de vrede te bezegelen. Alle gemeenschappen hadden hun wijze mannen, die altijd met hun neus in stokoude boeken zaten. Maar in Brazilië was alles anders. De godsdienst leek een bevlieging, een bijkomstigheid, een opvoedend praatje hier en daar. Wetten werden gemaakt in het Parlement, god wist hoe en waarom, bekokstoofd en geëmendeerd in kantoren of hotelbars. Wie ze overtrad zuchtte niet onder schuldgevoel maar onder bureaucratische toestanden, boetes, rechtbanken, gevangenisstraffen.

Max liep verder langs de kustweg van Flamengo, denkend over de onzinnigheden van het moderne leven terwijl het zeebriesje zijn lippen een zilte smaak bezorgde en Niterói glinsterde aan de overzijde van de baai van Guanabara. Hier en daar lagen vissersbootjes op hetzelfde kalme water dat hij op een dag bevaren had.

1928. Een sloep naderde de trans-Atlantische stoomboot in de buurt van de Suikerbroodberg. Het decor was kleurrijker dan het glas-in-loodraam van de synagoge van Katowice. 'Politie!' riepen ze aan boord. Met hun paspoort in de hand vormden de passagiers rijen op het dek. Max wilde in het water springen, bidden, verdwijnen. Autoriteiten bladerden door reisdocumenten, controleerden foto's, praatten onder elkaar in dat vreemde idioom. Soms spraken ze iemand bars aan en die werd dan meegenomen naar een plek verderop. Max klemde zijn tanden opeen toen hij in een vloeiend en onverwacht Jiddisch werd aangesproken: 'Joods?'

'Ja.'

'Paspoort.' De man bekeek het boekje: 'Sjolem, meneer

Kutner. Familie of vrienden in Brazilië?'

'Niemand.'

'Geld, plannen?'

'Niets.' De man gaf hem een kaart: *Relief.*

Voordat het schip afmeerde werden de passagiers afgezet op het Ilha das Flores en onderzocht door de geneeskundige dienst. Ze openden hun mond en spreidden armen en benen voor ijverige controleurs in korte witte jasjes. Twee gezinnen werden in quarantaine geplaatst. God wilde dat Max geen problemen had en kort daarna het continent betrad in een verbaasde verdoving, voortgestuwd in een menigte op de kade van Praça Mauá, totdat hij het bord *Relief* zag. Hij werd in een auto naar een huis aan de Praça da Bandeira vervoerd, waar hij perplex stond van de georganiseerdheid van zijn volksgenoten met hun archieven, kluizen en typemachines. Het was een Joodse organisatie die hulp verleende aan nieuwaangekomenen, die 'groenen' werden genoemd. Ze vroegen hem naar beroep, leeftijd, burgerlijke staat. Binnen een uur hadden ze een hotel geregeld in Estácio, en ontving hij geld en een eenvoudig conversatiegidsje in het Portugees dat hij verder moest leren bij *Relief.* De volgende maand ging Max aan het werk in de schoenmakerij van een landgenoot en drie jaar later kocht hij zijn winkeltje aan de Rua Visconde de Itaúna.

Ondanks de moeilijke leefomstandigheden beschikte de gemeenschap over clubs, bars, bibliotheken en bestonden er zelfs rivaliserende groeperingen, met synagoges waar anderen niet welkom waren en kranten die anderen niet lazen. In de bars werd tot diep in de nacht gediscussieerd door mensen die de wereld elk op hun eigen wijze wilden redden. Karakteristieke types bevolkten de straten: rabbijnen, matrones, clientelshiks, koppelaars en de weinig geliefde prostituees, die *polacas* werden genoemd. Voor het eerst zag Max Sefardische joden, die hun eigen gebruiken en synagoges hadden en vloeiend een aan het Spaans verwant dialect spraken dat Ladino heette. Handige koopmannen hielpen de Asjkenazische straatventers door hun stoffen in consignatie te geven die ze langs de deuren verkochten. Er leefden Joden in de verst afgelegen randgebieden, opeengepakt in achterbuurtkrotten en vervallen landhuizen. De welgestelden bewoonden goed gelegen appartementen en brachten hun zomers door in de zanderige strandrijke buitenwijken Ipanema en Leblon.

Praça Onze kon gelden als het hart van de gemeenschap, maar spreken van een 'Joods getto' was bijna een leugen. Er woonden ook Italianen, Portugezen, Libanezen en Brazilianen. Dichtbij lag het Centrale Spoorwegstation van Brazilië, met zijn overvloed aan komende en gaande types. In de verte verrees de Morro da Providência, de Heuvel der Voorzienigheid, een opeenstapeling van hutjes, macumbahekserij en clandestiene handel. Kinderen van alle kleuren en herkomsten renden door de straatjes, speelden met hoepels, voetbalden en schreeuwden hun Esperanto. Het plein waaraan de buurt zijn naam dankte – 'Plein Elf' ter ere van de Slag van Riachuelo, die plaatsvond op 11 juni 1865 tijdens de Oorlog van de Drievoudige Alliantie – was bezet met bomen, bloemperken, een muziektent en een fontein, omringd door een behuizing in pasteltinten en gehouwen steen. Groene bergen golfden langs de horizon en beschaduwden valleien en hellingen, omwoeld door wolken die langs de toppen streken en het landschap continu herschiepen. Dan ontdekte je nieuwe contouren, nuances, een vluchtige pracht.

Soms moest Max zich melden in muffe burelen om zijn immigratiepapieren te vernieuwen, vingerafdrukken te zetten, formulieren te ondertekenen. Louter formaliteiten. Uiteindelijk heeft ook het paradijs zijn regels.

* * * * *

Buenos Aires, 3 januari 1937

Hannah,
Wat doet je verloofde voor de kost? Ik heb het je al een paar keer gevraagd! En kom me niet aan met uitvluchten als 'dat doet er niet toe' of 'het gaat me alleen om de rust'. Het doet er wel toe! Voor het geval je het niet weet: de rust vind je niet in armoede. Je bent mooi en intelligent. Je verdient een Hollywoodster!
Kan Iôssef goed met hem opschieten?
Je liefhebbende Guita

*

Rio de Janeiro, 21 januari 1937

Lieve Guita,
Waarom vertellen over mijn verloofde? Dwing me niet uit te leggen wat ik niet eens aan mezelf kan verklaren. José is een prima kerel, punt uit.
Ik heb keihard gewerkt. De kerstverkopen waren uitstekend en de baas zegt dat hij een filiaal wil openen. (...)

Iôssef was wat gedeprimeerd, maar nu gaat het beter.
Kussen, Hannah

*

Buenos Aires, 15 februari 1937

Ach, Hannah, kon ik je maar eens bezoeken! Maar ik moet bij mijn man in Argentinië blijven. Morgen gaan we naar onze haciënda bij Rosario. De maïs- en tarweoogst zijn erg tegengevallen. Jayme denkt erover grond in São Paulo te kopen, hij wil investeren in koffie en sinaasappels.
(...)
Ik zweer dat ik probeer je te begrijpen! Maar verwar fatsoen niet met armoede, Hannah! Er bestaan evengoed fatsoenlijke rijken als onfatsoenlijke armen! Ik weet dat fatsoen voor jou onmisbaar is. Maar het onmisbare is niet altijd voldoende. Dus antwoord nu eens en voorgoed wat José voor werk doet en hou op met dat geheimzinnige gedoe!
Je Guita

*

Het is gemakkelijk oordelen zonder begrip, Guita. Begrijpen zonder oordelen is moeilijker.
Hannah

* * * * *

‘Heeft meneer een keuze kunnen maken?’ vroeg de vrouw met een gemaakt lachje. Max had alle stoffen in de winkel bevoeld.

‘Ik zou graag even spreken met … Hannah.’

‘Een momentje’, zei de vrouw gemelijk. Ze ging haar roepen. Max bette zijn voorhoofd en wreef zijn handen. Kort daarop verscheen een oud vrouwtje met kort kroeshaar en een groezelig schort.

Een Portugees accent: ‘Ik ben Ana. Wat wenst meneer?’

Weer een fiasco. De schoenmaker liep tussen de middag het centrum af op zoek naar winkels die ‘uitstekende’ kerstverkopen konden hebben gehad. Nergens vond hij de zus van Guita. Hij had bijna de hele Rua da Alfândega al gehad, om nog maar te zwijgen van de modemagazijnen op het Largo de São Francisco en aan de Rua do Ouvidor. Was hij gek geworden? Hij was nooit iemand geweest voor obsessies of grotere dingen dan zijn schoenmakerijtje. Wat was er aan de hand? Waar moest dat heen?

Met gebogen hoofd keerde hij terug naar zijn werk.

‘Goedemiddag, meneer Kutner.’ Dona Beth droogde haar betraande ogen. ‘Kijk dit nu toch eens.’

Het waren een paar laarzen met kapotte zolen vol spijkers en scherven.

‘Ze zijn van mijn zoon. U hebt het natuurlijk al gehoord …’

‘Wat heb ik gehoord?’

De politie was tijdens een zionistische bijeenkomst met knuppels de Israëlitische Bibliotheek binnengevallen. Resultaat: vijftien arrestanten, een ravage, verbrande boeken en meubels. Een legioen moeders bivakkeerde in de hal van het politiebureau, een ander legioen bad in de synagoges. Dona Beth haalde een geblakerde mezoeza uit haar zak: ‘Die lag op de grond.' In tranen: 'Waarom worden we zo behandeld? Wat voor kwaad hebben we ze gedaan?'

Max voelde een bittere zekerheid. Hij herinnerde zich duidelijk dat een jongen de bibliotheek genoemd had als de plaats waar zijn neef 'vreemde' vrienden ontmoette. Het was een uitgebreide brief geweest, zo onbezonnen dat de schrijver mesjogge leek, maar wat had Max daarmee te maken gehad? Moest hij woorden wegen en betekenissen raden, of was hij niet meer dan een onbetekenende vertaler in de Rua da Relação?

Misschien was de geblakerde mezoeza het antwoord.

Max ontdeed zich van dona Beth, haastte zich naar zijn slaapkamer en greep het portret van Shlomo. Wat moet ik doen, zeide? Zeg het me! Vechten met de macht? De generaals uitdagen, zeide? Antwoord me in godsnaam!

De grijsaard streek door zijn baard. 'Loop niet te hard van stapel, jongen. Blijf kalm. Modder moet je niet wild omwoelen maar langzaam roeren.'

De volgende dag werd Max aangeschoten door kapitein Avelar zodra hij op het bureau verscheen: 'Loop even met me mee.' In een kamer zonder ramen: 'Zorg dat je een bekentenis loskrijgt van die worm die geen woord Portugees spreekt.'

Op de grond lag een 'Israëlitisch element' dat ervan werd beschuldigd sinaasappels te hebben gestolen.

'Ja, dat heb ik gedaan', antwoordde de man in het Jiddisch. 'Niet een of twee, maar drie sinaasappels en ik heb ze met schil en al opgegeten.'

Nerveus gekuch: 'En vindt u dat ... terecht?'

'Nee! Ze waren zuur!'

Avelar stootte de schoenmaker aan: 'Wat zegt hij?'

Max herinnerde zich de geblakerde mezoeza: 'Hij heeft helemaal geen sinaasappels gestolen!'

Weken later zat hij de dagvangst te vertalen toen hij bij een brief de foto van een meisje aantrof.

'Op de achterkant', hielp Onofre. 'Er staat wat op de achterkant.'

'Kijk goed naar dit kind', stond er in getypte letters. 'Huurjood, smerige fascist! Dankzij jou zitten haar ouders in de gevangenis!'

Max verbleekte en zijn adem stokte. Het klamme zweet brak hem uit: 'Mag ik even naar het toilet?'

In de gebarsten spiegel zag hij geen kruiperige lafaard, maar een in de vijandige gelederen geïnfiltreerde held. Het dwangbevel van een recent vertaalde filosoof liet hem geen keus: 'Het enige dat het kwaad nodig heeft om te zegevieren, is dat goede mensen niets doen.' Bovendien zou de contraspionage, als die het niet al wist, meteen te weten komen dat Max Kutner brieven vertaalde voor de politie. En dan wisten ze in een mum van tijd andere dingen.

Max erkende de harde waarheid: het was een kwestie van tijd voor zijn grootste geheim werd ontdekt. Hij stelde zich de chantage, de briefjes, de ontwijkende blikken al voor. Hij hoorde het de mensen al zeggen: 'Heb je het al gehoord? Max Kutner is Max Kutner niet!'

* * * * *

Polen, januari 1928

Katowice was bevroren. Er werd gevochten om brandhout en aardappelen aan de poort van het kerkhof waar Max Goldman zijn vader begroef. Hij huilde niet en ook gedurende de zeven dagen van rouw zou hij niet huilen. Al op de achtste dag schonk hij de bezittingen van Leon weg en ging hij langs bij een reisagent: hij wilde Polen verlaten, misschien ook weg uit Europa. Het moest afgelopen zijn met de ellende! De reisagent opende een archiefla en bladerde de wereld door. De Verenigde Staten hadden de deuren gesloten vanwege een anti-immigratiewet. Australië was duur en ver. Er bestonden landbouwkolonies in Zuid-Amerika en ook in Palestina. Max moest erover nadenken.

In februari stond de agent voor de deur met een voorstel dat hij niet kon weigeren.

Een rijke zakenman uit Pinsk, die net zoals de schoenmaker Max heette, zou in maart een bezoek brengen aan Brazilië. Maar de dag voor hij scheep ging had hij zijn auto in een kolkende rivier gereden en zijn lichaam was verdwenen. Goldman moest de plaats van de overledene innemen met het paspoort dat de agent bereid was te vervalsen.

'U loopt geen enkel gevaar. De dood van de man is nog niet eens aangegeven.'

'Hoeveel wilt u ervoor hebben?' Max vatte moed.

Hij verkocht alles, betaalde zijn schulden, nam de trein naar het noorden en stapte in de haven van Danzig op een schip zonder om te kijken. Vaarwel, Polen!

Hij was zijn koffer aan het uitpakken in zijn hut toen een

kamerjongen handdoeken kwam brengen: 'Deze zijn voor mevrouw Kutner.'

'Mevrouw Kutner?' vroeg Max verbaasd.

De knaap keek op zijn lijst: 'Meneer en mevrouw Kutner.'

'Maar ...' hij schraapte zijn keel. 'Mijn vrouw heeft moeten afzien van de reis.'

Max kon de agent wel vermoorden. Dat moest er nog bijkomen: dat hij moest reizen met een weduwe of, erger nog, met een oplichtster die haar plaats innam. De schrik duurde tot de gevaren verdwenen aan de horizon. Op de tweede dag verlieten ze goddank de Baltische Zee en opende de Noordzee zich in onafzienbare luister. Het gebeurde werd verleden tijd en Polen verloor zijn zure nasmaak zoals de uien die zijn oma kookte in het dorp.

'Max Kutner', repeteerde de schoenmaker.

Languit op het dek genoot hij van het maanlicht en de steeds zoelere wind, luisterend naar talen en tongvallen uit andere werelden. Het schip was een drijvend Babel met een eerste, tweede en derde klas, een speelzaal en een orkest van albinodwergen dat charlestons speelde.

Ongelofelijk. Zijn enige eerdere reizen had hij gemaakt op de bok van een koets tussen Katowice en het dorp van zijn grootouders. Wat je onderweg zag was een triviaal continuüm, een meetbare afstand langs bomen en struiken, afgezien van twee stroompjes en een staminet, waar de reizigers stopten voor hun urgente behoeften. Nooit was je ver genoeg verwijderd van de dagelijkse sleur, kapotte sokken, koolstronken en politie. Maar nu deinde het leven in pekelwater en speelden dwergen charlestons tot in de vroege morgen. Zo veel water, *main Got!*• Zo veel hemel, lucht, licht! En aan het eind van dat alles lag Brazilië.

'Brazilië', zuchtte hij op het dek.

Wat moest hij ervan verwachten? De geuren, kleuren, afmetingen. En de mensen daar, hoe kleedden die zich, wat aten ze, hadden ze schoenen? Zouden ze groot of klein zijn, zwart of blank? Hielden ze van Joden? Hoe klonk het Portugees?

Handschoenen en sjaals raakten in onbruik toen ze aanlegden in Lissabon. Op de Canarische Eilanden zag je al blote benen en de eerste avond van maart toastten ze op het passeren van de evenaar. Een paar dagen later verscheen Pernambuco westwaarts in zicht voor een oponthoud van vier uur.

Vruchten, bemodderde levende krabben, versgepofte kastanjes: de haven van Recife was een exotische weelde met zijn donkere, halfnaakte straatverkopers. De hitte stonk en de vochtigheid kleefde aan je huid. Max liep door een wijk waar borsten en billen voor zachte prijsjes te huur waren. Hij had die kastanjebruine vrouwen met hun zwarte haren en brede heupen, die met een maagdelijke onschuld naar hem glimlachten, graag van dichterbij bekeken. Maar de haast floot op de kade.

Hij liep de loopplank al op toen een duizeling vanuit het niets hem slechte voorgevoelens bezorgde. Hij verbleekte en zijn knieën knikten. Hij zou niet ongestraft aan die komedie ontsnappen. Het paspoort in zijn hand was een factuur die hij tot het einde der tijden in termijnen zou moeten aflossen.

Sindsdien hoefde hem maar iets slechts te overkomen of Max had de indruk dat het verleden de rekening kwam innen, als een onvermurwbare clientelshik aan de deur van een wanbetaler.

* * * * *

Rio de Janeiro, 5 april 1937

Guita,
Het was allemaal heel eenvoudig, een akte tekenen en meer niet. De huwelijksreis was een middag in de dierentuin. 's Avonds aten we wortelsoep met roggebrood.
Kussen van Hannah

*

Buenos Aires, 13 april 1937

Een huwelijksreis naar de dierentuin? Eenvoud heeft zijn grenzen, doe niet zo belachelijk. Het huwelijk vieren is een heilig gebod. Soms denk ik dat je de gekte van moeder hebt geërfd. Hoe heb je die man eigenlijk leren kennen?
Guita

*

Buenos Aires, 14 april 1937

Hannah, ik heb vannacht slecht geslapen. Hebben jullie geld nodig? Schaam je niet om hulp te vragen!
Je Guita

*

Rio de Janeiro, 24 april 1937

Bedankt, Guita, maar we hebben geen geld nodig. Jouw liefde is ons genoeg.
Goed nieuws: Iôssef is dol op José.
Kussen van Hannah

*****

De kozakken vielen het verlaten dorp binnen. Ze kamden Rusland uit op zoek naar soldaten voor de Krimoorlog.

'Woont hier helemaal niemand?' snauwde de aanvoerder ongelovig. 'Onmogelijk. Doorzoek de huizen!'

Ze zetten het dorp op zijn kop en sleepten het volk de straat op: vrouwen, grijsaards, kinderen.

'We moeten jonge mannen hebben!'

'Die zijn allemaal naar de akkers in het zuiden', antwoordde een meisje.

'Wie heeft dit dan gedaan?' De kozak wees naar een muur met vijf pijlen in witte cirkels.

Een jongen stapte uit de coulissen en zei uitdagend: 'Ik!' Hij plantte zijn handen in zijn zij. 'Is daar iets mis mee?' Geschater. De oude Moshe zag er bespottelijk uit in zijn rode korte broek. Een paar kousen reikte tot zijn trillende knieën.

'Ga zitten, Moshe', zei iemand uit de zaal. De bejaarden riepen in koor: 'Zitten, zitten!'

De verpleegster sleepte een stoel aan en Moshe ging zitten. Hij schraapte zijn keel: 'Dat heb ik gedaan. Maar ik ben een waardeloze schutter.'

De kozak wees weer naar de pijlen: 'Hoe verklaar je dat dan?'

Moshe aarzelde, gekweld door onzekerheid. Hij keek naar het publiek.

'Leg uit!' zei de kozak dreigend. 'Meteen!'

Stilte. In het gehoor stootte een oud vrouwtje Max aan: 'Weet u, beste man, de jeugd is een bloemenkrans en de ouderdom een doornenkroon.'

'Moshe, zeg op!' dwong de kozak. En Moshe, in een heroïsche opwelling: 'Nou ja ... eerst schiet ik de pijlen af en daarna schilder ik de cirkels eromheen.'

Gelach en applaus. De verpleegster besloot het verhaal: 'En zo misleidde de slimme jongen de kozakken. En nu is er een hapje en een drankje!'

Max had een paar hartige hapjes besteld bij een Joodse kokkin. Hij was vol lof over het bejaardentoneel, een van zijn boetedoeningen ter vermindering van de schuld die hij op zich laadde door zijn werk bij de politie. Hij bezocht niet alleen bejaardenhuizen maar repareerde ook schoenen gratis, schonk geld en kocht restvoorraadjes van clientelshiks. Maar zijn goede werken hadden niet altijd het gewenste effect – of juist wel. Zie de geschiedenis met de menora.

De briefschrijver heette Sílvio T. Hij was ver in de zeventig, woonde in de Méierbuurt en wilde een Duitse menora uit de zeventiende eeuw verkopen. Met het geld wilde hij zijn laatste nachten in een pensionkamertje betalen. Hij beschreef het stuk in detail voor een magnaat uit Buenos Aires, betreurend dat geïnteresseerden – lees: vermogenden – in Brazilië ontbraken. Het beverige handschrift verried zijn artrose. Tegen het advies van dokters en raadgevers in, schuifelde Sílvio over straat en hield hij zijn menora onder de neus van arme sloebers en vrekken op Praça Onze. 'Mijn God', riep hij. 'Heb ik bijna tachtig jaar geleefd om zo te eindigen?'

De hoop begaf hem en zijn benen beloofden een spectaculaire val voor de ogen van de hartelozen die geen hand naar hem uitstaken – behalve uiteraard om de menora te stelen. Maar Sílvio T. was een doordouwer. 's Avonds ventte hij met de relikwie rond in restaurant Schneider.

Met de brief in de hand voelde Max pijn in zijn hart. Welke logica kon zo veel lijden verklaren? Trouwens, waarom had God hem laten kennismaken met dat leed? Toeval bestaat niet, beste Max! Waaraan moet jij dat smerige geld van de politie uitgeven? Waar anders dan in restaurant Schneider?

De volgende avond verliet de schoenmaker zijn werkplaats met een verheven missie.

Het geroezemoes waarin de kelners rondliepen was oorverdovend toen Sílvio T. de goddelijke voorzienigheid in persoon voor zich zag. Uit een versleten zak haalde hij de menora tevoorschijn die Max zonder afdingen kocht. Daar had je driehonderd jaar geschiedenis. Het oude goud had zijn glans verloren. Hoeveel en welke plaatsen had die menora niet gesierd voor hij de zeeën overstak en Max in handen viel?

De volgende morgen stond het juweel te glimmen in de werkplaats. De trotse schoenmaker bestudeerde de ornamenten, die bij alle klanten lof oogstten. Een wijsneus aarzelde geen moment: 'Late gotiek.'

Een ander: 'Mijn grootvader had er precies zo een.'

Nog een ander: 'Dat is een replica.'

Oy vey, zou dat mogelijk zijn? Had hij een nepding gekocht, een opgedirkt stuk messing? Hij ging de deur uit met de menora in zijn armen en liet hem zien aan antiquairs en specialisten, die unaniem waren in hun oordeel: een authentiek stuk, zeventiende eeuw. Een, twee, drie weken gingen voorbij en de herfst luchtte de stad. Alles ging uitstekend tot een paar roodomrande ogen de schoenmaker strak aankeken en een man laconiek zei dat de menora van hem was.

Max protesteerde: 'Ik heb hem zelf gekocht!'

De roodomrande ogen wilden geen praatje – alleen de menora.

Max hield vol: 'Ik heb hem een poosje geleden eerlijk gekocht.'

'Van Sílvio T., die *shmuck*!•' De man spuugde op de werkbank. 'U moet weten dat die Sílvio T. me een flink bedrag schuldig is en dat die menora het onderpand was. En ook dat die schuld vandaag vervalt, nu, en dat hij spoorloos verdwenen is. Spoor-loos ver-dwe-nen!'

'Maar ...'

'Geef me die menora.' De man boog zich over de werkbank. 'Meteen!'

Hij greep de kandelaar en beende weg.

Max stond perplex. Hij sloot zijn werkplaatsje en liep doelloos door de buurt, brandend in vlammen van zelfverwijt. Had hij onvoorzichtig gehandeld? Was hij beetgenomen? In dat geval, door wie: door Sílvio T. of de roodomrande ogen? Behoorde het tot de handelsregels dat je een verkoper vroeg bij wie hij schulden had? De schuldeiser had hem geen enkel bewijs van een schuld laten zien. Max schold zichzelf uit in alle talen. In het beruchte restaurant Schneider bedronk hij zich tot de wereld rondtolde, maar hij slaagde er niet in Sílvio T. te haten. Hij strompelde terug naar huis. Nadat hij op een straathoek geürineerd had, geïmiteerd door een zwerfhond, stak hij de Rua Frei Caneca over. Toen kreeg hij de schrik van zijn leven.

Elf uur 's avonds. Niemand anders dan Sílvio T. en de roodomrande ogen zaten naast elkaar in de tram. Ze praatten niet, raakten elkaar nauwelijks, geen enkel blijk van intimiteit. Max focuste zijn ongelovige ogen: ze waren het echt. Ongelofelijk! Het was absurd ze daar samen te zien, in vriendschappelijk zwijgen op de bank van een tram. Zelfs het toeval was niet tot zo'n kunststuk in staat. De tram vertrok en voerde het mysterie mee.

Maar wat de schoenmaker het meest verbaasde was niet de onbeschaamdheid van de twee boeven, een stel schurken van het zuiverste water. Hij kende de menselijke rotheid maar al te goed. Wat hem werkelijk verbijsterde was de onverwachte, diepe en ongekende rust die over hem kwam. Geen enkel gevoel van schuld of beklemming, niets! Max zweefde over de Frei Caneca.

Hij had geboet voor zijn zonden.

* * * * *

Rio de Janeiro, 4 mei 1937

Guita, je hebt het mis. Ik ben niet opstandig en lig niet overhoop met de Tora. Ik heb innige banden met ons geloof, zoals ik van papa heb geleerd. Maar mijn manier om het te eerbiedigen is door de geboden aan te passen aan de werkelijkheid. Weet je nog toen ik uitgesloten werd? Ik leed alle pijnen van de wereld, maar ik leerde iets essentieels: van wat je niet doodt word je sterker. Op een dag heb ik de dogma's aan de

kant gezet. Die kwamen me niet te hulp in mijn donkerste uren maar veroordeelden me wel toen ik mijn eigen weg zocht.
Tegenwoordig is mijn geloof van mij, Guita. Ik doe het goede zonder voorschriften of ambities. Mijn onderscheidingsvermogen is me genoeg. Hoe valt te verklaren dat velen hetzelfde doen zonder formele of religieuze opvoeding en zonder concrete of denkbeeldige beloning? Hoe verklaar je dat een goed mens zijn niet kan worden onderwezen, maar wel kan worden geleerd? Misschien is oprechte liefde de God van verstandige mensen.
Veel kussen,
Hannah

* * * * *

Rio was een mijnenveld. Groepen fanatici raakten slaags op straat, soms zonder goed te begrijpen wat ze verkondigden maar gedreven door haat tegen de ideeën van hun rivalen. Een buurtoproer had de Rua do Catete op zijn kop gezet, scholen stonden op voet van oorlog, Jodenhatende integralisten marcheerden in hun groene hemden door de wijk en brulden hun broederschapskreet *'anauê!'* Sommigen verdwenen in het holst van de nacht, anderen op klaarlichte dag. Het was gewoon geworden te zien hoe iemand in handboeien in een politievrachtwagen werd geduwd die met loeiende sirene wegreed. Wie, wat, wanneer, hoe? waren de vragen die van mond tot mond gingen. Alleen de stoutmoedigen vroegen zich ook af waarom?

Merkwaardig genoeg bruisten in de stad de theaters, cafés

en casino's, plaatsen waarvan bekend was dat ze waren geïnfiltreerd door spionnen en duistere belangen. Bij de ambassades tinkelde het kristal op cocktails waar de genodigden geheimen verhandelden. De Duitse diplomatie voerde een vurige campagne om Brazilië te veroveren en prees Herr Hitler aan als de enige leider die in staat was het oprukkende communisme een halt toe te roepen.

Maar wat had de schoenmaker daarmee te maken? Niets, helemaal niets. Hitler, Stalin, Roosevelt? Max haalde zijn schouders op: de koers van de planeet liet hem koud. Hij interesseerde zich alleen voor Hannah: waar kon hij haar vinden, hoe was ze te herkennen? Als ze schreef over groente struinde hij de markten af; zei ze iets over het strand dan ploegde hij door het zand van de Zona Sul. Hij las en herlas de brieven en probeerde haar voor zich te zien, aan te raken, te kussen. Hij kwam er zelfs toe het doorzichtige geparfumeerde briefpapier te besnuffelen, dat prachtig was ondertekend met Oost-Indische inkt. Op een dag vroeg hij Onofre hem de enveloppen te laten zien, maar vergeefs: de agent ontving alleen de al opengevouwen brieven.

In zijn werkplaatsje was het werk ernstig teruggelopen. Max had niets op tijd klaar, haalde reparaties door elkaar en door onoplettendheid sneed hij zich of sloeg hij op zijn vingers. Op zondagen leek hij mesjogge – hij liep prevelend en gebarend over straat, verdiept in obsessief gepeins. Op een dag gaf Hannah een kostbare aanwijzing. Ze vertelde haar zus dat ze 'Joodse kringen' bezochten, hoewel José 'problemen' had en met krukken liep. Max concludeerde drie dingen. Ten eerste dat José Joods was, ten tweede dat hen ergens vinden een kwestie van tijd was en ten derde, de meest enerverende gevolgtrekking, dat Hannah niet uit liefde maar uit medelijden moest zijn getrouwd.

Max werd een regelmatig bezoeker van lezingen en bijeenkomsten van de gemeenschap. Hij ging naar clubs en scholen en spelde de kranten. Van dodenwaken ging hij naar dansavonden, van kroegjes naar synagoges. Tijdens de kabalat-sjabbatdiensten* in de Beth Jisraël*-synagoge zei hij de gebeden met geveinsde devotie, intussen in het rond spiedend om, wie weet, een glimp van haar op te vangen. Zoeken naar Hannah was niet zijn raison d'être, maar zijn reden om te zijn wat hij nooit was geweest: gelukkig.

Guita werd woest over de zuinige berichten betreffende haar zwager en stuurde een brief ontsierd door vele doorhalingen waarin ze informeerde of José 'nog man' was. 'Vertel nu eens wat je man voor problemen heeft!' Max tintelde bij de gedachte dat zijn muze goede werken zaaide zonder dat er in haar iets gezaaid werd. Guita raadde Hannah aan met een rabbijn te praten, waarop haar zus antwoordde dat geen rabbijn haar kon helpen omdat ze een *agoena** was. Max schrok: agoena? Wat was dat?

Agoena, agoena, piekerde hij op weg naar huis. Hij had er nooit van gehoord. Was het een ziekte, een stigma, een zonde? Het woord dreunde in zijn oren, het kon niets goeds zijn. Door welk ongeluk was Hannah een agoena geworden? Was ze het altijd geweest of later geworden? Wanneer? Waarom? Altijd die etiketten! Alsof we geen mensen maar trefwoorden zijn. Zelfs God heeft zijn classificaties! Wat het ook was, Max zou van haar blijven houden. De jeugd mocht zich druk maken over volmaaktheid, de rijpere mens gaf de voorkeur aan toegeeflijkheid. Eerlijk gezegd had Max de leeftijd noch de reputatie om haar iets te verwijten.

Half zeven in de avond, jongens verkochten de avondkranten bij de tramhaltes en de bohème verzamelde zich in de bars. Op de mysteries van de dag volgden die van de nacht. Rio wisselde van pluimage en de Israëlitische Bibliotheek was al gesloten. Wie moest hij in godsnaam vragen wat agoena was?

In de werkplaats was weer meer dan voldoende werk sinds hij een assistent had. De jongen veegde de vloer nadat hij de die middag ontvangen schoenen netjes op een rij had gezet. Max bladerde door het notitieblok met de parafen van de klanten, de afgesproken ophaaldag en de bedragen die de assistent had ontvangen. Er waren twee tassen, een riem, en niet minder dan twaalf paar schoenen, waarvan een aantal onherstelbaar en enkele bijna. Een dame had zelfs om 'de grootst mogelijke haast' verzocht.

'Ze komt morgenmiddag meteen na de lunch', zei de assistent.

Het ging om een paar gebroken – nou ja, eigenlijk finaal kapotte – hakken. Onmogelijk die zo snel klaar te hebben. De klant moest maar begrijpen dat haast en kwaliteit niet samengingen. Trouwens, Max was die hysterische vrouwen met hun voorgewende haast spuugzat. Daags voor een bruiloft leek er een burgeroorlog te woeden aan zijn werkbank. Bruine schoenen moesten zwart worden gemaakt, oude besjes wilden museumstukken laten verzolen, jongste kinderen werden opgezadeld met wat oudere broers en zussen van hun ouders hadden geërfd. Het gekrijs over bekraste gespen of gegroefd leer! Soms vergeleek Max zichzelf met de frivole stilisten uit de Rua do Ouvidor, die de madammen in satijn en tule wonden en hun roddels moesten aanhoren. Op die momenten dacht hij aan het oude Polen, waar schoenen dienden om op te lopen en niet om je voeten te versieren.

Max liep de bestellingen in het blok velletje voor velletje na. Bijna altijd dezelfde klanten met hun hebbelijkheden. Had hij dona Sara al niet eens aangeraden een andere tas te kopen? En Jonas K., die weer een gaatje in zijn riem erbij wilde omdat hij steeds dikker werd. Alleen een gekkenhuis kon die mensen weer een beetje in het gareel krijgen! Hij sloeg een blik op het laatste blaadje van het blok en voelde een steek in zijn borst.

'Oy main Got!'

Hij verstarde en sloot zijn ogen.

'Oy, oy!'

Hij hield zijn adem in: dit kon niet waar zijn! Hij moest aan het delireren zijn geslagen. De assistent greep hem bij zijn schouder: 'Voelt u zich niet goed?'

Het duizelde hem: 'Oy, oy!'

Max viel in een stoel en vroeg om water, het bloed klopte in zijn aderen. Hij nam een slok en bekwijlde zijn overhemd, tot schrik van de assistent: 'Ik ga een ambulance roepen!'

Max riep God en zijn grootvader Shlomo aan. Hij hallucineerde niet, hij kende die paraaf. Natuurlijk kende hij die, er was geen vergissing mogelijk. Hoe vaak had ze haar brieven niet met dat delicate krabbeltje besloten? Geschilderd in Oost-Indische inkt, het was een muzieksleutel, een bedwelmende bloem. Uiteraard kende hij die paraaf.

Hannah.

HOOFDSTUK 2

Max woonde en werkte bij zijn vader in Katowice. De dagelijkse routine zorgde voor verbroedering in de werkplaats waar ze schoenen repareerden. Max was opgetogen wanneer hij na een geslaagd karweitje een goedkeurende blik ontving van Leon. Op die momenten hield hij zo veel van hem dat hij ervan bloosde. Daarna verflauwde het gevoel langzamerhand en werd een nieuw voorraadje affectie aangelegd voor de volgende aanmoediging. Hun relatie was puur functioneel. Leon zei alleen het hoogstnoodzakelijke. Soms informeerde hij naar zijn vorderingen op school en hij feliciteerde hem als hij jarig was. Thuis vroeg hij Max in de kamer te slapen wanneer hij fleurig geklede en als poppen opgemaakte 'vriendinnen' op bezoek kreeg. Toegewijd brachten ze zoetigheden mee die de jongen bezighielden terwijl in de slaapkamer ernaast werd gewerkt. De meisjes hadden de gave zijn vader op te vrolijken en bleven voor een kopje thee met brood. Op een keer vertelde een van hen over haar zoontje en Max stelde zich voor hoe het zou zijn om zo'n kleurrijke moeder te hebben. Eigenlijk was wat hem verbaasde niet dat de moeder zo kleurrijk was, maar dat iemand überhaupt een moeder had. Hoe zou het zijn om thuis een moeder te hebben die je haar zoon noemde? Een moeder die eten kookte, de was deed en de meubels afstofte? Zou het waar zijn dat moeders hun kinderen medicijnen gaven, warm aankleedden en standjes gaven? Toen hij acht was vroeg Max zijn vader over Reisele te vertellen. Een traan ging aan het antwoord vooraf.

Leon en Reisele Goldman waren getrouwd toen ze even in de dertig waren. Dat ze zo laat trouwden deed de rabbijn vermoeden dat een van de twee weduwe, weduwnaar of gescheiden was. De wittebroodsweken brachten ze door bij Shlomo en Rebecca, in het dorp waar iedereen wilde weten wanneer het kind kwam. Ze hadden geen haast, zeiden ze ontwijkend. Ze leidden een rustig bestaan in Katowice, Reisele bracht de warme lunch naar de werkplaats waarvan Leon aan het eind van de middag terugkeerde. Alles ging tot ieders tevredenheid. Op zaterdagen wandelden ze hand in hand, zonder de wereld meer dan vluchtige blikken toe te werpen. De dorpelingen bleven vragen wanneer de kleine kwam. Leon en Reisele waren gesteld op de stilte, de rust, het huwelijksevenwicht dat kinderen zelfs voor hun geboorte al komen verstoren.

Reisele werd zwanger. De dokters toonden zich bezorgd omdat ze de veertig was gepasseerd: absolute rust en versterkende voeding. Leon keerde eerder terug van zijn werk om zijn vrouw te helpen, stond aan het fornuis en de wastobbe, hanteerde de bezem en bracht ook nog reparaties mee naar huis (voorzover die zijn vrouw niet konden storen). Reisele verbaasde de zwartkijkers en doorstond de maanden waarin haar buik zwol zonder problemen, tot in april 1899 haar zoon werd geboren, een gulzige eter die aanzette wat zijn moeder verloor in de enige week dat ze samen leefden. Het was een tragedie. Het weduwnaarschap maakte Leon Goldman kapot. Hij gaf zijn zoon echter niet de schuld omdat hij het niet kon opbrengen over hem te oordelen.

In de vakanties schommelde Max met de koets heen en weer tussen Katowice en het dorp waar zijn grootouders van vaderskant woonden. Hij kreeg er eten, speelgoed, kleren.

Daar vloeide de liefde wel overvloedig. Shlomo las fabels en vertelde moppen waar het jongetje om lachte, vooral omdat er iemand was die hem kon laten lachen. Dankzij zijn grootouders leerde Max wat liefhebben was. En hij zou houden van wie hij houden moest in ruil voor de brandende chanoekakaarsjes en de zoetigheden op het Poerimfeest. Zonodig zou hij zelfs houden van zichzelf.

Maar de oorlog doodde zijn grootouders en verwoestte het dorp. In 1916 wist Max uit het Poolse leger te blijven door geroosterde zaden te eten tot hij minder woog dan de vijftig kilo die het minimum waren voor rekrutering. Hij was een skelet geworden, met holle ogen en flaporen. Hij was niet mooi en wilde dat niet zijn ook. Zijn mannelijke instincten volgde hij met de vriendinnen van zijn vader, die hem voor een vriendenprijsje het ondenkbare leerden. Een van de vrouwen wilde hem als haar schoonzoon, een andere waarschuwde hem wanneer de bordelen hun aanbod vernieuwden. Ze waren allemaal blank, met harde borsten en frisse geurtjes. Max leidde een lineair bestaan van betaald genoegen, tot Sofia verscheen.

Ze was zesendertig, had een sproeterige huid, zwart haar en melancholieke ogen. Sobere jurken wiegden haar heupen en borsten, die Max betastte in onbevreesde dagdromerijen. Hij leverde reparatiewerk bij haar af, attent op haar handen waaraan een strenge trouwring glom. Sofia, altijd vriendelijk, serveerde koekjes die de jongen zonder haast of honger opat. Op een dag vroeg ze hem haar te helpen bij het aantrekken van een schoen. De euforie van Max werd alleen enigszins getemperd door zijn verlegenheid. Sofia deed of ze niets merkte en hield haar lachen in.

Er ontstond een intense geheime romance tijdens de afwezigheid van Sofia's man, die handelsreiziger was. Max was er dol op zachtjes te bijten in een moedervlek in de hals van zijn geliefde. Hij stelde haar voor te vluchten, in Amerika samen kinderen te krijgen en het verleden te vergeten. De vrouw beloofde erover te denken om hem niet teleur te stellen. Op een dag vertelde ze dat ze werd geslagen door haar man, die ze al twintig jaar verdroeg vanwege een overeenkomst tussen hun welgestelde families. Max beet in het litteken van een ruzie, niet in een moedervlek. De romance eindigde toen haar echtgenoot terugkeerde van zijn reis. Enkele weken later verliet het stel Katowice zonder een spoor na te laten. Het kostte Max moeite Sofia te vergeten terwijl hij rijper werd zonder de lyriek van verliefden of de lichtgelovigheid van godsdienstige mensen. Hij vond andere vrouwen onbenullige kletskousen. In Brazilië werd hij een regelmatige bezoeker van een pension in de Glóriawijk, verzot op de paarse tepels en de hoge kontjes waar de donkere meisjes mee draaiden. Hij had een afkeer van huwelijken, kinderen en kleinkinderen. Waarom zou je een problematische soort voortzetten die verslingerd was aan ruzies en leugens? Waarom je moeilijkheden op je hals halen die je voor een paar centen kon oplossen?

Welnu – het was absurd! –, Max pleegde verraad aan zijn eigen geschiedenis. Hij was de gijzelaar van een verliefdheid geworden en was in de val gelopen die niemand sinds de verzen van koning Salomo ongeschonden liet. Wie had gedacht dat zijn vaderlandslievende missie daarop zou uitlopen? Ach, de liefde! Hoeveel zogenaamd redeloze dieren waren vrij van die dwaling die, onder het voorwendsel voor beschaving en het voortbestaan van de soort te zorgen, miljarden argeloze zielen tot slaven maakte?

* * * * *

Om acht uur 's morgens stond de schoenmaker al op de stoep van de Israëlitische Bibliotheek.

Agoena. Geketende vrouw. Volgens de Joodse wet eindigt het huwelijk alleen door het overlijden van een van de echtgenoten of door een door de man toegestane echtscheiding. De vrouw wordt een *agoena* wanneer de man haar verlaat, spoorloos is, handelingsonbekwaam wordt of weigert haar echtscheiding toe te staan. De *agoenot* – meervoud van *agoena* – worden als gehuwd beschouwd en kunnen daarom niet opnieuw trouwen. Wanneer ze hertrouwen zullen ze als echtbreeksters en hun kinderen als bastaarden worden beschouwd.

Bron: *Woordenboek van de Israëlitische Bibliotheek.*

Twaalf uur precies. Max had een stuk zeep verbruikt in bad, zijn baard bijgeknipt, zijn tanden gepoetst en zijn gezicht geparfumeerd, en keek ook nog even hoe zijn kleding hem stond: zwarte broek, wit overhemd en een geruite vilten muts. Hij stuurde zijn assistent naar huis en posteerde zich met een glimlach aan zijn werkbank, met bevende handen en een onregelmatige ademhaling: waarom was Hannah een agoena?

Omdat hij haar zich zo vaak had voorgesteld, vreesde hij voor de werkelijkheid: was hij erop voorbereid haar te leren kennen? Kon hij de ontmoeting niet beter uitstellen en de idylle voortzetten? Nee, de werkelijkheid was nooit zacht geweest voor verliefden. Dromen zijn alleen dromen zolang ze gedroomd worden. Hij dacht terug aan zijn grootouders, die deuren en ramen op een kier zetten in afwachting van de Messias. Rebecca rende naar de kamer zodra ze een geluid hoorde dat de verschijning leek aan te kondigen, maar het was telkens Shlomo, die zijn wederontmoeting met de doden oefende. Ze geloofden kinderlijk oprecht in de wederopstanding, paradijselijke tuinen en meer van die dingen. Waren ze gek?, vroeg hun kleinzoon zich nu af. Toentertijd werd Max niet gekweld door levensvragen, wroeging of gemis die een messias nodig maakten. Alles was kiem, morgenrood, zaaigrond. Wat niet bestond, goed, dat bestond eenvoudigweg niet! Maar wat deed de schoenmaker dertig jaar later anders dan zijn schoonouders imiteren en Hannah zien als zijn messiaanse diva? Waarom deed hij dat? Was het een duizenden jaren oude traditie, een geestelijke erfenis of een vulgaire mode die door Hollywood werd verspreid? Wat was de liefde in films, liedjes en romans anders dan een verlossingsmythe?

Max beet op zijn tanden, een mengsel van vrees en moed. Gelovigen moesten op hun doodsbed hetzelfde voelen: en wat nu? Zouden ze hun vurige voorspellingen over andere werelden bewaarheid zien of was het gewoon ineens afgelopen? Hoeveel van hen zouden in hun laatste momenten hun overtuiging handhaven zonder een sprankje onzekerheid? Welnu, Max had geen last van sprankjes. Het waren steekvlammen!

Wat als Hannah Hannah niet was, maar een grap, een gedrocht, een man? Waarom was ze naar Brazilië gekomen, waar werkte ze? Ze had grote voeten – en ze waren kieskeurig. Ze droeg Argentijnse muiltjes gevoerd met zijde. Wat droeg ze nog meer? Max was tot diep in de nacht bezig geweest de hakken te repareren, had het zwarte leer met zeep ingesmeerd en zijn neus in de zijden voering gestoken. Hij poetste de schoenen tot het licht werd. De stad sliep nog toen hij het vuil bij elkaar veegde, hier iets recht legde, daar iets verplaatste en de werkplaats voorzover dat ging zo netjes mogelijk maakte.

Hij kreeg honger en at een appel. Het werd middag, drie, vier uur. Half zes. De klok sneed de tijd met droge tikken in dunne plakjes. Tik-tak, tik-tak. Koekoeksklokken, pendules, kalenders! Wat moet een mens ermee? Het bestaan is continu, het essentiële heeft geen vaste uren. Je leeft, je sterft, je bemint op willekeurig welk moment. Eigenlijk had Max niet zo heel lang gewacht op die allergelukkigste nabijheid. Hij zou langer wachten, veel langer, wanneer de goede God de gespannen afwachting niet bekortte. Tik-tak. Zou Hannah verschijnen op de tik of op de tak?

En de wereld, op welke van de twee was die ontstaan? Hoeveel tikken duurt een leven? En een dood? Op welk moment wordt het lot bepaald, de teerling geworpen? Tik of tak? Tijd, tijd, tijd. Een plotseling ontstane bloeding! Een stuurloos schip! Een vonnis zonder beroep!

'Pardon, goedemiddag.'

* * * * *

Het duiveltje vroeg aan zijn vader of hij hem gemene streken wilde leren. De vader zei didactisch: 'Je bent nog een kind. Begin met kleine pesterijen.'

'Welke? Welke?' vroeg de zoon verlekkerd.

'Verhinder dat de mensen hun dromen waarmaken.'

'Alleen dat maar?' vroeg de zoon teleurgesteld.

'Kalm aan, jongen! In de toekomst ga je veel ergere dingen doen.'

Het duiveltje wijdde zich vol overgave aan zijn pesterijen: wie wilde trouwen trouwde niet, wie wilde reizen reisde niet. Jaren later kwam zijn vader hem feliciteren: 'Jongen, je bent nu meerderjarig. Je mag de grootste rotstreken gaan uithalen. De ergste, de meest verschrikkelijke.'

'Welke? Welke?'

'Help de mensen hun dromen waar te maken.'

Hannah was prachtig, beeldschoon. Meer dan mooi, ze was volmaakt. Een meesterwerk, een topcreatie van God, zijn favoriete dochter. Lang, slank, elegant. Wat een vrouw! Ze had groene ogen, een rozige huid en hagelwitte tanden. Hannah was de meeste volmaakte, de meest, de meest …

'Die daar alstublieft, meneer …?'

Ze wees naar het rek achter de schoenmaker. Aan haar ringvinger een trouwring.

'Kutner', hakkelde hij. 'Max Kutner.'

Ze week lichtelijk verbaasd terug. Ze sprak het Jiddisch mooi uit met een zachte stem: 'Kutner? Die daar, meneer Kutner.'

Haar volle bruine haar viel neer in vergulde lokken. En de lippen? Wat te zeggen van haar lippen?

'Die daar, de zwarte.'

Ze droeg een lichtbruine jurk met een kraag en manchetten van wit fustein. Haar nagels waren theeroosroze.

'Alles in orde, meneer Kutner?'

Max gaf haar de schoenen. Ze inspecteerde de hakken: 'Die

zijn prachtig geworden! Ik vreesde dat er niets meer aan te doen was. Hartelijk bedankt!'

Hij straalde: 'Tot uw dienst.' Hij kuchte. 'Fijn dat u zo tevreden bent!'

'Komt u ook uit Polen, meneer Kutner?'

'Uit Katowice, in Galicië.'

'Ik ben geboren in Bircza.'

'Bij de Oekraïense grens?'

'Precies.'

Beleefd wachtte Hannah op de afrekening, die Max uitstelde met vragen en commentaren over het verleden.

Weemoedig zei ze: 'Mijn vader was een gelovig man, hij hielp de rabbijn in de synagoge. Bent u getrouwd?'

'Vrijgezel.' Max produceerde een uitnodigende glimlach.

Hannah haalde haar portemonnee tevoorschijn: 'Hoeveel is het?'

'Tien *mil-réis*. Wanneer bent u naar Brazilië gekomen?'

'Acht jaar geleden. Of negen? Ik weet het niet meer precies.'

'Bevalt het u hier?' Hannah telde de bankbiljetten uit.

'Of het me hier bevalt?' Ze dacht na voor ze antwoordde. 'Het zou moeilijk zijn van Brazilië te houden als het gemakkelijk was van een andere plaats te houden.'

'U hebt gelijk, het leven is nergens gemakkelijk ...'

'Bepaald niet, nee.' Ze borg de portemonnee op in haar tas. 'Wat valt er te verwachten van een wereld waar Carmen Miranda geen Braziliaanse, Hitler geen Duitser en Stalin geen Rus is?'

Ze lachten.

'Mijn complimenten voor het werk, meneer Kutner. Alstublieft.'

Max probeerde het gesprek nog wat te rekken maar Hannah had haast. Hij nam het geld met tegenzin in ontvangst.

'Komt u nog eens terug!'

'Dat zal ik zeker doen, dank u', en ze stopte de schoenen in een boodschappentas.

'Ik kan ze bij u thuis bezorgen!'

'Dat is niet nodig.' Hannah gunde hem een laatste glimlach. 'Sjolem, meneer Kutner!'

En ze liep weg.

Max kon zich niet beheersen toen hij haar de hoek om zag slaan. Geen seconde langer. Hij sprong over de werkbank en volgde haar door het drukke Praça Onze. Hij ontweek auto's, maakte mensen aan het schrikken, struikelde over honden, verschool zich achter bomen en lantaarnpalen tot hij op de treeplank van een tram naar Estácio sprong. Hannah zat op de voorste bank, gestreeld door het briesje, onwetend van de bewonderaar die zich vasthield aan een vettige stang en in zijn zak de muntjes voor de conducteur bij elkaar zocht. De tram schokte, remde, mensen stapten uit en in. Hannah zat bijna roerloos voorin, haar haren opwaaiend in de wind.

Ze stapte uit in Rio Comprido, dicht bij Praça Estrela. Ze stak de straat over, bekeek de kranten in een kiosk, glimlachte naar een kind en had veel bekijks in een kroegje waar ze sigaretten en een mondstuk kocht. Ze bestelde een geel drankje – bier, guaraná? – duwde een sigaret in het mondstuk en ging aan de toog met een afwezige blik staan roken. Max hield zich op achter een amandelboom. Hannah stond daar heel sereen, bijna triest – wat een schoonheid! Waar dacht ze aan? Aan wie? Ze dronk en rookte zonder haast. Haar bewegingen waren een ballet, gebarenpoëzie die immuun was voor de wereld, voor de schelmse joligheid in de kroeg. Goed dat ze niet glimlachte: vrouwen als zij hadden geen trucs of grimassen nodig om betoverend te zijn – ze waren als vlinders die hun ragfijne pracht tonen wanneer hun vleugels rusten. Een poosje later nam ze een laatste slok en doofde ze de sigaret in het glas.

Ze woonde in de Topáziofiat, naast de kroeg. Het was een nieuw gebouw van vijf verdiepingen, lang en smal, gemaakt van beton. Weer een van die moderne wonderen die van de ene dag op de andere verrezen. De stad groeide zienderogen en er werd steeds vaker gesproken over de aanleg van een avenida tussen Cidade Nova en het Marine-arsenaal. Hele heuvels werden omvergehaald, Copacabana was een enorme bouwput. Ineens was dat en dat buitenhuis verdwenen en lag die en die kapitale villa tegen de vlakte. De traditie ruimde het veld overal waar de toekomst zijn gretige heipalen plantte.

Maar niets daarvan baarde de schoenmaker zorgen. Waarom het verleden koesteren? Wie te veel achterom kijkt, komt nooit vooruit! Buitenverblijven, landhuizen, villa's, etagewoningen? Ze mochten een voor een worden afgebroken zolang het Topáziogebouw maar gespaard bleef, want daar schreef Hannah haar brieven. Welk appartement genoot het voorrecht haar te huisvesten? Waar legde zij haar deugden te ruste?

* * * * *

Twee weken later

De president van de republiek had een bezoek gebracht aan een hydro-elektrische centrale in aanbouw, meldde de radioverslaggever, gesponsord door een fabrikant van dragees tegen alvleesklier- en galblaasproblemen. In zijn met applaus ontvangen toespraak voorzag de leider een glorieuze toekomst voor Brazilië. Hij zong de lof van de wouden en ertsmijnen die het land met zijn drie tijdzones en de langste Atlantische kust van het Amerikaanse continent voorbestemden tot de vooruitgang. Hij had een niet bepaald zware, maar nasale stem die met dezelfde saaie intonatie storm en mooi weer kon aankondigen. Geliefd bij wie hem niet haatte en gehaat door wie hem niet beminde, werd hij door allen gevreesd. Na de presidentiële toespraak benadrukte de radiostem dat de goudgroene natie met haar kostbare delfstoffen en ordelievende volk goed werkende alvleesklieren en galblazen nodig had. Een schetterende reclameboodschap legde de reporter het zwijgen op.

Een half uur later berichtte de radio over sport. De kapper maakte van de gelegenheid gebruik om te schelden op de scheidsrechter van Fla-Flu, die de eindstand van Rio's derby tussen Flamengo en Fluminense had bepaald. Hij ratelde door over de verdediging, de midvoor en de linksbuiten, zonder weerwerk van zijn zwijgzame klant die intussen was geknipt en geschoren en wiens gezicht tegen verdroging werd ingesmeerd met hamameliscrème. Daarna verzocht Max de manicuurster zijn twintig nagels te knippen en handen en voeten te verzorgen. Met de schaar in de hand vroeg het indiscrete vrouwtje waarom hij voortdurend naar het gebouw aan de overkant keek. Max deed of hij niets gehoord had.

Ja, de ontmoeting met Hannah had zijn mooiste voorgevoelens bevestigd. In de laatste brief aan Guita had ze verteld over José's heroïeke prestaties tijdens een bezoek aan de Quinta da Boa Vista. Hij had mijlen gelopen met zijn krukken en zelfs geroeid op een meertje. Een atleet! Of niet? Max was er niet gerust op: de portier van Topázio had hem bezworen dat er in geen van de vijftig appartementen een manke of gehandicapte man woonde die José heette. Hoe kon dat? Zou José niet bestaan, of liep hij niet met krukken? En Iôssef, wie was Iôssef? De portier had geen idee. In haar voorlaatste brief had Hannah geschreven dat ze haar vrienden had uitgenodigd voor een Sjavoeotpicknick. Ze hadden gezongen en gedanst en Hannah had uit haar hoofd de Tien Geboden opgezegd. Max was verbaasd: hoe kon ze zich zo enthousiast wijden aan het geloof dat haar een 'geketende vrouw' had gemaakt? De agoenot waren in vrouwelijke kringen en daarbuiten weinig geliefd. Ze droegen het stigma te zijn verlaten en de verdenking dat ze dat verdiend hadden, wanneer er rond hen al niet de beschuldiging hing dat ze hun echtgenoot in de steek hadden gelaten. Er werd tegen hen gewaarschuwd, ze werden belasterd en zelfs heksen genoemd. Maar niettemin bleef Hannah trouw aan het jodendom. Wat een fantastische vrouw! Hoeveel mensen hadden niet voor veel minder hun tradities opgegeven voor lossere geloofsregels? Hoeveel valse messiassen waren er niet die met trommels en trompetten lootjes voor het paradijs verkochten? Alsof het geloof geen beproevingen eiste, alsof het leven een kristalhelder murmelend beekje was en geen woeste stroom die alles meesleurde behalve de stenen die vast in de bedding lagen! Het was half elf 's ochtends toen Max verschoot van schrik. Niemand minder dan kapitein Avelar stapte met gezwollen borst en vilten pet de kapperszaak binnen.

'Max Kutner, wat doe jij hier?'

'Ik, eh … ik laat mijn nagels knippen.'

'In Rio Comprido?'

'Ja.'

Een onwennige pauze. Avelar zette zijn pet af en plukte aan zijn haar: 'Ik woon hier twee blokken vandaan.' En omdat de schoenmaker niet reageerde: 'Goed dat ik je tegenkom. We moeten eens praten, maar niet nu. Meld je om vier uur op mijn kantoor.'

*

Een enorme detailkaart van Brazilië. Dossiers, pennen en medailles sierden de werktafel van Avelar. Hij bladerde in een zwart boek: 'Spoedig zullen we geweldige monopolies vestigen, reservoirs van kolossale rijkdommen, waarvan zelfs de grote vermogens van de christenen afhankelijk zullen zijn.' Avelar zwaaide met het boek, een gezwollen ader op zijn voorhoofd. 'Weet je wat dit is, Kutner? *De protocollen van de wijzen van Sion*. Alles staat erin, dit is de geheime bijbel van de Joden! Maar ik wilde je spreken over wat anders.'

Hij schraapte zijn keel voor hij de schoenmaker een blad papier gaf waar een notitie op stond. 'Grupo Bnei Israel, Rua Feliciano 23, Madureira.'

'Zomaar een onschuldig clubje?' vroeg de kapitein.

'Misschien, misschien ook niet.'

'Een nest bolsjewieken?'

'Wie weet …'

'Zoek dat eens uit. Vragen? Uitstekend. Morgen is er een ...' Hij zocht naar het woord: 'Bijeenkomst. Wie zijn het, hoeveel zijn het er en wat willen ze?'

*

De voorstedelijke heuvels waren overdekt met huizen, flats en kerken. In die contreien was de federale hoofdstad een en al lelijkheid. Oy vey! Max deed het bijna in zijn broek van angst. Al bijna een uur schommelde hij in de tramwagon, vloekend op zijn 'vaderlandslievende missie', die hij comfortabel was begonnen in de Rua da Relação en die zich nu uitstrekte tot Madureira.

Hij stapte uit op een perron zonder schaduw en zonder banken bij een armoedige heuvel die je nooit op ansichtkaarten zag. Het was het tegenovergestelde van Corcovado – de Antichrist! Hij liep langs huizenblokken met in tuintjes aangeplante bomen. Vliegers zweefden in de lucht, kinderen schreeuwden in de verte. Het was een van die oorden van vergeefse levens en nutteloze aanplant, waar de klokken geeuwden en de kippen stierven van ouderdom. Max bad God dat hij sympathieke, milde mensen zou ontmoeten in de Rua Feliciano en niet de geheime samenzweringen die kapitein Avelar vermoedde. Hij keek op de politiekaart, liep rond een plein waar een jongen alleen aan het spelen was, besteeg een helling en kwam uit in een ongastvrije straat met aan het eind een lichtblauw vervallen huis met gesloten ramen en deuren. In de zijtuin zag hij eenden en een slapende kat. Absolute stilte. Max krabde op zijn hoofd: wat nu? Hij controleerde het adres, keek naar links en naar rechts, veegde het zweet van zijn gezicht. Niemand te zien. Hij wilde weggaan en de hele zaak vergeten. Kom op, Max! Een plotselinge windvlaag schudde de bomen, blies bladeren door de tuin en wekte de kat. De schoenmaker duwde een hekje open, groette de eenden en liep om een stoet mieren heen. Twee planten zieltoogden in broze potten aan weerszijden van de deur waarop hij met zijn knokkel wilde kloppen toen hij gepiep hoorde. De deur ging naar binnen toe open en Max keek in een bleek gezicht met melkige ogen en een sarcastische grijns. Voor hij flauwviel: 'Sjolem, Max Goldman.'

De volgende dag leunde kapitein Avelar achterover in zijn troon van jacarandahout terwijl een jongeman in uniform Max zijn hand toestak.

'Luitenant Staub, chef van de Joodse afdeling.'

'Een jong en veelbelovend talent', prees de kapitein.

'Ga zitten, Kutner, we willen horen wat je te vertellen hebt.'

Max legde uit dat de B'nai Jisraël*-groep niet anders was dan een vereniging die giften uitdeelde en zieken bezocht. De leden van de groep leken hem vredelievende, hardwerkende mensen zonder politieke motivaties. Max had zelfs wat geld gegeven voor de behoeftigen maar beleefd geweigerd toen ze hem uitnodigden lid te worden van de groep.

De kapitein en de luitenant wisselden een blik.

'Is dat alles?'

'Ja.'

'Niets verdachts?'

'Niets.'

'Weet je het zeker?'

'Absoluut.'

Luitenant Staub stelde nog drie of vier vragen voordat de kalme overtuigdheid van de schoenmaker een eind maakte aan het verhoor.

'Je bent een gewaardeerde vriend van Brazilië', complimenteerde Avelar.

'Dank u wel, kapitein.'

'Joden zoals jij zijn zeer welkom.'

'Dank u wel, luitenant.'

Staub nam Max mee voor een 'wandeling'. Ze liepen door gangen, bestegen trappen, bezochten kantoren en tussen handdrukken en militaire groeten door gaf Staub uitleg over de functies en structuur van organen, afdelingen en secretariaten. Ze waren in een Brazilië van stramme lijven, mouwbanden en glimmende laarzen. Na afloop nodigde de luitenant Max uit voor een kop koffie in zijn werkkamer. Hij keek Max indringend aan en zei: 'Met recht zegt Goethes Mephisto: het gepeupel bemerkt de duivel niet, zelfs niet als hij het bij de kraag pakt. Hoe verklaren de revolutionairen de massamoorden van Stalin en de ballingen in Siberië?' Een retorische pauze. 'Dat kunnen ze niet omdat de propaganda onderdrukkender is dan duizend legers. De communisten hebben zelfs de godsdienst afgeschaft om te zorgen dat die niet concurreert met andere utopieën. Wantrouw degene die gelijkheid predikt, mijn beste. De rijkdom van de mens bestaat in het onderscheid.'

Max stond verbaasd over zijn hoffelijkheid: waarom verdeed de luitenant zijn tijd aan een eenvoudige vertaler? Bestond er iets van een verre empathie tussen hen? Misschien wilde Staub hem iets zeggen wat hij uit voorzichtigheid verzweeg. Maar wat?

Het gesprek werd onderbroken door een onverschrokken soldaat: 'Luitenant Staub!' Hij salueerde. 'Majoor Müller wenst u te spreken!'

'Ik kom eraan.'

Staub haalde een zakspiegeltje tevoorschijn, kamde zijn haar en fatsoeneerde zijn uniform. Bij het afscheid zag Max een bezorgde goedheid in zijn ogen.

* * * * *

De winters in Rio waren warmer dan de Poolse zomers. Op lauwwarme dagen werden in Katowice de huizen opengezet, het volk glimlachte om het minste of geringste en defileerde met melkflesblanke armen en benen langs de rivier. Tuinen en weiden vulden zich met bloemen, vlinders en dartelende dieren. Gezinnen picknickten en geliefden wandelden hand in hand.

In Europa waren de maanden van het jaar net als mensen, elk met zijn eigen temperament en karakter: de een knorrig, de ander beminnelijk. De knorrige camoufleerden hun goede kanten, de beminnelijke hun slechte. Alles had zijn geur, textuur en kleur – en zijn beperkte tijd. Het groen botte uit met een kortstondige kracht en al in september verbleekte de herfst de velden en humeuren. Je kreeg de indruk dat de kou altijd op de loer lag en dat de warmte een voorbijgaande mildheid, een kort herademen was. In Katowice kon niemand zich vergissen: van juni tot augustus sluimerde het grijze monster (het gesnurk was te horen) om daarna met hernieuwde kracht te ontwaken en zes maanden lang ijzige kou te brengen. Dan maakten de verse vruchten plaats voor conserven en vet vlees, de enige geur werd die van verbrand hout, de mensen hulden zich in dikke jassen en de hemel hing zwaar over de wegen. In november doofde de sneeuw alle kleur en groei. De bomen boden niemand meer schaduw en zouden verwrongen skeletten blijven tot het volgende voorjaar.

Rio de Janeiro was anders. De jaargetijden leken op elkaar en de natuurcycli waren alleen te herkennen in het seizoensaanbod op de markt. Wanneer de roze lapacho of de amandelbloesem bloeide, begonnen de winkels razendsnel de 'seizoensmode' te verkopen om hun voorraden op te frissen. Je kon in iedere maand naar het strand of een boswandeling maken. In de zomers teisterden stormen de stad met overstromingen en aardverschuivingen. Na afloop verrukten regenbogen de doordrenkte ooggetuigen en keerde alles weer terug naar normaal. De winter was zo mild dat feesten in de openlucht werden gehouden.

Die middag vertaalde Max bijvoorbeeld het verloop van een bruiloft op een klein landgoed in Jacarepaguá – taarten, hartigheden, violen. De rabbijn had tijdens de ceremonie steeds de aapjes in het oog moeten houden die op de takken van een wilg zaten en de gasten dreigden te besmeuren. Dicht bij het orkestje spetterden kinderen in een stroompje terwijl de volwassenen dansten en mazzeltof riepen. De suikerwerkversieringen op de bruidstaart werden zo geloofd dat een blinde tante vroeg of ze ze mocht bevoelen. Max schoot bijna in de lach. Hij zou ontroerd zijn geweest wanneer het feest werkelijk had plaatsgevonden, wanneer het niet een farce was geweest die een week eerder was uitgedacht bij zijn bezoek aan Rua Feliciano 23 in Madureira.

*

Drie glazen suikerwater hadden hem weer bij zijn positieven gebracht. In het lichtblauwe huis was Max op wankele benen en met bezwete schedel in een stoel gezet. In de kamer bevonden zich dikke dames en jongelui, wijzen en dwazen. De B'nai Jisraël-groep was inderdaad een liefdadigheidsvereniging. Ze zamelden geld, kleding en voedsel in. De politie zou geen enkele reden tot verdenkingen hebben wanneer deze mensen zich niet specifiek ontfermden over Joden die het slachtoffer waren geworden van vervolgingen. Gevangennemingen, deportaties en verdwijningen ontwrichtten gezinnen, leidden tot failliete bedrijven en fnuikten toekomstperspectieven. Hoeveel vaders, zoons en echtgenoten waren veroordeeld tot misère en wanhoop zonder dat men wist of ze in een cel of een graf waren terechtgekomen? Hoe konden ze worden geholpen?

Dona Ethel citeerde de Talmoed: '*Kol Israel arevim zeh bazeh*. Alle Joden zijn verantwoordelijk voor elkaar.'

Een man met een flinke neus nam het woord: 'We garanderen de schoolopleiding voor veertig kinderen en geneesmiddelen voor bejaarden. We verzamelen nieuws over gevangenen en gedeporteerden. Op Joodse feestdagen ontvangen we broeders in onze huizen. We laten ons niet in met politiek. Links of rechts, dat interesseert ons niet. We zijn al vierduizend jaar Joden. Wie kan zeggen dat hij zo lang communist is?'

Dona Ethel: 'De gojim vinden altijd nieuwe redenen om ons te vervolgen.'

Een oude man glimlachte: 'Ik heb je ouders gekend, Max Goldman. Reisele was een prinses.' De glimlach verdween:

'Nog altijd vrijgezel op jouw leeftijd?'

De neus: 'We hebben goede spionnen, zelfs bij de politie. Een van hen heeft je hierheen geleid.'

Een orthodoxe Jood nam zijn kans waar: 'Spionnen speelden steeds een heel nuttige en moedige rol in onze geschiedenis. Hebt u weleens gehoord van de *meraglim*• die Moshe naar Kanaän stuurde?'

Max was eerder verbijsterd dan bijgepraat: 'Wat willen jullie van me?'

De neus legde zijn handen tegen elkaar: 'Er zijn broeders die worden gezocht door de politie. Ze zijn goed verborgen en we gaan ze verschepen naar Argentinië met valse paspoorten. De instructies voor onze kameraden staan in deze gecodeerde brief die u over een paar dagen gaat vertalen. We hebben het over een bruiloft in Jacarepaguá, allemaal gelogen. De namen van de gasten hoeft u niet te vertalen.'

Dona Ethel: 'Begrepen, Max Goldman?'

De schoenmaker reageerde niet.

'Uitstekend!' jubelde de vrouw. 'Hier heb je mijn adres. Vanaf nu ben je een van de onzen.'

*

Toen de bruiloft was vertaald dronk Max een glas water en zette hij zich aan de volgende brief.

Uit Buenos Aires schreef Guita over het banket dat zij en Jayme hadden aangeboden aan de *haute volée* van de Argentijnse hoofdstad. Een memorabele avond. En omdat, volgens Guita, 'dergelijke gelegenheden het moeten hebben van onvoorziene voorvallen', ziehier: de hors d'oeuvres waren op voordat alle gasten er waren omdat een minister ze in de keuken soldaat had gemaakt; verschillende dames droegen een alarmerend aantal identieke barokparels; twee ambassadeurs hadden elkaar geen hand gegeven.

Guita besloot met een sprankje realisme: 'Aangezien niemand mij bewondert, mogen ze ten minste jaloers op me zijn! Ziedaar een troost voor deze dame wier enige deugd is dat ze jouw zus is.'

De week erop:

Rio de Janeiro, 14 augustus 1937

Lieve Guita,
Probeer niet te beheersen wat anderen over je denken. Dat is als blazen om de wolken een vorm te geven. Sommigen houden heimelijk van je. Anderen doen dat even heimelijk niet. Wat zijn hun motieven? Dat kun je beter niet weten. Andermans gevoelens zijn een moeras dat onze ijdelheid tot bloei wil brengen. Maar moerassen hebben hun eigen bloemen al.
Kussen, Hannah

* * * * *

Op een dag ontwaakte Max anders dan anders. Hij miste iets, zijn hoofd was op een vreemde manier licht, zijn lichaam lenig. De spiegel in de badkamer toonde een vastberaden man. Waar waren de hangende schouders, de bleke lippen, de aangeboren triestheid? Was hij gek geworden, of was hij gestorven? Hij nam een bad, bevoelde zijn gezicht, borst, geslacht, benen. Hij tastte zijn geest af zonder pijn of vrees. Toen vermoedde hij dat niet hij maar iets in hem was gestorven. Opnieuw voor de spiegel meende Max een man zonder schuld te ontwaren. De lucht was niet zwaar meer – hij gaf nieuwe kracht. Aan het hoofdeinde van zijn bed reciteerde grootvader Shlomo spreuken van rabbijn Hillel: 'Als ik niet voor mij ben, wie is het dan wel? En zo niet nu, wanneer dan?'

Max was de vergezochte dilemma's en verwijten beu. Het was het mensdier dat gromde naar de verfijning van de geest. Zou de ethiek alleen maar dienen als beletsel en boetedoening? Vanwaar die duizendjarige vrijage tussen pijn en fatsoen? Guita had groot gelijk met haar mondaine galajurken, dat was beter dan het premature lijkkleed waarin sommigen zich met vermeende heldhaftigheid wikkelden. Max had er genoeg van met de ketenen van boeterituelen te slepen. Wat hij wilde was gelukkig zijn, volop mens, volop man zijn – en ethisch zijn! Want de ware uitdaging voor de ethische mens is niet de blinde gehoorzaamheid aan de heilige geboden, maar de gehechtheid aan hun essentie.

Ja, Max vertaalde Hannah, schond geheimen en gebruikte een valse naam. Ja, Hannah was getrouwd. En wat dan nog? Welk gewicht had dat in een dolgedraaide wereld waar oorlogen andere oorlogen beoorloogden? Max was een arena in gedreven en voor de leeuwen geworpen, leeuwen die niet het sjema* baden en evenmin amuletten kusten. Het was doden of gedood worden. Hij moest haar definitief veroveren in plaats van een spelletje schaak te blijven spelen met winden die telkens uit een andere hoek waaiden, terwijl de stukken op het bord voortdurend van plaats veranderden.

Hij koos een broek en een overhemd. Het was zeven uur op zijn eerste ochtend zonder schuld.

Praça Onze ontwaakte en rekte zich uit. Op de stoepen stonden de flessen die de melkboeren 's morgens vroeg deur aan deur hadden verspreid. De slaperigheid verdween uit achterbuurten, etagewoningen en landhuizen terwijl de straathoeken naar koffie roken, kinderen in uniform ruzieden op weg naar school en de treinen hun eerste passagierskuddes losten op Station Centraal van Brazilië.

Om acht uur stond Max een toevallige ontmoeting te oefenen achter een amandelboom in Rio Comprido: 'Nee maar, u hier, mevrouw! Wat een alleraangenaamste samenloop van omstandigheden!' Hij had net in de buurt een reparatie bezorgd. Trouwens, hij repareerde ook handtassen, portefeuilles, koffers en ceintuurs. Of hij hield van zijn werk? Ach, genoeg om er geen hekel aan te hebben en hij kon er zijn rekeningen van betalen. Hoe joods hij was? Nou, niet religieus, maar hij vierde de feestdagen, bad in het Hebreeuws en schold in het Jiddisch. Inderdaad, ja, het was bijna nieuwjaar. Ze gingen alweer naar ... naar ... (nerveus gereken). Juist: 5698! *Goet jor!*•

Half negen. De deuren van Topázio gingen open en Hannah verscheen in een nette zwart-witte jurk met haar haar opgestoken in een knotje. Ze groette de portier en stapte de straat op in haar pas gerepareerde muiltjes. Ze zag er eenvoudig maar heel elegant uit en liep snel. Wat voor werk deed ze? Mode, sieraden, cosmetica? Ze ging ergens binnen, keerde terug, kocht een appel bij een fruitstalletje, liep etend verder en bleef even staan kijken naar de kranten bij een kiosk. Een ceintuur om haar middel markeerde haar heupen en bolde de zwarte plooien die reikten tot haar knieën. Er stond een auto op haar te wachten op het Praça Estrela, een zwarte limousine.

Een chauffeur met pet opende het achterportier en Hannah stapte kwiek in. De auto reed meteen weg en liet de schoenmaker geïntrigeerd achter: wat moest Hannah in een limousine?

Hij keerde verbijsterd terug naar huis: een proletariërsvrouw in een limousine? Ze leek eerder een pompeuze aristocrate, niet de Hannah uit de brieven. Eerlijk gezegd leek Hannah meer op Guita. Waarom had de chauffeur zo'n haast? Waar waren José en de raadselachtige Iôssef?

Max bracht de dag door in verwarring, geplaagd door absurde gedachten.

De volgende middag groette hij agent Onofre, opende het gelinieerde cahier en begon zijn werk met een rilling. Dit keer ondertekende Hannah op geel papier.

Rio de Janeiro, 27 augustus 1937

Guita,
Het is bijna Rosj Hasjana, de tijd van vernieuwing.
Weet je aan wie ik vandaag dacht? Aan tante Sabina! Altijd mesjogge. Ze leefde aan een kaptafel vol potjes, flesjes en kwastjes, in afwachting van de 'juiste man'. Ze bewaarde een parfum in een dichtgelakt flesje voor de grote dag.
Maar jaar na jaar borstelde tante Sabina steeds grijzere haren en de parfum bedierf in het flesje. Van de 'grote dag' geen spoor. Ik was een keer aan het spelen met haar spulletjes en ... het parfumflesje brak. Echt waar! Ik brak het

parfumflesje voor de grote dag. Oy vey! Ik kreeg een pak slaag van mama, papa was woest, en tante Sabina was er zo slecht aan toe dat we de dokter lieten roepen, en de rabbijn. Zelfs de doodgraver werd gewaarschuwd. Mijn God, wat een toestand!

Maar tante Sabina stierf niet. Integendeel. Ze pakte een bezem en wilde per se zelf haar slaapkamer opruimen.

Het was ongelofelijk, Guita! De volgende dag werd tante Sabina twintig jaar jonger wakker. Ze was vrij! Ze kwam bij ons op bezoek en zei: 'Je kunt beter leven zonder te dromen dan dromen zonder te leven.'

Tante Sabina had gelijk, groot gelijk. Ik begrijp nu wat ze wilde zeggen. Ik begrijp het, maar ik leer er niet van.

Mijn parfumflesje is al jaren gebroken en wat heb ik anders gedaan dan de scherven bewaren? Elke nacht huil ik en denk ik aan dat stomme ongeluk in de rivier, waar Max verdronk in zijn auto. Ja, ik ben echt een agoena, letterlijk een geketende vrouw. Want er is en er komt geen man die me hem kan doen vergeten.

Het leven is wreed, lieve zus. Zo wreed dat ik een paar dagen geleden een andere Max Kutner heb leren kennen. Serieus waar! Een schoenmaker uit Galicië. Ach, de arme stakker, een zo oninteressante man … Hoe durft hij de naam van mijn geliefde te gebruiken?

Iôssef stuur je zijn groeten!

Veel kussen, Hannah

HOOFDSTUK 3

Een verguld crucifix, heiligen van aardewerk en porselein, het wapenschild van een voetbalclub. Max keek scherper: wat deed hij op die sofa? Hij had overal pijn.

'Gaat het beter, meneer de jood?' Een dikke schommel bracht hem koffie. De eerste slok verbrandde zijn tong.

'Ik ben Dina, de moeder van Onofre. Ik heb uw kousen uitgetrokken want slapen met kousen aan brengt ongeluk. U bent flauwgevallen op uw werk, maar mijn zoon heeft u hierheen kunnen sjouwen.' Een geslepen pauze. 'En, hoe heet ze?'

'Hannah.'

'Er staat een bord soep voor u.'

Aan tafel loerde Max naar Dina's amuletten met een vage – en voor hem ongebruikelijke – eerbied. Voorheen moest hij niets hebben van profetieën en was hij tevreden met het toeval, maar nu vroeg hij zich af waarom het noodlot hem verliefd had laten worden op de weduwe van de echte Max Kutner. Ja, er zat een noodlottige logica in. De hemelse gerechtigheid zette de puntjes op de i en strafte Max voor het bedrog met het paspoort. Niemand minder dan de overledene zelf kwam zich op hem wreken via zijn weduwe!

'Brand een tweekleurige kaars boven een vel papier met haar naam erop', zei Dina.

'Maar ... ik ben Joods.'

Ze maakte een wegwerpend gebaar: 'Op de wereld bestaan alleen verliefden en niet-verliefden, de rest is onzin.'

Max aarzelde te vragen wat hij nooit zou hebben gevraagd

omdat hij de vraag belachelijk vond: 'Laat Hannah van mij houden.'

Dina droogde haar lippen met een zakdoek: 'Breng me een glas, een sigaret of iets anders dat Hannah met haar mond heeft aangeraakt. Iets zegt me dat ze een Oxumvrouw is. Ik los het probleem in drie dagen op. Kom met me mee!'

Het was een tuintje met planten, vuilhopen en katten. Dina hief haar dikke armen: 'O, heilige Rita van de hopeloze gevallen! Wat is het lot van deze Jood? Stemmen van het volk, toevallige boodschappers, openbaar het lot van deze Jood!'

Ze drukte beide handen van de schoenmaker: 'Ga nu! Luister goed naar wat er op straat wordt gezegd, want de waarheid ligt in de stem van het volk. Het toeval is de beste profeet.'

Max daalde een trap af naar het Praça da Cruz Vermelha. Zijn hoofd bonsde en zijn knieën knikten op de Avenida Mem de Sá, waar een sambagroep een liedje van Noel Rosa speelde. Gitaren, kistjes en blikken ritmeerden het gezang:

De leugen is een heilzaam medicijn.
De waarheid kan soms kwetsen,
Maar liegen doet geen pijn.
Met een sublieme leugen kan
Een ander mens gelukkig zijn.

* * * * *

Buenos Aires, 31 augustus 1937

Hannah, lieverd,
Je bent een engel! Dat je in 5698 maar al het goede kan blij-

ven doen dat zo veel mensen nodig hebben, ook ik!
Goet jor!
Guita en Jayme

*

Rio de Janeiro, 9 september 1937

Guita,
Dank voor je lieve woorden! Jij bent ook een engel.
Er zijn trouwens een heleboel engelen en overal wachten ze op hun kans om ons met hun anonieme handen te helpen.
Eigenlijk zijn we bij gelegenheid allemaal engelen. De omstandigheden zijn engelachtig, niet de personen.
Maar één ding is zeker: als er engelen bestaan hebben die ook hun eigen engelen. En die zijn het die ze de kans geven te helpen. Gezegend zijn de mensen die ik de hand reik, want eigenlijk zijn zij het die mij de hand reiken.
Zoals de Talmoed leert: wie geeft ontvangt het meest.
Kussen,
Hannah

* * * * *

Max was elf jaar toen zijn grootouders een reiziger onderdak gaven in het dorp. De man was in alle hoeken van Afrika geweest en had de Ganges in India bevaren. Hij had Tel Aviv zien opschieten in de duinen ten noorden van Jaffa, voordat hij dicht bij Caïro een Egyptische piramide had beklommen. Kortom, een avonturier. Oma Rebecca zette het avondeten op tafel toen de bezoeker zijn gastheer uitdagend vroeg of de mens omhoog of omlaag groeide. Shlomo: 'Omhoog natuurlijk!'

'Helemaal mis!' zei de ander lachend. 'We groeien naar alle kanten, ook naar beneden. De aarde breidt zich uit vanuit een essentiële kern. Denken dat onze levensreis een evolutie is, is een illusie.' En tegen het verbaasde jongetje: 'Begrepen?'

'Ja', antwoordde Max twintig jaar later. Hij had ontdekt dat tegenover elk goed ding iets kwaads stond, dat elke centimeter hoger ook een centimeter lager veronderstelde. De wijsheid sloot de domheid niet uit en overvloed stond tegenover schaarste. Brazilië was het beste voorbeeld: enorm, vruchtbaar, warm. Alles kiemde, groeide en bloeide, wortelend in die uitgestrektheid, zelfs de ellende, misschien omdat er een geheime band bestond tussen gebrek en overdaad. De overvloed ondersteunde de armoede – of was het andersom? Je stierf niet van de honger of de kou in Rio de Janeiro, waar rijke dames muntjes toewierpen aan bedelaars die sterker waren dan de dokwerkers in Polen. Van bomen gevallen vruchten lagen te verrotten naast bedelaressen die hun kinderen de borst gaven. Krotten stonden naast kapitale villa's, die grensden aan achterbuurten geflankeerd door paleizen. Alleen een onervaren blik verbaasde zich over de bizarre harmonie van de Braziliaanse hoofdstad, op en top de lappendeken en smeltkroes van het tropicalisme.

Joden waren neergepoot in een omgeving waar mulatten Jiddisch koeterwaalsten en politici groot geld inzetten bij het beestenspel. De avondjes in een barretje werden opgeluisterd met gebeden in de synagoge erboven. Zelfs de integralisten boezemden geen angst in met hun pathetische anauê-geschreeuw. Brazilianen waren niet in staat te haten. Max kon best eens beledigd of bedreigd worden, maar niet omdat hij Joods was, maar omdat iedereen elkaar beledigde en bedreigde in de riten van oorlog en vrede. Er werd constant gelachen, om van alles en nog wat. Er werd veel gedronken: bier, *cachaça*, goedkope wijn. De sensualiteit verhitte de blikken en zorgde voor drukbezochte bordelen en dansfeesten.

Het land was een gemoedelijke heksenketel, een gastvrije krottenwijk zolang de regels – of het gebrek daaraan – werden aanvaard. En de typische Jood, doordrenkt van schuld en angst, de traditionele indringer in andermans huis, sloot zich er schuchter bij aan, als een zwerfkei die zich in de feestdrukte mengt en vroeg of laat de trom van de broederschap roert.

En wat voor broederschap! In Manaus trok het graf van een rabbijn die wonderen zou hebben verricht pelgrims uit Amazonië. In de dorre binnenlanden van het Noordoosten trof je sporen aan van het door de inquisitie verbannen jodendom. En de uitzinnige congaroffels waar de elites heimelijk zo dol op waren? Als het land een oecumenisch feest was waar iedereen het geloof van zijn naaste begeerde, waarom zou Max dan een uitzondering zijn?

Hij beklom de Morro da Providência naar een plein waar werkschuwe jongeren stonden te drinken in een buurtwinkeltje. Hellingen en modderpoelen maakten hier van het leven taai acrobatenwerk. Hij kocht de kaars die Dina hem had aangeraden: 'Niet een, niet drie, maar twee kleuren!' Shlomo moest hem maar vergeven, want ook in Polen tartte allerlei bijgeloof de rechte leer en dreef het zelfs de voedselprijzen op. Op bepaalde plaatsen deden knoflook en uien vaker dienst om duivels dan de honger te verdrijven.

Nu was het waar dat Max er eigenlijk zijn twijfels over had of kaarsen en smeekbeden de wereld konden veranderen. Gezang, amuletten, wierook. Zou God voor dat soort goedkope trucjes bezwijken? Zouden zijn alwetendheid en goedheid niet voldoende zijn om te oordelen over mensen die hem liever vleiden dan dat ze hun verstand gebruikten? Hoeveel godsdienstige types vergaten in hun gehechtheid aan de tradities niet de waarden waarop ze gebaseerd waren? Hoeveel riten waren niet meer dan louter mechanische en hypocriete gebaren? Hoeveel gelovigen baden tot God omdat ze hem niet met zwaarden en geweren te lijf konden?

Thuisgekomen schreef Max 'Hannah' op een vel papier. Hij doofde het licht en streek een lucifer af. Het vlammetje danste verlegen op de lont, bijna stervend totdat een volle vlam opschoot die elke scepsis verschroeide. Shlomo begon te zweten op zijn portret. Terecht had Dina vermoed dat het om een 'Oxumvrouw' ging – preciezer gezegd om een Oxumvrouw die agoena was.

* * * * *

'Een glas, een sigaret of iets anders dat Hannah met haar mond heeft aangeraakt.' Max herhaalde de opdracht van Dina, geleund tegen de oude getrouwe amandelboom. Het duurde twee uur voordat de geliefde verscheen in een elegante lichtblauwe jurk, met handtas en op witte schoenen. Ze liep zonder haast, de handen vrij, de blik ongericht. In niets herinnerde ze aan de gehaaste dame die een paar dagen eerder in een limousine was gestapt. Integendeel: bij Estácio stapte Hannah op een *taioba*, de beroemde vrachttram die werd gebruikt door wasvrouwen en markthandelaars met hun bundels en soms zelfs hun kleinvee. Max stond perplex. Een fatsoenlijk mens zette geen voet in die varkensstallen die niet eens ramen hadden en rijdende vuilcontainers leken.

'Taxi! Volg die taioba!'

De tram reed naar het centrum via Cidade Nova, kruiste het Praça da República en het Largo da Carioca, en stopte voor Galeria Cruzeiro, halverwege de Avenida Rio Branco. Hannah kocht sigaretten in een tabakswinkeltje en liep door nauwe straten bomvol mensen. Ze bewoog zich gracieus en bekeek de etalages van de Rua Gonçalves Dias voordat ze Confeitaria Colombo binnenging en iets bestelde uit de gebaksvitrine. Op afstand verheugde Max zich: een vorkje of een servet zou perfect zijn! Hij had nooit gedacht dat het zo gemakkelijk zou zijn haar te veroveren. De God van Moshe moest hem de belediging vergeven, maar de concurrentie had verleidelijkere aanbiedingen.

Blijde kreetjes. Een geblondeerde meid omhelsde Hannah aan de toonbank. Max sperde zijn pupillen: een vriendin? Ze praatten geanimeerd terwijl Hannah een bordje vasthield en het vorkje dat was voorbestemd voor Dina's hekserijen naar haar mond bracht. De blonde lachte en gebaarde, Hannah luisterde en Max volgde de glanzende prooi die met het bordje op de toonbank werd teruggezet. Hannah zei iets tegen de blondine en liep naar de andere kant van de salon, waar ze haar handtas opende in de rij voor de kassa. Tijd om te handelen, besliste de schoenmaker. In naam van de orisha's!

Max schoot linea recta naar de toonbank. Hij duwde wie op zijn weg kwam opzij totdat hij stokte van schrik. Midden in de salon stond hij aan de grond genageld: hij zag iets verschrikkelijks en ongelofelijks. De blonde, alleen aan de toonbank, stond het bordje schoon te schrappen en stak de restjes vorkje na vorkje stiekem in haar mond. Dit kon niet waar zijn! De dievegge keek af en toe opzij terwijl Hannah de rekening betaalde. De helse snol! Ze veegde haar mond af met de rug van haar hand en likte al haar vingers schoon. Viezerik!

Op straat gaven Hannah en de dievegge elkaar een kus en liepen ze elk een andere kant op. Horden mensen renden verschillende richtingen uit, als pijlen die elkaar kruisten op weg naar doelen waarvandaan ze opnieuw alle kanten op schoten. Hannah liep drie blokken voordat ze op een bank op het Largo de São Francisco ging zitten, haar jurk slordig gespreid, en een sigaret opstak. Ze kruiste haar benen en met haar handen begon ze haar gebarenpoëzie te reciteren. Ze rookte langzaam – verdiept in de duiven die om haar heen scharrelden? Nee, Hannah sloeg geen acht op ze en slechts bij toeval kruisten ze haar blikveld. Hannah leefde in een andere wereld en haar aanwezigheden in de onze waren tijdelijke verbanningen, noodzakelijke kwaden.

Op afstand deed Max alsof hij de winnende loterijnummers die aan een kiosk hingen bestudeerde. Nee, hij blonk niet meer uit in puurheid en durfde te wedden dat Hannah loog tegen Guita. Was ze echt getrouwd? Wat voor werk deed ze? En Iôssef, wie was Iôssef? Kortom, wie was Hannah?

Max rekte zijn hals toen ze haar laatste trekje nam en de gloeiende peuk met een boogje op de grond wierp. Geeuwde ze toen ze opstond en wegliep? Met zijn ogen fixeerde Max de plek waar de peuk lag. Maar de strategie mislukte: er lagen honderden peuken op de grond. Misschien wel duizenden! *Dreck*,* wat nu? Maar natuurlijk: de lipstick van Hannah! Max hurkte en kroop rond tussen de duiven om in de middagzon de peuken een voor een te inspecteren. Vijf, tien, twintig peuken en geen enkele roze vlek, geen lippenstift. Hij besnuffelde de uiteinden en kneep in de stompjes, geïmiteerd door een bedelaar die al snel een lacherig publiek trok. Een politieagent stapte tussen de omstanders door, eerder nieuwsgierig dan streng. Hij stond op het punt de man die op handen en voeten rondkroop aan te spreken, maar het was niet de agent die de schoenmaker een doodsschrik bezorgde:

'Meneer Kutner?'

Het was Hannah. Ze was teruggekomen om het pakje sigaretten te halen dat ze op de bank had laten liggen.

'Alles goed met u?' Max bewoog zich niet.

'Zoekt u iets, meneer Kutner?'

'Nee ...'

Hannah stak hem haar hand toe en Max stond op. Hij was lijkbleek.

'Ik zoek niets.' Een gevoel van misselijkheid: 'Niets, niets.'

Het publiek begon zich te verspreiden. Max kuchte om tijd te winnen, trillende botten, een droge mond. Hannah keek hem bezorgd aan zonder uitleg te eisen.

'De engelen!'

'Engelen, meneer Kutner?'

'Ja, de engelen! Ze zijn onder ons.'

Hannah speelde verbazing.

'Want engelachtig zijn de omstandigheden', zei Max. Het duizelde hem: 'Maar vergis je niet: de engelen hebben ook hun engelen.'

'Hebt u gedronken?'

'Ik heb u nodig! Reik mij uw hand!'

Hannah nam hem mee naar een snackbar en bestelde een broodje met boter. Max kauwde voor de vorm.

'Gaat het beter, meneer Kutner?'

Max knikte, gelukkig net met volle mond.

'Gelukkig.' Hannah zuchtte. 'Doet u het nog maar even rustig aan.' En ze verdween.

* * * * *

Ze stonden allemaal op om het signaal van de sjofar te horen. Bedekt met een witte sjaal beklom een man de preekstoel van de synagoge en blies op de ramshoorn. Het was Jom Kipoer, Grote Verzoendag, wanneer de joden vasten en boete doen voor de fouten die ze begingen in het voorgaande jaar.

De recent geopende Grote Israëlitische Tempel was met zijn glas-in-loodramen en mezzanino voor vrouwen de trots van de gemeenschap. Zelfs in Buenos Aires hadden ze zoiets niet. Een mozaïek omzoomde de kist met de torarollen die op de heilige feestdag in wit waren gehuld. Maar weinigen van de aanwezigen voorzagen veel vreugde in het nieuwe jaar. De regering Vargas beschuldigde de Joden ervan een coup te beramen om het communisme in Brazilië te vestigen. Opstootjes, straatgevechten en moorden zouden onderdeel zijn van een 'Semitische samenzwering', die door de militairen zou zijn ontdekt en bekend werd als het Cohenplan. Max wist dat alles niet meer dan een farce was om het volk een rad voor ogen te draaien en wreedheden te rechtvaardigen zoals de deportatie van Olga Benário Prestes, de zwangere 'bolsjewiek' die aan Hitler werd 'teruggegeven'.

Toen de Jom Kipoer-ceremonie voorbij was volgden de gelukwensen. Met een discrete hoofdknik herkende Max dona Ethel van de B'nai Jisraël-groep. Kort daarop, op de trappen naar de straat, bood iemand hem een snoepje aan om het vasten te beëindigen. Langzaamaan begon de schoenmaker te wennen aan de steelse blikken en het gefluister achter zijn rug. Op dat moment wisten zelfs de bomen van Praça Onze dat hij voor de politie werkte. Misschien ontweek men hem om die reden en kwam het niet eens in iemand op hem voor de Jom Kipoer-maaltijd uit te nodigen. Maar wat maakte het uit? Hij zou toch wel te weten komen hoe die maaltijden waren geweest – de gerechten, het bestek, de humeurigheden. Er was altijd wel een onkies iemand die de sfeer verziekte met een aan de feestdis misplaatste waarheid, of iemand wiens gezondheid zorgen baarde. En altijd was er een te zoute vis of een heerlijke taart met noten en rozijnen.

Max was op een vreemde manier intiem met die mensen, een regelmatige verschijning in hun levens als een dode ziel. Hoe konden ze zo hetzelfde en zo anders zijn, voor elkaar dezelfde geheimen verzwijgen zodat niemand zou vermoeden wat iedereen wist! Ze beschermden hun eer met harde hand – en houten benen. Dat gold ook voor de schoenmaker zelf.

Verdiept in gepeins keerde hij terug naar huis. Waarom had hij voor het eerst sinds hij Polen verliet gevast, terwijl hij geen schuld voelde en niet godsdienstig was? Het antwoord viel hem in toen hij een ei kookte op het oliestel. Het vasten was een gebaar van verbondenheid met zijn vader, met zijn grootouders, met de grote verstrooide familie waartoe ook Hannah behoorde. Hij dronk op het nieuwe jaar. Maar wat zou 5698 hem voor nieuws brengen?

Er verschenen steeds minder landgenoten aan zijn werkbank, die nu vaak werd bezocht door laarzen en holsters. Grote zwarte auto's stopten met een koppige indiscretie voor zijn werkplaats. Zelfs kapitein Avelar liep graag met zijn medailles te rinkelen in de straten van Visconde de Itaúna. Door een en ander verwierf Max zich gaandeweg de opzichtige antipathie of het voorzichtige ontzag van zijn buren. Op een dag kwam een moeder smeken om nieuws over haar gevangengenomen dochter en zag Max zich genoodzaakt haar de deur uit te zetten. Dat ontbrak er nog maar aan: een filiaal van de politie worden! Intussen vertoonde zijn carrière aan de Rua da Relação een opgaande lijn en was hij belast met het verhoren van Joden die geen Portugees konden of wilden spreken, meestal vreemdelingen of schuldigen voor de wet.

'Laat ze ons met rust laten!' protesteerde een jongen uit Rio Grande do Sul die was opgepakt toen hij werk zocht in Rio. 'Wij zijn voor niemand een bedreiging! We zijn met zo weinigen dat we niet eens vreedzaam hoeven te zijn. Ze moeten eens letten op die Duitsers in het zuiden. Daar zit het gevaar!'

Hij had gelijk. In Santa Catarina en Rio Grande do Sul weigerden duizenden Duitsers en hun nakomelingen Portugees te spreken, terwijl hun kinderen op school leerboeken uit Berlijn gebruikten. Voor hen was de annexatie van Brazilië bij het Derde Rijk een kwestie van tijd. Het zou niet lang meer duren voor de swastika zou wapperen op het Palácio do Catete. Elk jaar in april vierden deze gemeenschappen de verjaardag van de Führer met optochten, defilés en fanfares.

Max verborg zijn medelijden en pakte een notitieblokje om iets op te schrijven.

'Dus jij zoekt werk in Rio, jongen? Waar logeer je?'

De volgende dag verscheen er een oude meubelmaker bij de jongen die op zoek was naar een medewerker. Nee, de meubelmaker was geen vriend van Max en had evenmin een advertentie in de krant gezet. Hoe Max het wist? Uit de brieven uiteraard.

* * * * *

Rio de Janeiro, 1 oktober 1937

Lieve Guita,
Simchat Tora is het feest van de kennis. Daarom wijd ik deze brief aan een speciaal onderwerp: de onwetendheid. Per slot van rekening is de onwetendheid de moeder der wijsheid! Als je leert onwetend te zijn, leer je te weten. De onwetendheid leert ons om te gaan met het mysterie, de pijn en het nee. Het is erkennen dat niet alles een antwoord heeft of zal hebben. Onze wijzen zeggen dat de juiste vraag al de helft van het antwoord bevat.
Waardeer de stilte. Daarin komen de goede antwoorden bovendrijven. Sommige zijn intuïtief, komen uit andere werelden en zijn bang voor de onze. Ze vluchten bij het minste geluid. Wantrouw aangename of absolute antwoorden die vragen tot zwijgen brengen. Onze vragen zijn geen kraters maar horizonnen. Kun je ze niet beter beschouwen dan volstoppen met puin en cement?
Ben Sira leert: 'Zoek niet wat voor je verborgen is en begrijp wat je is toegestaan.' Leven met twijfel kan beter zijn dan die te bestrijden. Mensen die het mysterie niet dulden lopen nog een extra risico: dat ze alleen vragen stellen die passen

op vooraf bedachte antwoorden om ze tegemoet te komen. In het leven van die mensen leiden de antwoorden tot vragen en niet andersom. De vragen zijn slechts de inleidingen op hun armzalige zekerheden.
Om Simchat Tora te vieren ben ik van huis tot huis gegaan om Jiddische boeken te vragen. Ik ga ze volgende week schenken aan een bejaardenhuis.
Iôssef stuurt zijn groeten! Kussen,
Hannah

* * * * *

Altijd gehuld in lompen wekte Mendel F. eerder medelijden dan verontwaardiging wanneer hij voorbijgangers beledigde. Hij baadde zich in de fontein van Praça Onze en snurkte in diepe slaap op straathoeken. Zijn leeftijd was onbekend, hij zou zijn ontkomen aan een massaslachting in de Oekraïne en kon zich niet herinneren hoe hij terecht was gekomen in Brazilië. Enfin, de zoveelste *sjlepper.**

Feit is dat Mendel F. die middag opmerkelijk rustig en zelfs beleefd was toen hij op straat een paar glanzende schoenen toonde en zei dat Max Kutner een heilige was. Daarna brulde hij: 'Betaal de schoenmaker met boeken! Boeken in het Jiddisch!'

Binnen een paar uur veranderde de werkplaats in een bibliotheek. Proza en poëzie, commentaren van rabbijnen, woordenboeken en zelfs encyclopediedelen werden de schoenmaker als betaling overhandigd. Laat in de avond vulde Max een koffer met wijsheid: Tolstoj, Sjolem Aleichem, Dostojevski. Hij bladerde in de boeken, las strofen en alinea's. In een van de werken vertelde Ivan Iljitsj over zijn eigen dood. In een andere won een kleermaker de loterij. Oy main Got, wat was dat allemaal mooi geschreven! Heel anders dan die banale brieven vol fouten! Niets beter dan de kwaliteit van de meesters om Praça Onze zijn juiste plaats te wijzen. Max slaakte een laatdunkende zucht en betreurde zijn lot voordat hij zichzelf schoorvoetend toegaf dat hij in zijn diepste innerlijk de voorkeur gaf aan de oude vertrouwde briefjes. Goed, die waren een rommeltje, maar altijd persoonlijk, zonder literaire voornaamheid of pretenties. Eigenlijk hield Max van de inktvlekken en doorhalingen, meer dan van het industriële drukwerk, alsof het handschrift van zijn volksgenoten voor zich sprak en niet zelden de boodschap weerlegde. 'Ik ben kalm', zeiden beverige letters. Om nog maar te zwijgen van de vergoten tranen, de parfums en de rode kussen. Hoeveel zinnen daagden Max niet uit tot een herinterpretatie in het gelinieerde cahier, tot riskante pogingen de betekenis te duiden? Op een dag in de rij bij de slager had hij Abram G. bijna gevraagd wat hij bedoelde met een bepaalde chassidische legende. Een andere keer had hij zich niet kunnen inhouden toen Dorinha K. een paar schoenen kwam ophalen: 'De oude woekeraarster werd niet vermoord door Fjodorovitsj maar door Raskolnikov.' De klant had zich op het hoofd gekrabd, stomverbaasd over de vreemde terechtwijzing.

Het grootste probleem voor de schoenmaker waren de onvertaalbare woorden. Er bestond geen betrouwbare uitwisselbaarheid tussen het Jiddisch en het Portugees, het waren twee afzonderlijke werelden. Vanwege zijn volkse herkomst neigde het Jiddisch naar een eigenaardige minzame wreveligheid. De kritische toon, de terzijdes en de ironie van het 'Joodse jargon' waren doorspekt met een zo broederlijke en vanzelfsprekende intimiteit dat de strijkages van beschaafde omgangsnormen onnodig waren. Soms leek het Jiddisch meer op een familieruzie, met alle huiselijke trauma's, mythes en manies van dien. Daarom zat Max verzonken in dilemma's op zijn potlood te bijten. Te pas en te onpas liet luitenant Staub hem roepen om eerder filosofische dan technische twijfels op te helderen die werden opgeroepen door verhalen, parabels of moppen die Max in het gelinieerde cahier had vertaald. In de tram naar huis voerde de schoenmaker soms denkbeeldige discussies waarin hij meningen herzag en zekerheden herriep. Ook over zichzelf.

De rol van Hannah bijvoorbeeld. Wat had ze anders gedaan dan een verliefde en energieke Max blootleggen, zijn bloed verdikken dat waterig was geworden van apathie? Misschien lag het veel eenvoudiger en was dat hele romantische en existentiële gedoe gewoon een kwestie van geilheid – van de soort die mannen gelijkstelt aan wilde dieren –, verheven tot een transcendentie die de rauwheid van het instinct moest verdoezelen. Hoe dan ook, het was tien uur 's ochtends toen de taxi stopte voor de deur van Edifício Topázio.

'Driehonderdtien', zei de portier.

Max sleepte de koffer door de hal zonder zijn nervositeit te verbergen. Wat moest hij zeggen? Simpel: een klant – hij was de naam vergeten – had hem gezegd dat Hannah boeken schonk aan een bejaardenhuis op Simchat Tora. Welnu, hij vond het geen bezwaar een deel af te staan van zijn bezit, dat groot en gevarieerd was omdat hij dol was op literatuur. Wat hij in zijn vrije tijd het liefste deed was zijn kennis vergroten en verfijnen, en vooral zijn twijfels, want uiteindelijk 'moest je het mysterie aanvaarden en toestaan dat de goede antwoorden in de stilte bovenkwamen'. Wie had dat ook weer gezegd? Ben Sira of tante Sabina?

Nee, hij kon maar beter geen verzonnen verhaal ophangen. Waarom niet een eenvoudig en vriendelijk praatje? Haar in de ogen kijken zonder maskers, zoals we God zouden willen zien, en het leed en de verbijstering overwinnen om de twijfel te erkennen: waarom?

Hij liet de lift komen, die terwijl hij neerdaalde een pestilente lucht door de deurkier blies. Ben Sira of tante Sabina, wie had nu beweerd dat de juiste vraag de helft van het antwoord bevat? Wie beminde de moerasbloemen en bewaarde een parfum voor 'de grote dag'? Max wreef zijn bezwete handen. De liftcabine daalde traag en stopte op andere verdiepingen met een schok die voorafging aan het geratel van de harmonicaschuifdeuren. Oy vey, wat duurde dat lang!

Driehonderdtien, driehonderdtien. De koffer moest een kilo of dertig wegen, een zware beproeving voor het handvat dat in zijn vingers sneed. Het was een labyrintische gang met plafondlampen die meer schaduwen dan licht verspreidden. Hij wiste het zweet van zijn voorhoofd en fatsoeneerde zijn kleren. Hij zou de echtgenoot van Hannah en ook Iôssef een beleefde hand geven. Ze zouden praten over koetjes en kalfjes of, als ze daaraan toekwamen, over serieuzere zaken. Max zou weten wat het juiste moment was om op te staan (als hij ging zitten) en te vertrekken. Geduld en methode, daaraan herkende je de verstandige zaaier.

310 stond er in vergulde cijfers. Op de rechterdeurpost een discrete mezoeza. Max ademde diep in, heel diep, overvallen door een duizeling. Hoe zou de bedriegerij aflopen? Hij kon er nog van afzien en rechtsomkeert maken: Adam en Eva hadden al duizenden jaren geleden bewezen dat onwetendheid het beste recept is. Hij zette de koffer op de grond en belde aan, een melodieus geklingel. Vijf, tien, vijftien seconden. Niemand thuis? Hij belde opnieuw en droogde zijn handen met een verfrommelde zakdoek. Goedemorgen of goedemiddag? Op zijn horloge was het kwart over twaalf. Geluid, stappen, hakken op de vloer totdat een rond raampje openging en waakzame ogen de schoenmaker bekeken. Het raampje werd snel gesloten. Kettingen, grendels, een draaiende sleutel en Max stond oog in oog met een mollige, opgemaakte vrouw die hem van top tot teen opnam. Toen ze de koffer zag: 'Geen clientelshiks!' en ze sloeg de deur dicht voor de neus van de schoenmaker.

Max belde opnieuw aan. Zodra het raampje weer openging, zei hij in keurig Jiddisch: 'Ik ben geen clientelshik, ik kom voor Hannah Kutner.'

'O, dat is wat anders ...' Ze opende de deur: 'Komt u toch binnen. Volgt u mij maar. Sorry voor het misverstand.'

Ze was rond de vijftig, sprak een zangerig Jiddisch en droeg een lang blauw gewaad dat overdadig was bedrukt met schelpen, zeesterren, vissen en zeepaardjes. Ze zag eruit als een schotel zeevruchten en wiegde met haar volle heupen voor hem uit naar een kamertje waar in kooitjes een papegaai en een kaketoe hingen.

'Gaat u zitten alstublieft. Ik ben Fanny.'

'Ik ben Fanny, ik ben Fanny!' krijste de papegaai.

'Hou je snavel, Iôssef!' Rood van woede: 'Dat rotbeest!'

Was Iôssef een papegaai? De schoenmaker ging zitten in een bordeauxrode fauteuil, de koffer tussen zijn benen, verwonderde ogen. Waar was hij? Veel Joden deelden huizen, zo niet krotten, die ze 'pensions' noemden, om zo goed en zo kwaad als het ging te kunnen leven. Hele gezinnen hokten in slaapkamertjes en wedijverden om dezelfde badkamer terwijl kamers en keukens luidruchtige gemeenschapsruimtes werden. Max zelf woonde provisorisch achter in zijn werkplaats.

Desalniettemin was er iets verkeerd in het kamertje, en dat lag niet aan de weeë geur of aan Iôssef de papegaai.

Fanny bracht een verfrissing en vroeg of Max een tijd had afgesproken want Hannah had het 'erg druk'. 'Nee', zei hij, waarop ze hem vroeg wat geduld te hebben en stiekem naar de koffer loerde. Haar handen zaten vol ringen en – oy vey! – iedere gelakte nagel had een andere kleur.

'Wat doet u voor werk?' vroeg ze op wat laatdunkende toon.

'Ik ben schoenmaker. Ik werk op de Visconde de Itaúna, vlak bij het plein.'

'Wat zit er in die koffer?'

'Boeken.'

'Boeken? Wat moet u daar nu mee?'

Ineens klonken er kreten. Ze kwamen uit een andere kamer, hoog en herhaald.

'Wat is dat?' Max herhaalde ongerust: 'Wat is dat?'

Fanny schoot bijna in de lach toen een volgende kreet de schoenmaker omhoog joeg uit zijn fauteuil. Hij liep tegen meubels aan en spitste zijn oren: 'Waar komt dat vandaan? Mijn God, waar komt dat vandaan?'

'Er is niets aan de hand, meneer! Kalmeert u alstublieft!' Ze greep de verbijsterde Max vast.

'Wat is dat? Is dat Hannah?'

'Maar natuurlijk!'

Paniek. 'Waar is ze?'

De twee botsten tegen elkaar voordat Max haar wegduwde en een gang rechts in schoot. Hannah huilde als een wolvin achter de deur die de schoenmaker probeerde te openen. Op slot. Hij begon op de deur te bonzen: 'Hannah, Hannah!'

Daarbinnen hoestte iemand hartgrondig. Wat was er aan de hand? Werd ze geslagen? Fanny smeekte Max terug te keren naar het kamertje, ze zette haar gekleurde nagels in zijn vlees en schold hem uit voor alles wat hem kon beledigen. Maar voordat de logica de schoenmaker te hulp kwam, zwaaide de deur open en bleek wie de hoester was: de zwaarlijvige kapitein Avelar, gerold in een laken en stinkend naar seks. Max versteende. Naast hem vroeg Hannah hoogstgeïrriteerd wat er in godsnaam aan de hand was. Ze was naakt, spiernaakt.

Max voelde dat hij flauw ging vallen toen hij de situatie begon te begrijpen.

'Meneer Kutner?' was het laatste wat hij hoorde.

HOOFDSTUK 4

Polen, 1896

Artur werd wakker van een vreemd reutelend geluid. Hij keek naar de kaars aan het hoofdeinde, die de wind precies om vijf uur had gedoofd. Het geluid had hij liever niet gehoord. De hanen begonnen hun gekraai toen hij merkte dat zijn broer in het bed naast hem dood was. Hij zuchtte verdrietig terwijl hij het roerloze gezicht streelde. Daarna liep hij over de krakende vloerplanken om zijn ouders te roepen. Zijn moeder haastte zich naar het fornuis om thee te maken voor de bezoekers terwijl zijn vader de deuren afging om het dorp te waarschuwen. Het was een aardige, lieve jongen. Al jaren kwijnde hij weg aan tuberculose, bloed ophoestend en het krot besmettend waar ze met zijn vieren – nu drie – op elkaar geperst zaten.

De buren wasten de jongen en wikkelden hem in een wit laken. Het ging allemaal heel snel, niemand huilde of scheurde zijn kleren. Op de begraafplaats zei de vader de kaddisj en het lichaam zakte in het graf zonder kist. De gebeden in huis duurden een week, maar de rouwperiode werd bekort omdat er gewerkt moest worden.

Artur was zestien jaar maar kende de begrafenisrituelen: er werd meer gestorven dan geleefd in het dorp. En niet alleen in hun dorp. Honger, kou, ellende en moordpartijen joegen miljoenen Joden in Oost-Europa het graf in. In Rusland was een hele gemeenschap afgeslacht, beschuldigd van het vergiftigen van rivieren en putten, en het offeren van christelijke kinderen van wie het bloed werd gebruikt bij de bereiding van de matzes voor Pesach. Velen vluchtten en 'deden Amerika', waar ze elke dag sinaasappels aten en de gebouwen bergen leken. 'Argentinië' was ook een toverwoord, net zoals de 'Joodse Staat', waarvan sommigen zeiden dat ze die gingen stichten in het Midden-Oosten. 'Dromen, dromen', smaalde Arturs vader, die vertrouwde op de Schepper en altijd in de weer was met gebedsdoeken en leren riemen. Zijn ongelovige zoon was liever in de weer met juwelen en mooie vrouwen – twee zaken die in Lowicz ver te zoeken waren. Hij richtte zijn blik op de horizon, aangespoord door reizigers die nieuws brachten uit Warschau.

De dagen in het dorp waren allemaal hetzelfde. Nauwelijks kwam de zon op of een dozijn bebaarde mannen plonsde door de modderpoelen naar het huis van de sjammes voor de gebeden. Ze maakten van de gelegenheid gebruik om te discussiëren over de Tora en moppen te vertellen. Pas daarna, onderricht en gezegend, togen ze aan de arbeid die hun een paar schamele broden en een kip voor de zaterdag opleverde. De meesten werkten in de omgeving en lieten het dorp over aan de vrouwen en kinderen. De jongens studeerden in het huis van de sjammes te midden van beschimmelde boeken en koeken die hij bakte in een houtoven. De meisjes bleven thuis. Arturs vader was meubelmaker: hij zaagde, timmerde en polijstte het houtwerk van Lowicz. Artur verdiende wat kleingeld met het bewerken van christelijke grond. Hij dreef kuddes en stal voedsel voor het gezin, ondanks de waarschuwingen van zijn moeder: dat zou slecht aflopen.

In september was het zover. 'Houd de dief!' brulde de landeigenaar, begeleid door een groep potige kerels en een troep honden. Artur rende wat hij kon, ontdeed zich van vier aardappelen en struikelde over graspollen en stenen, totdat ze hem te pakken kregen en ongenadig aftuigden. De Polen hadden hem bijna dood geslagen. Hij bracht weken door in bed, verbitterd, huilend zonder tranen, zijn benige handen wringend en zich afvragend wat hij moest doen. Het was tijd om te reageren, de handen uit de mouwen! Ambitie zonder initiatief was als een klok zonder klepel. Omdat hij de plattelandslucht zat was, zou hij de steden gaan verkennen.

Het ochtendgloren baadde het dorp in een roze gloed en de baardmannen ploeterden door de eerste sneeuw van 1897 toen Artur een knapzak volstopte, een stuk brood at, zijn moeder kuste en de weg opging. Zijn toekomst paste niet in dat zompige gehucht.

Wat de jongen het meest verbaasde was de hoeveelheid mensen. Langs de lanen van Warschau stonden de gebouwen perfect uitgelijnd en eerbiedig saluerend in de houding terwijl de macht zijn paleizen verliet en in pronkkoetsen voorbij defileerde. Bohémiens vulden de cafés, die pas leegliepen wanneer de melkboeren de ochtend aankondigden. Enorme pleinen waren versierd met fonteinen, triomfbogen en standbeelden. Maar de verblindende weelde sloot ook mensen uit. Artur moest zijn gelijken zoeken in een ander Warschau, dat wemelde van spelonken en stegen, armoedzaaiers en louche types. Hij sprak nauwelijks Pools, spartelde als een drenkeling, begaf zich in clandestiene handeltjes, at restjes en sliep in de openlucht, verwarmd door destillaten en fermenten. Hij was er slecht aan toe en vreesde bijna voor zijn leven. Keer op keer zag hij zijn hoop vervluchtigen, maar terugkeren naar Lowicz was ondenkbaar. Bidden eveneens: zijn geloof was met zijn broer gestorven. Hij moest geld verdienen, zelfs al betekende dat leven van barmhartigheid – of misdaad.

Posten aan de deur van de synagoge was zijn allerlaatste – en geslaagde – list. In februari wist hij een baantje te bemachtigen in het atelier van een Joodse kleermaker. Hij streelde kasjmier, zijde en linnen dat niet bedoeld was om de elite maar zijn evenbeeld te kleden. Hij kwam aan, liet zijn haar bijwerken, zijn wangen kleuren en debuteerde in de lente met waardige kleding. Hij trok de aandacht door zijn trotse uitstraling en viriele blik. En het mooiste van alles was dat hij alleen maar Jiddisch hoefde te spreken, omdat alle klanten Joods waren. Hij installeerde zich in een achterkamertje met een raam dat uitzag op het betere leven. Terwijl hij keek naar het vrouwvolk in het huis ertegenover, voorvoelde hij dat er betere tijden zouden aanbreken.

Gelach, toasts, decolletés: Artur zag meteen dat de deugd er niet woonde. Hij vierde de ontdekking, speculerend over prijzen en de voortreffelijke tegenprestaties. Nachtenlang stelde hij zich zwetend en hijgend details voor, en bewasemde hij het raam van zijn kamer met zijn voorkeur voor het ene of andere meisje, zich gebreken voorstellend alleen om zijn aandrang te temperen ze vast te grijpen, te bijten en wild te bezitten. Heldinnen! Grijsaards, kaalkoppen en verschrompelden ontblootten hun slappe huidkwabben voor de arme stakkers, die niets hadden van goedkope sloeries: ze werkten vol ijver, berustend in al hun beproevingen. En wanneer de klanten vertrokken herstelden de meisjes hun charmes en parfumeerden en poederden ze hun vermoeienissen weg.

Op het atelier begon Artur meetfouten te maken en in zijn vingers te prikken. Er ontbrak een goede spiegel om de wallen onder zijn ogen bij te werken, die paarser waren dan de voering van het jasje dat voor verstelwerk was afgegeven. Artur raakte geïntrigeerd. Hij herkende het patroon: groene en blauwe strepen die vierkantjes vormden op een donkergrijze ondergrond. Maar waarvan?

'Dr. Kelevsky wil zijn zakken laten vergroten', instrueerde de kleermaker.

'Maar het zijn al grote zakken.'

'Dr. Kelevsky is dr. Kelevsky!' klonk het vermanend.

'Nog een excentriekeling in Warschau', mopperde de jongen voor zich heen. De volgende dag maakte hij kennis met een verfijnde heer met een dun snorretje en een pince-nez. Hij gunde de jongen een korte blik en die twijfelde niet meer: natuurlijk! Dat jasje bezocht het naburige bordeel – niet een of twee keer, maar regelmatig. Artur begreep meteen wat het métier was van dr. Kelevsky, die hem nu bekeek met een aristocratische grijns.

'Is die jongen Jiddisch?'

'Uit Lowicz', bevestigde de kleermaker.

'Ken ik ...'

Kelevsky krabde zijn snor met een lepe blik en het begin van een glimlach, die Artur beantwoordde. Uitdagend legde Kelevsky een zilveren aansteker, een sigarettenkoker, geld en een paar pennen op de toonbank. Hij vroeg of Artur die in de vergrote zakken wilde stoppen en het kledingstuk wilde aantrekken. Hij zette zijn pince-nez recht: *'C'est parfait!'*

Hij glimlachte, vermanend aangekeken door de verstoorde kleermaker. Een maand later gloeide het geld van de schurk in de handen van de leerling, zijn onechte zoon. Artur Kelevsky, zoals hij nu heette, leek lichamelijk en moreel geknipt voor de missies waarmee hij fortuin zou maken, nu eens terugreizend naar de zompige binnenlanden, dan weer aan land stappend op verre continenten.

* * * * *

Rusland, negen jaar later

Golda had water moeten drinken om haar gesnik te doen bedaren: de gebeden en geloften hadden gewerkt! Het wit stond haar goed en lichtte op in de besterde avond. Het huwelijk, gecelebreerd door een oom, vond plaats in de openlucht zodat de doden daarboven de ceremonie ook konden bijwonen. Dat was beter zo, want zelfs de levenden alleen pasten niet in de enige synagoge van het dorp, een uit voorzienige voorzorg zo klein huisje dat er niet meer dan één God in kon wonen. Verschillende genodigden droegen jurken en vermaakte kledingstukken van Golda zelf, wier trouwjapon in allerijl gemaakt was op verzoek van de bruidegom. De knapperd was opgedoken uit het niets, even onverwacht als de Messias. Nadat hij de wereld had rondgereisd op zoek naar zijn ware liefde was een eerste blik genoeg geweest. Het was op een herfstdag en Golda speelde met de kinderen uit de omgeving in de geïmproviseerde crèche in haar tuin.

'Met deze ring', zei de knapperd plechtig, 'ben je aan mij gewijd volgens de wet van Moshe en Israël.'

'Ze is getrouwd', zeiden de getuigen.

Alleen de kinderen verborgen hun droefheid niet. Ze zagen haar liever in vodden, met losse haren, zonder die rare sluier. Misschien voorvoelden ze het gemis – dat allen trouwens vreesden. Hoe moesten ze leven zonder Golda, het vrolijkste en hulpvaardigste meisje van Rusland?

Het echtpaar dronk wijn en Artur brak het glas trefzeker onder de hak van zijn schoen.

'Mazzeltof!' Tranen en omhelzingen. De eerste kus maakte mannen en vrouwen jaloers, die klapten omdat het zo hoorde.

Iedereen had geholpen bij de voorbereidingen van het feest. Accordeons, klarinetten en violen klonken de hele nacht. Meisjes bekvechtten over wie het eerst zou trouwen, jongens renden door de maanbeschenen velden, vrouwen paradeerden met het mooiste uit hun kasten. Uit de gammele kippenhokken was geen kukel of kakel te horen, want alle dieren, zelfs de enige, hooggewaardeerde koe van het dorp, bezwaarden de magen van de volwassenen, terwijl de tot compotes verwerkte boomgaarden de kinderen besmeurden. Deeggerechten, conserven en geleien completeerden de tafel. Het bruidspaar zwierde schaterend in het rond onder het applaus van nuchteren en dronkenen. Daarna werden ze opgetild en opgegooid door euforische armen: Mazzeltof, mazzeltof! Van Siberië tot de Kaukasus was het gezang te horen. Minder hoorbaar was het gefluisterde: 'Nu is Golda rijk.'

Als Poolse zakenman woonde de jongen in een Amerikaanse stad. Hij was de eigenaar van een restaurant gespecialiseerd in biefstukken. Allemaal koosjer uiteraard. Hij bezat een paleis met meren en tuinen in ...

'New York?' waagde Golda's vader met struikelende tong.

'Buenos Aires', verbeterde Artur.
'Dat is ook Amerika', lachte de schoonvader.

De volgende ochtend tartte de logica. Een zeldzame wolk in de lucht zorgde voor regen toen Golda iedereen een voor een omhelsde, bange gevoelens suste en belofte op belofte stapelde. Van haar oudtante kreeg ze een marineblauwe jurk met knopen van Afrikaans ivoor om te dragen op haar eerste dag in Amerika. Ze ontving ook zakdoeken, bibelots en een hanger van amber. Ze zweerde terug te keren met haar eersteling, maar zelfs het meest goedgelovige kind van het dorp, vroeg wijs, verwachtte niet dat die dag zou komen. Hoe kon je plannen hebben en voor een toekomst zaaien op een plaats waar de kippen pikten in de lichamen van hun eigenaars? De pogroms waren een vloek: plunderingen en bloedbaden in naam van tsaar Nicolaas II, hele steden platgeschoten door de kozakken. Het pure kwaad! Goddank ontsnapte Golda daaraan, geroepen door de toekomst, wie weet om een dorp in de andere wereld te bevolken?

Een oud vrouwtje pakte Artur bij de arm: 'Luister goed, jongen! Geen denken aan dat je haar in huis opsluit! Golda is een werker, een heel harde werker!'

Artur glimlachte: 'Maak u geen zorgen, ze zal flink moeten werken!'

En omdat het lot haast had, stapten ze in de koets. Golda was haar stem verloren, had huilogen en een rode neus. Ze legde haar gezicht tegen de borst van haar man, kneep in zijn hand. Dat was haar echtgenoot, zo mooi en zo intelligent. Ze zou van hem houden in droefheid en vreugde, in rijkdom en armoede. Ze zou houden van zijn deugden en van zijn zwakheden. Ze zouden kinderen, kleinkinderen en achterkleinkinderen krijgen. Ze zou hem vergeven, begrijpen en gelukkig maken, zoals de Talmoed voorschrijft. En na haar tranen te hebben gedroogd, tikte Golda met een sprankje humor de koetsier op zijn schouder. Of het de gewoonste zaak van de wereld was: 'Naar Buenos Aires alstublieft.'

* * * * *

Hamburg

Golda zat al vijf dagen opgesloten en wist niet hoe ze zich moest bezighouden in de hotelkamer. Ze had haar klosjes garen aangesproken en de versleten gordijnen, een laken en twee kussenslopen gerepareerd. Ze was de waanzin nabij, liep rondjes en moest haar behoeften doen op een po omdat de kamer geen badkamer had. Zelfs de stal in het dorp stonk niet zo verschrikkelijk. Artur verscheen pas 's avonds, met eten en geklaag over de winter die de haven dichthield, zodat de reis naar Argentinië werd vertraagd. Hij vertrok 's morgens weer en liet zijn vrouw alleen met haar wanhoop.

Tegen twaalf uur wreef Golda over het met sneeuw bedekte raam. De haven met de schepen en kranen onder witte korsten was nauwelijks te zien. Het was de koudste winter van de laatste jaren, maar dat verontrustte haar niet. Ze dacht evenmin aan de lange reis van Rusland naar Hamburg, zes maanden geslinger in treinen en koetsjes. Ze gaf niets om de Weense paleizen, de Tiroler Alpen of de weelde van Berlijn. Golda dacht alleen aan Artur.

Hij gedroeg zich vreemd, telkens verstrooider en agressiever. Overal waar ze kwamen had hij zaken af te handelen en was hij uren of zelfs dagen afwezig. Hij beloofde dat hij in Zuid-Amerika tot rust zou komen. Tussen de ene belofte en de andere realiseerde Golda zich weer dat Amerika in noord en zuid was verdeeld. Hoe zat dat met Europa, waar je oost, west, centraal en wat schiereilanden had?

Golda had zich nooit zulke grote landen en verschillen voorgesteld. Waar ze over had gedroomd was over een dorp waar geen eind aan kwam – uiteraard stond ze open voor nieuwe dingen, maar dit sloeg alles. Ze voelde zich misplaatst, verbannen, anoniem. In haar dierbare dorpje rook alles naar armoede, maar Golda kende de feiten, keek de mensen in de ogen en betrad bekende grond. Ze had een nederige maar coherente plaats verlaten om verzeild te raken in een opeenvolging van toevallige landschappen, mensen en gebeurtenissen. Golda was zomaar iemand geworden, niet meer de behulpzame, argeloze en bij haar mededorpelingen geliefde Golda. Haar gebaren vonden geen weerklank. Het was onmogelijk zich verstaanbaar te maken en Golda te zijn – zelfs tegenover haar echtgenoot.

Ze was getrouwd met een onbekende. Van hem houden in droefheid en vreugde was bij voorbaat een te zware uitdaging. In Wenen was Artur geëxplodeerd toen ze ziek werd en haar armen onder de rode pukkeltjes zaten. Gelukkig was de crisis bezworen door een bevriende dokter. Want aan vriendschappen was geen gebrek: Artur drukte de hand van politieagenten, portiers, mannen en vrouwen die er dubieus uitzagen. Hij redde zich vloeiend in duizend talen, allemaal besprekingen die Golda in verband trachtte te brengen met het restaurant in Buenos Aires. En wanneer ze vragen durfde stellen, kwam Artur aan met ontwijkende antwoorden, chocolaatjes, vermoeid gegeeuw.

Om drie uur 's middags krabde Golda een opening in de ijsbloemen op het raam van de kamer. Ze zag buiten een vrome Jood. Hij liep tegen de wind in, volhardend op zijn koers door het wit. De sneeuwjacht bevlokte zijn donkere kleding, zijn breedgerande hoed. Golda was niet ontwikkeld of religieus, ze kon niet eens lezen en schrijven, maar ze kende gelovige mannen zoals hij uit haar dorp. Ze vond ze een beetje eng met hun geheven handen, modulerende stem, voortdurende glimlachjes en grimassen. Maar ze waren vriendelijk. Golda wilde hem groeten, sjolem wensen of zoiets, om haar ziel te warmen, haar bloed sneller te doen stromen, iets van zichzelf terug te vinden.

Maar de kamerdeur was op slot en het raam klemde. Golda voelde paniek opkomen toen ze stappen, sleutels en scharnieren hoorde. Artur kwam binnen, geagiteerd, onrustig als een paard. Hij knoopte zijn jas los, gooide sjaal en kleren op de vloer, sjorde zijn broek uit en toonde zijn nooit eerder vertoonde naaktheid. Daarna stortte hij zich zonder plichtplegingen op Golda, trok haar de kleren van het lijf en nam ten volle profijt van haar tere en roerloze lichaam.

Golda protesteerde niet en gaf geen kik. Ze was te overdonderd om te reageren. Ze verdroeg de pijn zonder emotie, teruggetrokken in een hoekje van haar ziel, haar vlees ter beschikking van haar bronstige echtgenoot. Na te zijn gebruikt schemerde in haar de vreemde, onaangename notie een lichaam te zijn, of te zijn geweest – meer niet. De logica was omgedraaid. Het was niet de ziel die het lichaam, haar trouwe behuizing, leven gaf, maar andersom. Het ging om het vlees. Golda ontdekte dat ze niet meer dan de bewoonster was van het gezicht, de borsten, de plooien en curven die waren wat Artur werkelijk begeerde.

Ze stond op. Het was avond geworden, Hamburg was aardedonker. In de spiegelende ruit zag ze haar man uitgestrekt op het bed. Ze vroeg of ze naar de badkamer aan het eind van de gang mocht omdat ze zich moest wassen. Artur liet het toe, goedgehumeurd omdat de haven de volgende dag vrijgegeven zou worden.

Buenos Aires was een kwestie van weken.

* * * * *

Toen het schip aanlegde in Frankrijk, liet Artur Golda haar koffer pakken en verhuizen naar een grauw hok met twee stapelbedden en een latrine. Golda begreep er niets van en toen ze het luik van haar nieuwe kamer opende zag ze haar man op de kade staan praten met een paar geüniformeerde heren. Vreemd: hij liet de bewakers zijn portefeuille zien terwijl hij drie vrouwen groette. Even later piepte het luik en kwamen de drie vrouwen verward en luidruchtig binnen. Artur volgde: 'Allemaal rustig blijven!' Hij stelde een stuurs klein mannetje voor: 'Leib zal voor jullie zorgen.'

De drie kwamen evenals Golda uit Joodse dorpen. Verdere overeenkomsten leidden al snel tot een schok: Artur was met alle vier getrouwd en had het viertal exact hetzelfde paradijs beloofd. Toen het restaurant met koosjere biefstukken ter sprake kwam, vreesden de drie meisjes dat zij de biefstukken waren. Golda vond het verhaal van de drie moeilijk te begrijpen, het leek haar volkomen onzinnig. Meer uit angst dan verontwaardiging bonsde ze op de deur en probeerde ze door het nauwe luik te ontsnappen. Ze zag de Franse kust langzaam terugwijken en oplossen in mist.

De eerste week brachten ze opeengepakt in de hut door, pratend zonder ophouden en ruziënd om de latrine en het eten dat werd gebracht door Leib, die Artur 'de chef' noemde. Golda kwam te weten dat de chef zich gelukkig ook aan boord bevond en dat hij zijn vrouwen 'te gelegener tijd' graag zou terugzien. Die tijd brak aan na een oponthoud bij een rotsig eiland vol witte huisjes en steile heuvels. Artur verscheen met een wandelstok en droeg een loodgrijs driedelig pak. Hij klonk vriendelijk maar resoluut: 'Jullie kunnen naar buiten en mogen de hut uit, maar kijk uit dat je niet verbrandt in de zon. Een blanke huid is essentieel!'

Golda had zin hem een dreun te geven en de huid vol te schelden. Maar ze kon het niet: ze miste de aanleg om te haten – en vooral om hem te haten. Ze was er zeker van dat het goed zou komen. Achter de beproeving lag een reden, een verborgen zin, een nog niet te begrijpen goedheid. En omdat Golda bang was de kamer te verlaten nam Artur haar bij de hand: 'Kom, je kunt me vertrouwen.'

Aan dek werd ze omgeven door blauw. De wereld was water, kinderen speelden in een kring rond een gebogen oude man. Op dat moment opende zich voor Golda een kier in de logica, de tijd en de ruimte. Gedurende een kort moment, los van de omstandigheden en hun beperkingen, kende ze vrede. Ze zeggen dat in het ogenblik van wanhoop de verlichting ligt, omdat daar, waar je niets verwacht, alles genoeg is. Daar belooft de tarwe geen brood, de druif geen wijn en kondigt het morgenrood de zon niet aan. Er bestaat geen angst of voorgevoel. Daar is geen verwachting en geen ontknoping. En het was precies daar dat Golda de schoonheid begreep van de zee, de lucht, God. Ze voelde de wind haar gezicht strelen, gooide haar haren los, strekte haar armen en ademde diep in. Geen andere horizonnen dan de einder voor haar, boven een Atlantische Oceaan zonder beloften die toch – of misschien juist daarom? – wonderschoon was.

Toen ze weer tot zichzelf kwam, zag ze de drie vrouwen vrolijk zitten kletsen. De vallende avond verdonkerde de lucht, Artur was verdwenen en Leib maakte aanstalten om de vrouwen terug te drijven naar hun kerker.

* * * * *

Toen ze voor anker lagen in Rio de Janeiro werden de passagiers die doorreisden naar Buenos Aires aan dek verzameld omdat de geneeskundige autoriteiten de hutten moesten inspecteren. Velen waren in Brazilië van boord gegaan, ook de 'bruiden' van Artur en de onverdraaglijke Leib. Golda was blij dat ze weer de enige was, alsof er sinds ze scheep ging in Hamburg niets gebeurd was. Nu kreeg de wereld weer zijn gewone zin. Ze ging een praatje maken met haar man, verrukt over het landschap en vol vragen over Argentinië. Artur stond met een cigarillo in zijn hand en was niet geïnteresseerd in conversatie. Golda vroeg ernstig: 'Wil je naar me luisteren?'

'Nu niet, ik sta te roken, ga weg hier.'

In een opwelling van moed: 'Ik ben je vrouw, je moet naar me luisteren!'

Hij raakte geïrriteerd: 'De vrouw van wie? Niet van mij!'

'Hoezo niet? We zijn getrouwd!'

'Hoeren trouwen niet! Die bruiloft was niet echt, begrepen? En nu weg hier, ik sta te roken en wil met rust worden gelaten!'

Golda huiverde, haar ogen rood. Had ze gedroomd? Zij, ongetrouwd en ontmaagd? Onmogelijk. Ze hadden trouwringen gewisseld, een glas gebroken! Gewalt, nooit had ze zoiets absurds gehoord! Ze greep Artur vast, die haar met een vloek van zich afsloeg. Golda rolde over de grond tot een vrouw haar verontwaardigd te hulp schoot, keek of ze zich bezeerd had en besloot de commandant te roepen.

'Dat is niet nodig.' Het meisje bedankte. Ze stond alleen op en probeerde met trillende handen de kraag van haar jurk te fatsoeneren. Het was de marineblauwe jurk die ze van haar oudtante had gekregen voor de eerste dag in Amerika. Ze stokte, keek naar de gescheurde jurk en de knopen van Afrikaans ivoor die op de grond lagen. Ze snoot haar neus, veegde snot en tranen weg en trok de trouwring van haar ringvinger. Gekneusd, kleren toegetakeld, haar in wanorde, lippenstift versmeerd en met sombere blik wankelde ze over de dekplanken tot ze op de reling klom, haar armen uitsloeg en in de baai van Guanabara sprong. Ze viel als een steen. Liever dood of een ander ongeluk dan dat lot. Met een doffe klap verdween ze in het lauwe modderwater, waar ze hevig hoestend uit bovenkwam. Nieuwsgierigen stonden te dringen op het dek, Artur schreeuwde wanhopig. Voor hem vluchtte Golda. Joodse kozak, hels monster! Ze begon met haar armen te slaan en trapte met haar benen. Bij elke beweging kreeg ze liters water binnen, ze verloor haar kracht, haar neus bloedde. Maar ze zwom, ze zwom onvermoeibaar, ze zwom naar haar dorp, terug naar de oude vertrouwde armoede, naar de wereld waar van haar gehouden werd, waar ze mens was, waar ze Golda was!

Ze raakte vermoeid en buiten adem, haar lichaam gaf het op. Ze werd al duizelig en stikte bijna met haar mond vol smerig schuim toen ze een houten bootje zag en door donkere handen uit het water werd gehaald. De mannen brulden en roeiden. Golda vond zich terug in een troebele plas te midden van zieltogende vissen. Ze zag de slaande staarten, de uitpuilende ogen. Een zeldzaamheid in haar dorp, waar ze doorgaans gedroogd of gerookt arriveerden, hard als steen en veel gebruikt voor de Pesach- en nieuwjaarstafel. Golda had nooit een levende vis gezien. Ze ving graag kikkervisjes in het enige beekje van het dorp, maar alleen om ze geheimen te vertellen en haar hart te luchten.

Dagen later ontwaakte ze in een ziekenhuisbed, badend in het zweet en gewenteld in haar eigen vuil. De verpleegsters verstond ze niet. Ze kreeg injecties, kwijlde soep en stierf van de dorst. Soms praatte ze met haar ouders, molk ze de kippen of baarde ze glimwormen. Twee mooie, goedgeklede, overdadig opgemaakte vrouwen kwamen haar haar strelen en praatten Jiddisch tegen haar, waar Golda met grote moeite iets van begreep. Sara en Zélia (zo heetten ze) zouden voor haar zorgen wanneer ze het ziekenhuis verliet. Ze zouden goede, solidaire vriendinnen en vertrouwelingen zijn. Maar Golda wilde geen vriendinnen. Ze liet alleen maar vragen naar haar echtgenoot – Artur, Artur, Artur – met de dunne stem waarmee ze haar laatste zucht slaakte: Artur.

Ze stierf alleen, uitgeteerd, op een vroege januarimorgen. Tyfus volgens de overlijdensakte. Sara en Zélia eisten dat het ziekenhuispersoneel Golda waste en in een laken wikkelde, ze wensten een waardige, Joodse begrafenis zodat ze in vrede kon rusten. Maar niemand waste de overledene en de twee Poolsen ontvingen spottende commentaren. Op het kerkhof van Caju werd de kist neergelaten tussen de heiligen en kruisen rondom. Sara en Zélia leidden een commissie die al langer pleitte voor een Joodse begraafplaats in de stad.

Tien jaar later gaf de prefectuur toestemming voor de aanleg van de begraafplaats van Inhaúma. Het was een plechtige middag in 1916, met een picknick en toespraken op de toegewezen grond. Er werd zelfs gezongen en gedanst door enkele vrouwen en minder respectvollen kozen alvast een plekje, opperden data en dronken de doodsengel toe. Na de drukte zette Zélia haar hoed op en nam ze de tram naar Caju. Ze wilde een steentje gaan leggen op het graf van Golda. Ze dwaalde langs de lanen tussen graniet en perken en besloot te gaan vragen waar het graf was. Ze vond een benauwd kantoortje met oud aftands meubilair. De archiefbeheerster forceerde een glimlachje terwijl ze de laden met vergeelde systeemkaarten doorzocht en beklaagde zich over de schade die de laatste regens hadden aangericht. Zélia wachtte een half uur, drie kwartier, dronk water en bezocht het toilet. Maar toen ze last van haar spataderen kreeg, vreesde ze dat ze Golda voorgoed was verloren. Ze protesteerde niet.

Ze ging naar de oever van de baai van Guanabara, dacht aan God en gooide een steentje in het water.

* * * * *

Polen, 1930

Twee uur 's nachts, het bierhuis vertoonde geen tekenen van vermoeidheid: gelach, gepraat en het af- en aanlopen van de kelners met hun schuimende tulpglazen. Eenzaam in de beroering had Artur niets om op te toasten. Over geld en gezondheid had hij niet te klagen, maar het was hard dat hij niet weg kon uit de stad waar alles was begonnen, op duizenden kilometers van zijn chaise longue in het paleis aan de Avenida Córdoba, het hoofdkantoor van Zwi Migdal. Ach, Buenos Aires! Zou Artur de cafés, paleizen en boulevards ooit terugzien? Zou hij de vurige tango's van Gardel nog eens horen?

Hij had pijn in zijn hoofd, in zijn maag, alles deed zeer. Op zijn vijftigste vreesde Artur voor het eerst de eenzaamheid. Het was een ondankbaar einde van meer dan drie decennia keihard werken. Hoeveel meisjes had hij over de wereld gedistribueerd? Argentinië, Brazilië, de Verenigde Staten, Zuid-Afrika, India, China. De geluksvogels! Als Zwi Migdal ze niet had geholpen waren ze weggerot in dorpjes die ongezonder waren dan de bordelen waar ze goed werden betaald. En ze waren niet de enigen die profiteerden. De clandestiene 'huidenhandel' leverde veel mensen geld op en voedde fabuleuze ondernemingen. Alleen al in Argentinië bestuurde de organisatie industrieën en winkels die niet zelden werden bezocht door dezelfde respectabele Joden die hun gezicht afwendden van Artur op de boulevards van Buenos Aires. Hoevelen van hen gaven zich in de Poolse clubs niet over aan wat hun echtgenotes 'infame perversies' noemden? De cynische hufters! Kleermakers, advocaten, makelaars. Een en al gedistingeerde nobelheid, godvrezend zonder zich ooit de geneugten van de

Joodse onderwereld te ontzeggen. En wat kon je van hen terugverwachten? Wie reikte de hand, wie nam het op voor de onreine broeders? Die stonden ze niet eens toe te trouwen in hun synagoges of te worden bijgezet op de begraafplaats van La Tablada!

Ja, Artur Kelevsky had een aantal zielen in het verderf gestort. Ze waren niet door hem gedood, maar door de botsing tussen de romantische dromen die ze koesterden in hun Oost-Europese dorpen en de harde omstandigheden in de echte wereld. Artur was maar een tussenpersoon, een handelaar zoals willekeurig welke andere. Hij had het oudste beroep ter wereld niet uitgevonden, en evenmin de enorme onverzadigbare klantenkring. De meisjes had het nooit ontbroken aan eten, kleding, geneesmiddelen, cosmetica. Maar wat deden die domme wichten? Ze hadden kritiek op hun weldoeners, maakten moeilijkheden en wilden hen in de steek laten om een 'nieuw leven' te beginnen. Hoevelen van hen had Artur niet zelf uit de gevangenis gehaald, uit de handen van justitie gehouden en gered uit conflicten? Hoeveel had hij er niet naar hoerenkasten ver weg gestuurd als ze werden beschuldigd van misdaden en misdragingen? In Três Arroyos werkten alleen recidivisten, professionele brokkenmaaksters. En wie bracht ze onder in goede ziekenhuizen, sanatoria en liefdadigheidsgestichten als ze ziek werden? Artur Kelevsky! Dezelfde die op de vergaderingen van Zwi Migdal pleitte voor onderwijs voor hun kinderen en werk voor hun echtgenoten. Zelfs huwelijken, dodenwaken en bar mitswa's werden gehouden aan de Avenida Córdoba. Om maar te zwijgen van de vrouwen die er verschenen met koffer en knotje, zonder toekomstperspectieven, en die in de prostitutie zochten wat de morele wereld hun ontzegde. Onderdrukking of roeping? Onderdrukt waren de traditionele echtgenotes, lelijke broedmachines met een ongelukkig gezinsleven in Once. Ze moesten jaloers zijn op de hoeren, van wie ze eigenlijk niet veel verschilden. Zij verdienden hun geld op andere, minder heldere en verdedigbare manieren. Ze bekritiseerden hun zusters alsof hun intieme delen heiligdommen waren in plaats van casino's! De polacas pakten het slimmer aan en waren welvarender. Ze dreven hun eigen handeltjes – naaiwerk, koken. Dat deden ze in alle rust zolang ze Zwi Migdal niet beduvelden. Geen denken aan dat ze voor eigen rekening scharrelden of hun bijdragen aan de organisatie niet betaalden.

Maar de mens is een geboren overtreder, vandaar de aframmelingen, opsluitingen en andere onplezierigheden. Straffen die ze zichzelf op de hals haalden, van de agenten van Zwi Migdal, niet zelden politiemensen. Ook heel wat politici, magistraten, diplomaten en autoriteiten verleenden hun medewerking. Het kon gebeuren dat er eens iemand tussenuit kneep, maar de grootste ergernissen kwamen van buiten.

In de laatste decennia, vooral in de jaren twintig, was het bestrijden van de 'blanke slavernij' de belangrijkste banier geworden van een groep leeglopers. Havens en spoorwegstations vulden zich met dames die alarmistische pamfletten uitdeelden. Sommigen kwamen de meisjes al aan boord van de schepen waarschuwen en gingen zelfs zo ver ze te 'adopteren' – om niet te zeggen, te ontvoeren. Nou ja, ze konden beter de heren der schepping hun ballen afsnijden! Stelletje flutactivistes!

Maar uiteraard had je in alle takken van handel te maken met verliezen en risico's – en niemand beter dan Artur Kelevsky om die te becijferen. Hij had aan het hoofd gestaan van duizend bordelen, twee industrieën en achttien winkels die onvoorstelbare sommen factureerden. En omdat de sector voortdurend verse aanvoer eiste, struinde een legioen *rufiões* – knappe, goedgeklede jongemannen die arme meisjes inpalmden met mooie beloften, met ze trouwden en later hun pooier werden – het platteland af van Polen, Rusland, Hongarije en omstreken. Ze moesten in staat zijn de friste appeltjes te kiezen.

Waar is dat de 'huidenimport' in zeven decennia nooit een stabiele handel was geweest. Maar zelfs de pessimisten, zwartkijkers en jaloerselingen hadden de ramp niet kunnen voorzien die zich voordeed in 1929, toen een opstandige hoer op leeftijd zich aandiende bij een commissaris van de federale politie in Buenos Aires, genaamd Julio Alsogaray, en een bombastische reeks beschuldigingen uitte tegen Zwi Migdal. Ze had het over straffen, inbeslagnames, bedreigingen. Ze sprak van geheime rekeningen, omkoperijen en gefingeerde handelstransacties.

Het valse kreng had alles verpest! Resultaat: arrestatiebevelen, ontmantelde bordelen. Puur antisemitisme! Of deden de Argentijnen dat ook met Franse, Italiaanse of Turkse vrije jongens? Een juridische aanfluiting! Het had de polacas tot de bedelstaf gebracht en hun klanten tot waanzin gedreven. De verkrachtingen, lustmoorden, openbare dronkenschappen en knokpartijen die de illustere commissaris niet had voorzien lieten niet lang op zich wachten. Hij dacht kennelijk dat de beschaving een kalme zee en niet een oceaan van hypocrisie was. Artur had moeten vluchten en was in het holst van de nacht de Río de la Plata overgestoken, door de Uruguayaanse pampa's geploeterd en uiteindelijk clandestien van Montevideo scheep gegaan naar Europa. Het was niet zijn eerste zeeavontuur.

Nooit zou hij 1914 vergeten, toen een Engels eskader een Duits schip met acht meisjes onderschepte. Zij waren niet het doelwit maar het schip zelf. De onderdanen van de koning deelden mee dat er in Europa oorlog was uitgebroken, dat het Duitse schip zou worden opgebracht naar een Schotse haven en dat de passagiers op een ander trans-Atlantisch schip zouden worden gezet. Het afgrijzen was unaniem – of bijna. Terwijl de argelozen hun handen in de lucht staken, wreef Artur in de zijne. Hij keerde terug naar Duitsland, waar hij bommen en geweren trotseerde om de Germaanse frontlinies van willig vrouwvlees te voorzien. En die keer in Zuid-Afrika, toen de meisjes in een hinderlaag van een stam wilden waren gelopen? Artur had de halve wereld leren kennen, van Hongkong tot Havana. Cocaïne en opium waren habitués in zijn bloed, maar hij gaf de voorkeur aan absint uit Praag.

Maar er was een roemloos einde gekomen aan zijn glorieuze odyssee. Vijftig jaar, niet te geloven! De bierpul was zijn enige verjaardagsgezelschap. Waar zou hij zijn volgende verjaardag vieren? Informanten raadden hem aan Buenos Aires te vergeten. Hij moest Brazilië eens proberen, waar net een charismatische leider de macht had gegrepen.

Eerst moest Artur echter wachten tot het stof was neergedaald. Venezuela, Columbia, Mexico en Cuba waren alternatieven. Maar met zijn vijftig jaar had Artur niet meer de sterke constitutie van vroeger. Hij had last van hoge bloeddruk, artrose en andere euvels. Misschien werd hij liever oud aan zee. Al aardig aangeschoten zag hij zichzelf op de stranden van Rio, gebruind door de zon, verwend door een levensgezellin.

Geen malle romantische meisjes meer. O nee! Hij wilde een rijpere vrouw die hem tot steun was tijdens zijn langzame en onvermijdelijke aftakeling. Na tweehonderdzoveel bruiden – en de respectievelijke schoonmoeders, gelukkig op afstand – voelde hij zich even kwetsbaar als zijn prooien. Aan niemand zou hij zijn zwakte van de dag tevoren erkennen. Hij liep op de Nalewkistraat in de Joodse wijk van Warschau en ging een synagoge binnen. Een gezegende anonimiteit na tientallen jaren vijandig bejegende bekendheid! Misschien was het niet meer dan een sprankje poëzie geweest, het gevoel dat hij eindelijk zijn jongere broer had begraven.

Artur rekte zich uit en vroeg de kelner om de rekening. Het was drie uur in de ochtend op zijn horloge. Hij laveerde met hoge nood tussen volle tafels door naar het toilet. Ineens verstijfde hij. Achter de bar stond een andere vrouw, die geld telde, notities maakte en orders gaf aan een gedienstig bataljon. Ze was prachtig, zonder opschildering of trucs, een assertieve uitstraling, weelderig haar, naar beleefdheid geneigde lippen en ... een davidster op haar borst! Ongelofelijk, een Joodse? Artur slikte de schrik weg en weifelde. Uiteindelijk mat hij zich een strakke blik aan, rechtte zijn rug en liep naar haar toe, zogenaamd om te vragen waar het toilet was.

'Eerste deur links', zei de vrouw in het Pools.

Artur vroeg galant: 'Spreekt u Jiddisch?'

Ze keek hem met een vage belangstelling aan. Haar blik was vriendelijk: 'Sjolem, meneer.'

'Kelevsky, Artur Kelevsky.'

'Sjolem, meneer Artur Kelevsky.' De vrouw kruiste haar armen: 'Kelev betekent "hond" in het Hebreeuws.'

'Werkelijk?' Oprechte verbazing. 'Dat wist ik niet.'

Ze glimlachte. Zou ze een jaar of dertig zijn? Geen spoor van rimpels of weekheid, alleen door de engelen gerijpte schoonheid. Artur waagde het erop: 'Mag ik weten hoe u heet?'

De vrouw sloeg verlegen haar ogen neer en sorteerde munten op de toog. Artur voelde zich een schurftige straathond die een klap met een bezem verwacht. Maar voor vrees was geen reden – voorlopig althans. Na een lichte zucht antwoordde ze: 'Hannah Kutner.'

HOOFDSTUK 5

Rio de Janeiro, 1937

De pergola van Copacabana Palace was versierd voor de kerstcocktail. Een bloemstuk in groen en geel dreef in het zwembad, waarrond de dames de laatste mode toonden en de heren in uniform pronkten met hun medailles. Kelners serveerden whisky en gaven briefjes door. Glimlachjes, gebaren en woorden volgden de etiquette en daarvan afwijken was voorbehouden aan de hoogst gegradueerden. Een piano wiegde de rituelen van de macht – waarop Max beslist geen aanspraak wenste te maken. Hij drukte kleffe handen, veinsde belangstelling of verrassing wanneer dat opportuun leek, maar was niet tot glimlachen in staat. Ze moesten hem zijn afstandelijke blik en monotone stem maar vergeven, want het enige wat moeilijker was dan zich van die hypocriete vertoning te bevrijden was die te verdragen.

Max was bij de hoge politiehofhouding in de gratie geraakt. Een paar dagen eerder had hij, gestoken in een geleende smoking, geapplaudisseerd voor de kunsten van een orkest in de politieloge van de Stadsschouwburg en was hij verplicht geweest de ezelachtigheden van mevrouw Avelar te savoureren. De kapitein zelf deed tegenover de schoenmaker alsof er een paar maanden tevoren niets was voorgevallen in het huis van Hannah. Hij loofde de maestro en de triolen van de pianist, al werd het concert dat het land verontrustte ver van daar opgevoerd, in de salons van de Republiek. Zogenaamd om het 'rode gevaar' te bestrijden had Getúlio Vargas het Congres naar huis gestuurd, de politieke partijen ontbonden en de Nieuwe Staat afgekondigd. De consensus onder de pergola van Copacabana Palace luidde: de toekomst van Brazilië was op zijn best een groot vraagteken.

Zo gauw hij kon verontschuldigde de schoenmaker zich. Hij liet het gezelschap achter onder de pergola en stak de Avenida Atlântica over om een luchtje te scheppen aan de waterkant. Hij ging zitten op een bank langs de wandelweg en haalde diep adem. Het komende en gaande water schuimde met een zacht ruisen over het zand. Max hield van de zee, van de bergen, van wat niet door de mens was aangeraakt. Hij had heimwee. Heimwee naar een verloren hoop, naar een goede zaak om zijn grijze dagen wat kleur te geven. Nu kon hij de fantoompijn van verminkten begrijpen. Maar welk lichaamsdeel had Max verloren? Hoogstens een denkbeeldig paar krukken?

Hij had de meisjes nooit beledigd of geminacht. Van jongsaf aan had zijn vader hem geleerd dat echte mannen de vrouwen uit het vak respecteerden. Hij betaalde ze allemaal meteen en nam geen schuldgevoelens mee naar huis. Soms spaarde hij wat geld voor een eerste keer met de pas uit wouden of dorpen aangevoerde nieuwelingen. Hij had zelfs een paar favorieten gehad in Katowice en twee nooit door de politie opgehelderde doden betreurd.

In Brazilië zette hij de traditie voort in de pensions van de Gloriawijk. Hij was dol op de Latijnse warmte, de wulpsheid van de mulattinnen, de lome conversatie na het werk. Braziliaanse hoertjes gaven echte liefde. Ze vonden het goed dat je later betaalde en genoten meer dan hun klanten – ze legden viriele types op apegapen en gaven slapjanussen het idee dat ze heel wat mans waren. Ze werden vriendinnen, vertrouwelinges, raadgeefsters. En de polacas?

Max meed ze, afgeschrikt door het idee vrouwen te betalen voor wie woorden als matze of mesjogge vertrouwd klonken. Hij was niet in staat twee zo tegengestelde werelden te verenigen. Het zou zijn alsof hij zijn grootouders Shlomo en Rebecca naast zijn bed had zitten als ooggetuigen van zijn gevoos. Nee, voor hem viel jodendom niet te rijmen met wellust. Joden hadden de neiging zichzelf te beschouwen als schakels in een lange keten van deugdzaamheid, gebaseerd op waarden als eer en kennis. De polacas daarentegen waren slechts aan één waarde verbonden – geld. Bijna iedereen op Praça Onze voelde een mengsel van medelijden en afkeer voor de ontspoorde vrouwen, die een duister hoofdstuk schreven in de geschiedenis van het Uitverkoren Volk. Het probleem trad duidelijk aan het licht wanneer Jiddische toneelgezelschappen Rio bezochten en de polacas tot grote ergernis van de Joodse families per se op de voorste rijen wilden zitten. De opvoeringen werden regelmatig vertraagd door heftige woordenwisselingen en de verwijdering van ruziemakers.

Ze waren te vinden achter de verlichte ramen van de Manguewijk, de goedkope hoerenbuurt, waar ze doorgingen voor Françaises. Ze hadden hun eigen synagoge op het Praça da República, waar ze lachten en huilden op religieuze feestdagen. Ze zochten zangers en voorgangers in eigen kring, want er was geen serieuze rabbijn die iets met ze te maken wilde hebben.

Ze vormden een afzonderlijke gemeenschap en beleden

hun Joods-zijn op eigen wijze. Ze hadden een vereniging voor onderlinge bijstand en werden begraven op de slecht bekend staande begraafplaats van Inhaúma (het laatste bordeel, volgens kwade tongen). In de laatste jaren sloot de politie het ene 'Semitische hol' na het andere en werden de rufiões gedeporteerd, tot ontreddering van de meisjes, die voor eigen rekening moesten gaan werken, een ander beroep kozen of wegteerden in sanatoria en gekkenhuizen. Opgeruimd staat netjes, zeiden de verstandigen. Hoe durfden ze de goddelijke geboden te versmaden en een synagoge te onderhouden met heilige ark en al? Hoe waagden ze het de Tora naar eigen inzicht te gebruiken en aan de bestaande tien een elfde gebod toe te voegen waarin stond dat de andere relatief en aan heroverweging, dubieuze interpretaties en willekeurige herroeping onderworpen waren?

En Hannah, hoe paste zij in die geschiedenis? Wat was haar verleden, wat waren haar bedoelingen en beweegredenen? Was ze uit de gratie geraakt omdat ze vroegtijdig weduwe was geworden? Was ze het zoveelste slachtoffer van ongeluk op wie de gewetenloze rufiões aasden? Hoe was ze in Brazilië terechtgekomen, wie had haar bedrogen? Welk genie was daartoe in staat geweest? Hannah was anders dan haar collega's, ook omdat de doorsnee polacas analfabetes waren, simpele creaturen en geen geraffineerde denksters.

Max deed nog zijn best de noodlottige middag te vergeten waarop hij was flauwgevallen; hij wilde niet meer denken aan de klappen van Fanny onder de koude douche voordat hij naar huis werd gebracht; hij wilde niet meer denken aan de vier dagen in bed terwijl Fanny zijn temperatuur opnam, soep kwam brengen en zijn lakens verschoonde. Tegen de klanten zei het dikkerdje dat meneer Kutner herstelde van een 'lichte griep'. Ze kwam 's avonds het huishouden doen, installeerde zich in een hoekje en sliep lang genoeg om de ochtend te begroeten met een geurig potje koffie. Toen Max beter was, pakte ze haar spulletjes bij elkaar en vertrok ze onverwijld met haar robuuste voorkomen schommelend in een gestreept jurkje.

Terugkeren naar de oude routine bleek een marteling. Bejaardenhuizen, synagoges, theaters? Geen denken aan. Op moeilijke momenten probeerde Max te benoemen wat hij nog voor Hannah voelde. Achting? Respect? Dankbaarheid misschien omdat ze in hem een onvermoede levenslust had gewekt. Hij dacht aan het einde van de winters in Polen, wanneer de droge takken vol kwamen te zitten met groene blaadjes en blijk gaven van het leven dat onder de ijzige kou had stilgestaan. Tinten groen, geel en lila barstten open in alle windstreken tot verrukking van de door de sneeuw verfletste blikken. De geuren, smaken en texturen van de lente? Welbeschouwd was Hannah zijn lente geweest. Een kinderachtig beeld misschien, ware het niet dat de lente ook de voorloper was van gevaren als griep en gif. Maar desalniettemin bleef de lente even wonderbaarlijk als de brieven die Hannah bleef schrijven aan haar zus.

Arme Guita, doelwit van zo vele en zo uitgesponnen leugens. In de veronderstelling dat haar zus oprecht was, informeerde ze naar haar zwager en Iôssef. Op een dag wilde ze weten of Hannah haar 'al haar geheimen' toevertrouwde. Het bondige antwoord kwam op een briefkaart: 'De waarheden die ik zeg hoeven niet alles te zijn om te zorgen dat alles wat ik zeg waar is.'

Een knal bekortte zijn gemijmer: tijd om terug te keren naar Copacabana Palace. Max stond suffig op van de bank en stak, verzoend met zijn volgende whisky, de avenida over toen hij hevig schrok. Hij werd bijna overreden en stond duizelend op het asfalt. Het kon niet waar zijn! Uiteraard had hij het zich verbeeld dat hij Hannah Kutner in een zedige zwarte jurk uit een auto zag stappen voor de deur van het hotel. Wat deed ze daar met haar haar opgestoken in een knot? Natuurlijk was het Hannah niet. Hij moest zich laten behandelen want hij delireerde; hij kon maar beter een zware, pijnlijke injectie gaan halen, voordat Moshe hem toewuifde vanaf de Corcovado of hij het Suikerbrood voor Monte Sinai aanzag. Ga naar een dokter, Max! Maar kon hij voor het zover was niet beter even een praatje maken met de conciërge in de hal van het hotel?

'Die dame in het zwart ... die vrouw die hier net binnenkwam.'

'Welke vrouw?' was de botte wedervraag van een boom van een vent die bij de liftdeur stond.

'Die in het zwart ... Hannah.'

'Nog nooit een vrouw gezien, meneer?' vroeg de boom.

'Ik ken haar ...'

'U kent haar niet!'

'Hoezo ken ik haar niet?'

'Meneer, gaat u hier weg.'

Gespannen situatie in de hal.

Max hield aan: 'Maar ...'

'Wegwezen!' En de boom scandeerde dreigend: 'Weg-wezen! Nu!'

Wat kon hij anders dan de man gehoorzamen? Max was

ontsteld: het was Hannah, geen twijfel mogelijk. Waar was ze, waarom, met wie, voor hoeveel? Onder de pergola vormde kapitein Avelar het middelpunt van een geanimeerde kring. Bij wie was Hannah in godsnaam? Max liep bijna een dronken diplomaat omver die hem lastig kwam vallen. Hij moest weten waar de vrouw in het zwart was. Onmiddellijk.

Hij verliet de pergola en tegen gasten aan botsend schoot hij de hal in op zoek naar de reus. De suggestie om de zaak te laten rusten kwam ditmaal van de conciërge: 'Voor u, meneer.' Hij overhandigde hem een briefje.

Het koude zweet brak hem uit: wat was dat? Hij bette zijn gezicht en liep piekerend het plaveisel op. Een briefje? Hij bevocht zijn duizeligheid op het golfmotief van Portugese sierkeitjes. Hij liep tot Leme en terug zonder moed om het briefje te lezen. Wie had het geschreven en waarom? Pas in de tram naar huis vouwde hij het briefje open en waagde hij een blik op de lettertjes in Oost-Indische inkt. In goed Jiddisch stond er kort en bondig: 'Dat was ik, ja. Kom morgen naar mijn huis. Vier uur 's middags. Honderd mil-réis.'

* * * * *

Fanny bracht een glas vruchtensap op een dienblad: 'Ze kan u zo spreken', en liep door naar de keuken.

Max nam zijn derde kalmeerpilletje – of was het het vierde, of het vijfde? Hij wist het niet meer. Hij keek aandachtig de kamer rond om de spanning te verminderen. Waarom had Hannah hem ontboden? Wat wilde ze van hem? Ze hadden elkaar nooit gesproken zonder treurige complicaties, die hij maar liever vergat. En als ze hem ontving in minimale bedrijfskleding voor een werkontmoeting? Nee, Max zou er niet toe in staat zijn. Eigenlijk had hij geen idee wat hij in Edifício Topázio kwam doen.

Hij pakte de atlas die voor de sier op het hoektafeltje lag. Hij bevoer zeeën en rivieren, trok over bergen en door woestijnen. De editie dateerde van 1912, een tijd van vlottende grenzen waarin de grote rijken de wereld als taartstukken verdeelden en oefenden voor de wereldoorlog. Je ging slapen op een plek en werd wakker op een andere zonder je huis te verlaten. De moeder van Berta F. bijvoorbeeld was geboren in Frankrijk, woonde in Duitsland en stierf in haar geboorteland Frankrijk – allemaal in hetzelfde dorpje in de Elzas. Huwelijksmakelaar Adam S. had drie vlaggen zien wapperen in Kaunas, de ene dag de Russische, de andere de Litouwse en later de Poolse. Velen moesten vluchten naar hun eigen land, waarvan de grenspalen terugweken als afnemend tij; anderen bleven, uit inertie of idealisme, om te ontdekken dat hun munt niets meer waard was of dat ze rechten en plichten hadden die werden opgelegd door geweren. Op school werden kinderen geconfronteerd met andere leraren en een nieuwe oogst talen, volksliederen, helden en data. Of je stierf eenvoudigweg.

En hoe zat het met Brazilië? Dat was immens, de langste Atlantische kustlijn, buurland van vrijwel alle Zuid-Amerikaanse staten en nergens een veldslag in zicht. Je reisde dagenlang en wat vond je aan het einde van de kaart? Dezelfde taal, dezelfde munt, hetzelfde portret van Getúlio Vargas. Ongelofelijk!

‘U kunt naar binnen, meneer Kutner.’ Fanny glimlachte beleefd.

Een roze sprei en kussens bedekten het met houtsnijwerk versierde bed. In een hoek van de kamer flankeerden twee oorfauteuils het tafeltje waarop Hannah het dienblad neerzette.

'Thee?'

Een bordeauxrode peignoir, haar gezicht puntgaaf, zonder de poeders waar dames zich onder begraven en die heren misleiden. Ze hief haar kopje: *'Lechajim!'*

Haar haar was opgebonden met een strik. Toen ze zat: 'Ik weet niet wat je verwacht van deze ontmoeting, Max.' Ze wachtte even op een reactie, vergeefs. Ze zette het kopje op het schoteltje: 'Wat mij betreft, ik wil alleen eens met je praten. Ik hoop dat ik je daarmee niet beledig.'

'Laten we dan, eh ...' Max schraapte zijn keel. 'Laten we dan eens praten.'

'Fijn. Je bent nu al verschillende keren op mijn weg gekomen. Waarom?'

Max nam een slok thee om tijd te winnen. 'Nou ... u bent in mijn werkplaats geweest en ... ik vond u aardig.'

Hannahs glimlach omkaderde haar argwaan: 'Is dat alles?'

'Ja, meer niet.'

'Dus daarom was je een keer hier en viel je flauw in de gang?'

Max knikte met een onschuldig gezicht.

'Je hebt dat daar laten staan.' Hannah wees naar de koffer die hij drie maanden geleden was komen brengen. 'Ik heb hem niet opengemaakt, ik wil hem alleen teruggeven en weten hoe je aan mijn adres kwam. Je had me al een poosje gevolgd, niet?'

Max kreeg een hoestbui.

'Goed, ik wil je niet in verlegenheid brengen. Veel mannen liegen om mij, dat is normaal. Maar zij liegen tegen hun echtgenotes en jij liegt tegen mij.' Op zwoele toon: 'Wat aandoenlijk, dank je wel, maar ik moet je waarschuwen dat liegen tegen hoeren vergeefse moeite is. Wij worden betaald om nergens in te geloven.'

Max schoot overeind in zijn stoel: 'In dat geval heeft de waarheid vertellen ook geen zin.'

'Daar zou je wel eens gelijk in kunnen hebben.' Hannah stak een sigaret op: 'Rio is eigenlijk maar klein. Herinner je je de man die bij me was toen je hier kwam? Hij kent je.'

Gealarmeerd: 'Echt waar?'

'Een belangrijke man, een hoge militair.'

'U meent het … Ik heb een paar belangrijke klanten.'

'Maar natuurlijk! Hij heeft me over je verteld en was vol lof over je werk.'

'Welk werk?' vroeg de schoenmaker. 'Ik probeer mijn werk zo goed mogelijk te doen.'

'Ik ook.'

Max was zo geschokt dat de vraag hem ontsnapte: 'Denkt u er niet over dit leven op te geven?'

'Nee.'

'Trouwen, een echtgenoot?'

'Seks is iets te intiems om met bekenden te doen.'

Het was een mengsel van boosaardigheid en onbevangenheid waarop Max prompt reageerde: 'En wat doet u dan met bekenden?'

'Ze verdragen.'

'U verdraagt me?'

'Ik ken je niet.'

'Dan kunnen we dus seks hebben. Tenzij u mij wilt leren kennen.'

Goeie hemel! Werd hij gesouffleerd door een ondeugende engel? Hannah verhulde haar verbaasdheid: 'Wat heeft je voorkeur?'

'U uit dit leven verlossen!'

'Geef me daar dan eens een goede reden voor.'

'Dan kunt u een respectabele vrouw zijn.'

'Respectabel? Wat noem jij respect? Denk je dat ik me bekommer om wat ze over me zeggen? Ik bekommer me alleen om wat er hier in bed gebeurt, niet daarbuiten, want hier bestaat meer respect en oprechtheid dan daar! Ik heb trouwens twee dingen geleerd in dit leven. Het eerste is dat respect verdienen niet betekent dat je het moet veroveren; het tweede dat respect veroveren niet betekent dat je het verdient.'

'Maar ... er bestaan ook mensen die respect veroveren en het verdienen.'

Hannah sloeg haar benen over elkaar: 'Respecteer je me?'

'Zeer.'

'Dan hebben we alvast iets moois gemeen: ik respecteer mezelf ook. Weet je waarom? Omdat ik nooit iemand heb gedwongen in dit bed te gaan liggen, omdat ik al mijn rekeningen betaal, omdat ik veel mensen help en nog altijd vast op Jom Kipoer! Wat ze over me zeggen kan me niets schelen.'

Hannah stond op om een asbak te pakken die aan het hoofdeinde van het bed stond. Terwijl ze de as aftikte: 'Ken je de parabel van het laken, Max? Ik zal hem je vertellen. Sarah stond voor het raam naar de waslijn van de buurvrouw te kijken en riep haar man: "Isaac, kom eens kijken hoe vuil die lakens zijn!" De volgende dag hetzelfde: "Isaac, kijk eens wat een verschrikking! Leert dat mens dan nooit hoe ze lakens moet wassen? Ze hoeft het me maar te vragen, de stakker!" Mettertijd werden de lakens steeds vuiler, tot ergernis van Sarah. Op een dag gebeurde het wonder!' Hannah leunde achterover in haar fauteuil en schikte de zoom van haar peignoir. 'Sarah zag het onmogelijke: aan de waslijn van de buurvrouw hingen de witste lakens van de wereld. "Isaac, kom eens kijken, het is niet te geloven, haar lakens zijn schoner dan de onze! Hoe is dat nu mogelijk?" Isaac antwoordde kalm: "Heel eenvoudig, vrouw. Heel eenvoudig. Vanmorgen vroeg heb ik onze ruiten eens gewassen!"'

Max keek beschaamd naar de grond. Hij pakte zijn kopje maar er zat geen thee meer in om zijn ongemak mee te verhullen.

'Moet ik alle hoop opgeven?'

'Alleen de onmogelijke.'

'En de mogelijke?'

'Die kost honderd mil-réis per uur.'

Max verzette zich: 'De Jood die niet gelooft in wonderen is geen realist.'

Hannah doofde haar sigaret in haar kopje: 'De realistische Jood gelooft alleen in haalbare wonderen.' Ze keek op de klok. 'De sessie is afgelopen. Nee, sorry, ik neem geen geld aan, dat moet je regelen met Fanny. Goeiemiddag, het was een genoegen.'

Max was de meest verslagene aller mannen toen hij de honderd mil-réis aan Fanny overhandigde. Hij stond al in de deuropening toen Hannah aan kwam slepen met de koffer: 'Neem dit alsjeblieft mee! Wat een loodzwaar ding!'

'Er zitten boeken in.'

‘Boeken?’
‘Die wilde ik schenken aan een bejaardenhuis.’
‘Een bejaardenhuis?’
Max knikte. ‘Het zijn Jiddische boeken.’
Verbazing: ‘In het Jiddisch?’
‘Tsjechov, Sjolem Aleichem, Dostojevski ...’
Ongelovig: ‘Heb je die allemaal gelezen?’
‘Allemaal.’
Hannah en Fanny wisselden een blik. Een inval van Fanny: ‘Waarom schenk je ze niet aan het Gele Huis?’ Hannah vertoonde een stralende glimlach: ‘Prima idee! Ben je volgende week vrij, Max?’

* * * * *

Rio de Janeiro, 1 februari 1938

Guita,
Vandaag las ik de kranten.
Acht zelfmoorden in Rio. Spanje is een bloedbad, Hitler wil Oostenrijk, er is een boot gezonken in Amazonië.
En weet je wat ik, arme stakker, deed op dat moment? Ik kocht peren.
Ooit vroeg ik aan papa waarom in de krant van Bircza nooit stond dat de gezinnen op de sjabbat een uitstapje gingen maken, weer naar huis kwamen en 's nachts gingen slapen. Papa: 'Nou, kind, omdat dat altijd gebeurt.' Toen vroeg ik waarom de krant alleen berichtte over rampen zoals branden en aardverschuivingen. 'Nou, kind, omdat dat nooit gebeurt.'

Dat zijn onze levens.
Ik zou wel eens willen weten waarom de pers niet zegt dat de vliegtuigen gisteren opstegen en landden zonder problemen en dat de trams keurig op de rails bleven. Waarom zeggen ze ons niet dat er op zonnige dagen geen overstromingen zijn en dat er geen watergebrek is als het regent?
Waarom vertellen ze niet dat iemand een cake heeft gebakken, zich niet langer verveelt of van de griep is genezen? Zijn dat zulke vanzelfsprekende en gewone dingen dat ze geen vermelding verdienen? Heeft het routinematige geen belang?
Nou, beste kranten, jullie mogen best weten dat ik vandaag peren heb gekocht, dat twee vrienden elkaar omhelsden op de avenida, dat dona Maria de zee heeft gezien en dat de zee dona Maria zag. En, beste kranten, jullie mogen ook weten dat ik het einde van de wereld voel naderen wanneer ik jullie koppen lees. En wat zie ik als ik uitgelezen ben? Een kat in het raamkozijn. Ik hoor een baby huilen of muziek die wordt aangedragen door de wind.
Was ik de enige die gisteren peren heeft gekocht? Ze waren prachtig! Waar komen die peren vandaan? Kan iemand me dat vertellen?
Ik ben niet onbekend met de tragedies, de drama's en het buitengewone. Die zijn verontrustend! Maar ze verontrusten juist vanwege de peren. Die willen we behouden.
Misschien is de vrede loven de beste manier om de oorlog te verwerpen.
Of zou dat geen nieuws zijn omdat het te vanzelfsprekend is?
Hannah

* * * * *

Om drie uur 's ochtends werd er op de werkplaatsdeur gebonsd. Max sprong uit bed en struikelend over de rommel zocht hij de sleutel terwijl buiten zijn naam werd geroepen. Er stonden drie mannen op de stoep.

'Max Kutner?'

'Ja.'

'Een urgente missie.'

De auto doorboorde de duisternis en nam met gierende banden bochten tot hij stopte in de Rua da Relação. Max stapte onder begeleiding uit, rende de trappen van het hoofdbureau op, haastte zich door gangen en haalde pas opgelucht adem toen luitenant Staub hem vriendelijk een kop koffie aanbood. De politie had een 'belangrijke vangst' gedaan en er was geen tijd te verliezen.

'In tijden van oorlog is er geen gerechtigheid, meneer Kutner. Ieder voor zich moet kiezen welk onrecht hij wil begaan en welk onrecht hij wil bestrijden. Ik hoop dat u ons werk begrijpt.'

Ze daalden af naar een verdieping met galerijen, dwalende gestalten en hekken die moeizaam opengingen naar andere galerijen. Ze kwamen op een binnenplein waarvan de muren werden gevormd door twee verdiepingen met volle cellen. Soldaten kwamen en gingen op mechanische rondes, zonder acht te slaan op de handen die door de tralies staken of een sigaret ophielden waarvoor ze een vuurtje wilden. Het deed de schoenmaker pijn mannen te zien die waren gekooid als beesten, als verslindende roofdieren. Oy vey, waar waren de duizenden jaren beschaving? Wat was het nut van woorden, rede en gevoel?

Voor Max waren de politiekerkers als spoken – wel vermoed, maar nooit gezien. Een schaduwwereld die haaks stond op de pocherijen van de Nieuwe Staat, door de kranten gedrenkt in rozewater (zelfs de droogtes in het Noordoosten waren mild) terwijl volksliederen en radiotoespraken de feilen van het regime maskeerden – maar alleen van het eigen regime, want dezelfde pers grossierde in berichten over de zuiveringen van Stalin, de terechtstellingen zonder proces en de dwangarbeid in Siberië.

Staub nam Max mee naar een benauwde, stinkende vleugel die werd bewaakt door soldaten die even zwaargewapend waren als de celdeuren. 'Dat zijn de isoleercellen', legde de luitenant uit terwijl hij Max gebaarde een kamertje in te gaan.

In het midden stond een tafel die vol lag met geld, verknipte kleren, een tijdschrift en ansichtkaarten die in beslag waren genomen van een Jood die uit Buenos Aires kwam en een flesje slaapmiddel had ingenomen om het verhoor bij de douane te bekorten. Tussen de bladzijden van een boek zaten losse blaadjes met Hebreeuws schrift. Max moest ze hardop vertalen voor luitenant Staub en twee soldaten die al klaarzaten met potlood en papier. Het eerste blaadje bevatte een zionistisch gedicht dat het Uitverkoren Volk dat zijn eigen vaderland stichtte verheerlijkte. Op de andere blaadjes stonden losse woorden en getallen naast abstracte tekeningen. Misschien was de gearresteerde man gewoon een koerier die bedragen en boodschappen overbracht die om de ene of andere reden beter niet per post konden worden verzonden. Een arme Jood die op zijn prozaïsche manier wat centen verdiende en zijn onschuldige klanten zoekraken, kosten en risico's bespaarde. Zijn formele misdaad was dat hij het geldbedrag dat hij in de valse voering van zijn jasje droeg niet had aangegeven bij de douane.

Max had hem het liefst als een subversief element gekwalificeerd om de zaak te kunnen vergeten. Niets beter dan leven binnen een stolp van zekerheden. Maar hij was er niet toe in staat. Sinds ze hem hadden gedwongen voor de politie te werken, vermoedde Max een andere wereld achter de trefwoorden die de zijne ommuurden en zag hij zich genoodzaakt clichés en kortere wegen te mijden. Hij leerde dat de oorlog, uitgebroken of imminent, iedereen tot slachtoffer maakte; hij leerde dat mensen niet meer waren dan wandelende omstandigheden en dat een millimeter meer of minder een baron in een pion veranderde of een pion in een baron. Hoe vaak had Max zich al niet afgevraagd: wie ben ik? Hoe kon hij origineel en authentiek willen zijn als hij de optelsom was van een context, van een overgeleverde cultuur met zijn deugden, ondeugden en vastgelegde betrekkingen, een cultuur die hem was ingeprent voordat hij zichzelf kende, voordat hij was veranderd in een spons die als enige functie had andermans erfgoed op te zuigen om zich in de toekomst te laten uitknijpen en te leveren wat nieuwe generaties gretig wilden opzuigen.

Hij schrok op uit zijn gepieker door een droge knal, gevolgd door een kreet. Staub en de twee soldaten renden het kamertje uit. Max keek naar de stapel papieren op tafel en bladerde vluchtig door een Spaanstalig tijdschrift. Op een hoek lagen drie pakjes dollars en een paar gekleurde ansichtkaarten. Op de eerste stond de recent onthulde obelisk in Buenos Aires, omringd door auto's op een brede avenida. De achterzijde was onbeschreven, of bijna.

Tegen het licht onderscheidde Max de groeven van iets wat misschien was geschreven met potlood en daarna uitgegumd, of doorgedrukt van een papier dat op de kaart had gelegen. Hij bekeek de kaart van dichterbij, verscherpte zijn blik en voelde een rilling: hij kende dat kleine handschrift, de alef met gebogen uiteinden, de opgerolde guimel.

'Mijn gangen worden nagegaan. Ze zeggen dat je brieven gecodeerd zijn. Vermijd bespiegelingen of poëtische termen zoals peren of het parfum van tante Sabina. Wees trivialer, minder Hannah. Guita.'

Max herlas de tekst op de kaart. Verbeelding of toeval was het niet: Guita liep gevaar en Hannah ook. Oy main Got! Wat moest hij doen? Het wagen met zijn superieuren te praten? Maar wat als Hannahs peren geen peren waren? Of als de gebroken parfumflesjes en de moerasbloemen inderdaad geheime codes waren?

De luitenant en de soldaten keerden lachend terug: 'Een feestschot om bekentenissen los te krijgen.'

Max keek de drie mannen strak aan.

'Is er iets, meneer Kutner?'

Hij kuchte. 'Ik heb dorst, hebt u water?'

Het was al volop dag toen hij weer op straat liep. Hij had papieren en tijdschriftartikelen vertaald voor de soldaten, die alles ijverig hadden opgeschreven. Wat gingen ze daarmee doen? Max liep tot op een hoek, opende zijn portemonnee, haalde er een adres uit en hield een taxi aan. Hij stapte uit op het steile deel van de Rua André Cavalcanti, dicht bij Santa Teresa, voor een huis met betonnen muren. Hij belde aan, kuste de mezoeza en wreef in zijn steenkoude handen voor hij dona Ethel begroette, die een dikke trui en pluizige pantoffels droeg.

'*Kol Israel arevim zeh bazeh*', zei hij. 'Ik heb een opdracht voor uw meraglim.'

Even later verliet hij het huis met een gevoel van opluchting. Wat een feest vrij rond te lopen en te komen en gaan waar en wanneer je maar wilde! Elke stap meer of minder veranderde de wereld. Hij liep door de Rua do Riachuelo, sloeg de Rua dos Inválidos in, keerde terug naar de Rua do Riachuelo. Hij liep in alle rust en kalmte, onbezorgd, verrukt over de ochtendrituelen die bakkerijen, winkels en trams vulden; die de geur van koffie verspreidden; die de nachtbrakers naar huis joegen. Dit was de goede, eenvoudige en functionele wereld; zo eenvoudig en functioneel dat de mensen die erin rondliepen er niet eens nota van namen. Ach, wat een paradox dat ogen niet te zien zijn zonder de spiegel die ze omkeert. Alleen een donkere kerker kan uitleggen wat vrijheid is!

Max liep langs de Rua da Relação toen zijn volgende uitdaging, een hoogst urgente missie, hem te binnen schoot. Hoe moest hij Hannah vertellen over de kaart die op dat moment zwaar op zijn maag lag?

* * * * *

Een anonieme brief op de deurmat? Een betrouwbare woordvoerder? En als hij zweeg en de hele boel vergat? Of als hij moedig de waarheid vertelde? Wat zou in dat geval Hannahs reactie zijn als zij ontdekte dat hij voor de politie werkte? Misschien zou ze hem voorgoed haten; misschien begreep ze hem of ging ze hem zelfs bewonderen, waarom niet? Prostituees en politie hadden zo hun akkoordjes en handeltjes. Wie weet kon Max van de situatie profiteren om haar te veroveren. Alle autoriteiten kweekten sympathieën door ongeoorloofde gunsten. Of anders moest de waarheid maar voor altijd de grond verzouten waarop de schoenmaker ooit die onwaarschijnlijke liefde had willen laten ontkiemen. Hoe dan ook, hij kon niet met zijn armen over elkaar gaan zitten en Hannah vergeten. Niets droeviger dan haar brieven zonder peren of moerasbloemen, maar de risico's die ze liep waren allesbehalve metaforisch.

Hij zette zich in postuur voor de spiegel: 'Vandaag ga ik haar alles vertellen.'

Hannah zou hem die middag komen halen om het Gele Huis te leren kennen, een tehuis voor oude polacas met een crèche waar de ongelukjes van de jongere collega's werden opgevangen. De aanleiding voor het bezoek was de overhandiging van de Jiddische boeken. Max droeg een ivoorkleurig linnen jasje, een panamahoed en schoenen in twee kleuren. Hij oefende gezichten en binnenkomers toen Fanny bijna over de werkbank dook: 'Hannah kan niet komen, ze voelt zich niet lekker.'

Oy vey!

Max' teleurstelling was zo evident dat Fanny de ontmoeting geroerd naar de volgende dag verplaatste. Kon slechter, dacht hij terwijl hij zijn boordje losmaakte en zijn elegante uiterlijk voor de spiegel begon te demonteren, totdat een gedachtenflits hem zijn hoed weer op deed zetten: 'Zullen we een biertje gaan drinken?'

Fanny deed een euforisch schietgebedje en glimlachte van oor tot oor.

Ze staken Praça Onze over naar de tram richting het centrum, zij met kittige pasjes in een rond haar heupen strak gespannen turquoise jurk aan de arm van de schoenmaker. Fanny probeerde aangenaam te zijn en haar zenuwen de baas te blijven. In de Rua da Carioca kozen ze een achteraftafeltje in Bar Luiz. Ze dronken een eerste biertje, Fanny in een slecht beheerste opwinding en Max het onderwerp uitstellend waar het hem om ging. Ze aten rosbief met gebakken aardappelen, zij steeds attent op haar servet, vermijdend dat haar lippenstift vlekte of dat ze praatte met volle mond. Ze keuvelden zo levendig en aangenaam over van alles en nog wat dat de flirt voor Fanny al een feit was. Haar oogjes richtten zich op details als zijn nagels en de scheve knoop in zijn stropdas. Ze beheerste haar aandrang te gaan urineren om de aangename draad niet kwijt te raken en toen hij opstond en naar het toilet ging, pakte ze snel haar tas om een flinke vleug uit haar flesje Shalimar achter haar oor te sproeien. Vijf bier en twee uur later vouwde Max met een concluderend gebaar zijn handen. Waar moest hij beginnen? Hij schraapte zijn keel: 'Kan ik u vertrouwen?'

Fanny bloosde: 'Ik geloof het wel, ja.'

'Bent u daar zeker van?'

Ze frommelde aan haar servet op tafel: 'Maar natuurlijk, meneer Kutner, natuurlijk!'

'Zijn jullie vriendinnen?'

Fanny reageerde niet meteen. Ze bleef de schoenmaker aankijken zonder een krimp te geven, nog blozend van de voorbije extase. Ze had er liever langer over gedaan te begrijpen wat nu duidelijk en onvermijdelijk was. Ze vermoedde het al, en het bewijs daarvan was dat haar teleurstelling al geen verbazing meer nodig had voordat Max de vraag had afgemaakt. Maar haar aandrang te plassen werd ondraaglijk. Eerst nam Fanny nog de vrijheid om de scheve knoop van de das recht te trekken. Daarna stond ze wankelend op zonder uit te leggen waarom. Terug van het toilet: 'Vriendinnen? Meer dan dat. Ik heb mijn leven te danken aan Hannah.'

'Uw leven?'

'Hannah heeft me uit de hel gehaald. Tegenwoordig ben ik haar assistente.'

'Heeft ze altijd ... dat werk gedaan?'

Fanny nipte van haar bier en berustte in het gespreksonderwerp: 'Hannah heeft een andere geschiedenis, meneer Kutner. Ze werd niet bedrogen of verleid zoals wij allemaal. Ze woonde niet in een sjtetl en is niet in het huwelijkspraatje getuind. Ze leefde met een heel machtige man, Artur Kelevsky, ik weet niet of u wel eens van hem heeft gehoord, een topman uit het pooierdom. Ze leerden elkaar kennen in Polen. Kelevsky was hopeloos verliefd op Hannah. Ho-pe-loos! Van een ding ben ik zeker, meneer Kutner: hij is gestorven van liefde.'

'Hoe dat zo?'

'Artur Kelevsky was een grote jongen in de huidenhandel, als u begrijpt wat ik bedoel, met contacten over de hele wereld. Maar zoals u weet werd Zwi Migdal bij stukjes en beetjes door de politie opgerold en het was pompen of verzuipen, ieder voor zich. Kelevsky was nog rijk toen hij Hannah naar Brazilië haalde. Dat was in ... weet ik het. Tien jaar geleden? Nee, minder want Getúlio was er al. Goed, doet er niet toe.

Ze woonden in een huis in Botafogo, een prachtig ding, zeggen ze. Ik ben er nooit geweest. Kelevsky had vier bordelen in Rio en twee in het binnenland, en nog een aantal winkels en huizen die hij verhuurde. Ongetwijfeld een intelligente man.

Hannah leefde als een prinses. Ze droeg alleen speciaal voor haar gemaakte kleding, gebruikte dure parfums, hoeden op maat, en was vaste klant in de modehuizen van de Rua do Ouvidor en het Park Royal. Ze was een van de eerste vrouwen met een auto in Rio! Maar Kelevsky was ontzettend jaloers, niemand mocht in haar buurt komen. Hij wilde Hannah alleen voor zichzelf. De zomer brachten ze door buiten de stad omdat hij niet tegen de hitte kon en hartproblemen kreeg. Ze gingen altijd naar Teresópolis.

Maar Kelevsky was bovenal iemand die boven de wet stond. Iedereen wist dat hij opgepakt of Brazilië uitgezet kon worden. Daarom betaalde hij heel veel geld aan de politie. De namen wilt u niet weten, meneer Kutner. Die wilt u níét weten!

Op een dag waren er problemen. Het schijnt dat een autoriteit, een of andere commissaris of zo, Kelevsky thuis kwam bezoeken en dreigde een stuk of twintig polacas te deporteren omdat hun paspoorten waren verlopen. De man eiste geld, veel geld. Oy vey, een fortuin! Het was zo veel geld dat Kelevsky onwel werd. Toen kwam Hannah haar man te hulp.'

Fanny accepteerde nog een biertje.

'Toen de commissaris Hannah zag, zei hij: "Haar wil ik hebben!" Kelevsky zei nee, nooit, geen denken aan. De man mocht alles vragen, meer geld, kiezen uit honderd vrouwen, wie hij maar wilde, allemaal tegelijk, maar Hannah niet. De politieman luisterde niet eens. Hij wilde Hannah, alleen Hannah. Kelevsky hield voet bij stuk: nooit, de polacas konden doodvallen, maar Hannah kreeg hij niet! Toen zei Hannah dat ze het zou doen. Wat kon ze anders? De politie die arme stakkers laten deporteren? Natuurlijk niet, en ze deed het. Meteen, daar in huis. Kelevsky smeekte haar het niet te doen, maar ze ging.

Weet u wat er gebeurde? De commissaris vond het heerlijk, verrukkelijk, en Hannah ook, maar toen ze terugkeerden naar de salon … Oy Got, Kelevsky was dood. Dood, morsdood!' Hartgrondig voegde ze eraan toe: 'Moge hij eeuwig branden in de hel!'

Een venijnig lachje: 'Hij zei dat religie onzin was. Kent u dat gebod over dat je anderen niet aan moet doen wat je niet wilt dat een ander jou aandoet? Kelevsky zei dat niemand ontucht met een ander zou plegen als dat waar was.' Ze schaterde het uit: 'Hoeren weten daar alles van, meneer Kutner!'

Ze aten appeltaart als toetje.

'Kelevsky heeft haar alles nagelaten, meneer Kutner. Zo stond het in zijn testament, alles voor Hannah. Ze was ineens rijk. Steenrijk!' Ze prikte in het taartje. 'Hannah was al rijk geweest in Polen, toen ze getrouwd was met … U hebt dezelfde naam als haar eerste man, wist u dat? Toevallig, hè? Max Kutner was de eerste en enige echtgenoot van Hannah. Ze is nooit getrouwd met Kelevsky. En weet u? Hannah hield niet van hem. Hij bood haar mogelijkheden, meer niet.' Fanny bestelde nog een stuk appeltaart bij de kelner. 'Goed, ze was dus rijk, hartstikke rijk. Wat deed ze? Hannah kende het leven van de polacas. Leed, ziekte, gevangenschap. Ze was nooit naar de bordelen geweest, maar wist er alles van. Wie niet? Daarom besloot ze iets rechtvaardigs te doen met het geld van Kelevsky. Ze kocht het Gele Huis, dat niet eens geel was, en liet het opknappen. U gaat het bezoeken, het ligt in Bonsucesso. Tegenwoordig helpt Hannah veel mensen. Ze verhuurt de huizen van Kelevsky aan de meisjes voor schappelijke prijzen, betaalt de opleiding van hun kinderen, steunt onze synagoge, onze begraafplaats, ze steunt alles. En ze werkt ook nog voor eigen rekening!'

Fanny vervolgde strijdbaar: 'En denk maar niet dat ze met iedereen meegaat, o nee! Alleen ministers, ambassadeurs, zakenmannen. De ene dag gaat Hannah naar paleis zus-en-zo, de andere naar hotel dit-en-dat ... Ze is altijd goed geïnformeerd. Hannah is geweldig! Mijn God, wat een vrouw!'

Fanny bestelde koffie terwijl Max probeerde Hannah te verbinden met dat bewogen verleden. Hij was geschokt maar keerde terug naar het bijna vergeten onderwerp: 'Goed ... ik kan u dus vertrouwen?'

'Natuurlijk, meneer Kutner. Weest u gerust!'

Hij kuchte: 'Er werd me verteld dat Hannah een zus heeft.'

'Jazeker! Guita. Kent u haar?'

'Stelt u me geen vragen, dona Fanny!' Hij vertelde over de ansichtkaart, de complicaties in het buurland en de mogelijke gevolgen. Fanny sloeg geschrokken de handen voor haar gezicht: 'Oy, oy! Wat zal Hannah in de rats zitten. Hoe bent u dat te weten gekomen?'

'Geen vragen, dona Fanny! In godsnaam, geen vragen! En vertel niet tegen Hannah dat ik het u heb gezegd, begrepen? Onder geen enkele voorwaarde!'

'Die zus is alles wat ze heeft. Hannah is dol op haar, en haar zus op Hannah. Guita is goed getrouwd, met een landeigenaar die miljonair is ...' Ze tuitte lieftallig haar lippen: 'Of wist u dat al?'

'Geen vragen, dona Fanny!'

'Hannah houdt alleen van haar zus en van niets en niemand anders. Als Guita lijdt, lijdt Hannah. Als Guita lacht, lacht Hannah. Echt, Hannah houdt van niemand, alleen van haar zus.' Op ernstige toon: 'Geef het toch op, meneer Kutner.'

Max huiverde: 'Gelooft u me, dat hangt niet van mij af.'

'De liefde hangt niet af van mensen.' Ze hief een wijsvinger: 'Maar het einde van de liefde kan wel van ze afhangen!' Een minzame blik van verstandhouding bezegelde het advies.

Na de koffie: 'Hannah zal zich geen raad weten, oy, oy! Guita is een dochter voor haar. Ze woonden samen in Polen, in Pinsk. Kent u Pinsk? O nee, sorry. Hannah was al weduwe en ze woonden in Pinsk, maar ze hadden familie in Argentinië. Mensen die daar al heel wat jaren woonden, in een van die nederzettingen van baron Von Hirsch, Moisés Ville of zoiets. Maar ze hielden niet van de nederzetting en verhuisden naar een stad. Welke? Geen idee! Ze werden rijk, en toen nodigden ze Guita uit om bij hen te komen wonen. Guita ging en leerde een Joodse jongen uit Argentinië kennen. Dat was Jayme. Goed, zo zit het dus. Wat? Ja, we gaan, ik ben ook al te laat.'

Op het Praça Tiradentes pakte Fanny de hand van de schoenmaker voor ze op de tram naar Rio Comprido stapte. Indringend: 'Mijn geschiedenis is ook interessant, meneer Kutner. Heel interessant! Wanneer wilt u die horen?'

'Een dezer dagen, dona Fanny. Dat komt wel.'

Fanny liet zijn hand los en stapte in. Maar ze stapte uit bij de volgende halte en liep terug naar de Rua da Carioca. Bij Bar Luiz at ze nog drie stukken appeltaart en ze zag alleen af van een vierde omdat haar turquoise jurk op springen stond.

* * * * *

De kinderen in Casa Amarela blonken niet uit in onschuld. Toen een meisje vroeg waarom er geen vrouwelijke schoenmakers bestonden, improviseerde Max (die er nog nooit over had nagedacht): 'Tja ... het is vuil en lastig werk ...'

'Pfff, meer niet?' zei het meisje met haar handen uitdagend in haar zij.

'Je kunt je bezeren, er zijn allerlei nare stinkluchtjes ...'

'Nou ja, net zoals het werk van onze moeders dus!'

Max wist niets meer te zeggen. 'Trek het je niet aan, Max. Deze plek is anders', troostte Hannah.

Ze stonden in een tuin met schommels en een draaimolen. Er kwam een jongetje aanrennen: 'Tante Hannah, wanneer komt mijn moeder terug?'

Hannah nam het jongetje op haar arm. 'Ze heeft je gevraagd rustig te wachten en je netjes te gedragen.' En ze nam hem mee naar de draaimolen.

'Zijn moeder is verdwenen. Of ze nog leeft of dood is, is een mysterie', zei ze toen ze terugkwam.

'En zijn vader?'

'Daar wordt hier niet naar gevraagd, Max.' Ze stak een sigaret op. 'Loop even met me mee.'

Het was een goed onderhouden kast van een huis. Het zou het eigendom zijn geweest van een rijke planter voordat de koffie op de internationale markt uit de gratie was geraakt. Het tehuis was op de bovenverdieping. Oude vrouwen en vrouwtjes bladerden in de boeken die de schoenmaker uitdeelde. Sommigen zaten te kaarten, anderen praatten. Een man speelde fluit op een veranda vol katten die zich hadden genesteld op schoot van het dommelende publiek. In een grote kamer lagen de bedlegerigen in rijen naast en tegenover elkaar. Beth betastte de schoenmaker met de sensualiteit van vroeger, Raquel vroeg of hij getrouwd was. Hannah liep van bed naar bed en luisterde naar klachten, verzoeken en commentaren. Daarna gaf ze instructies en standjes aan de verpleegsters, wijzend naar lakens en truien. Ze was een serene, fiere koningin, om wier gunsten door haar onderdanen gretig werd gestreden. Ze kalmeerde de angstigen en beurde de gedeprimeerden op die ze, gevolgd door de jaloerse blikken van anderen, meetroonde naar een hoekje om hun confidenties te horen. Max vroeg zich ontgoocheld af wat zijn rol kon zijn te midden van die volkomenheid. Haar veranderen of verlossen leek belachelijk: Hannah zelf was de verlosseres. Ze was zichzelf genoeg – geen gebrek om aan te vullen, geen overmaat om te bedwingen. Max begon te begrijpen dat hij om haar te veroveren de tactiek moest volgen van wie niet onmisbaar was: behagen om niet terzijde te worden geschoven.

Op twee blokken afstand van het Gele Huis lag het huizenwijkje dat ze verhuurde aan haar collega's, niet zonder regels vast te stellen en mannelijk bezoek te verbieden. Ze maakte er onaangekondigde rondes, zonodig in de vroege morgen, en zette vrouwen die de regels overtraden uit hun huisjes. Soms nam ze polemische beslissingen zoals het huisvesten van niet-Joodse prostituees, het verstrekken van leningen of het verlagen van naar persoonlijke omstandigheden te hoge huurprijzen. Animositeit was er dan ook genoeg, vergezeld van roddels en ruzies. 'Wie heeft dat niet', bagatelliseerde Hannah terwijl ze Max de groentetuin en de bloeiende perken van haar dorpje liet zien. Het waren huisjes van een onberispelijke soberheid, allemaal wit en netjes, met balkonnetjes en een mezoeza op de rechterdeurpost. Een huurster serveerde hun koffie met maïskoekjes. Daarna stopten ze bij een kroegje om sigaretten te kopen. Toen Hannah de eerste opstak, kwam er een verpleegster uit het Gele Huis aanlopen die riep: 'Dona Fanny heeft gebeld! Iôssef is dood!'

* * * * *

Na een reis van een uur minderde de boot vaart en kwam er aan bakboord een grillige kustlijn in zicht. Halfnaakte kinderen renden over een pier en sprongen in het water. Een kar reed voorbij een groot huis waaruit twee negerinnen met bundels op hun hoofd naar buiten kwamen. Max was nooit op Paquetá geweest. Wat had hij te zoeken op dat eilandje in de baai van Guanabara? Ook nu wist hij het nog niet. Naast hem zat Hannah met de papegaai in een schoenendoos. Ze zag bleek en had geen puf om de vreemde tocht uit te leggen.

Ze legden aan bij een kleine kade en Max zag een dorpje uit de binnenlanden voor zich met rustieke huisjes en mensen op blote voeten. Er was nergens een auto te zien, alleen karren, paarden en fietsen. Hannah ging in zuidelijke richting met de doos in haar handen. Ze liepen over straten van aangestampte aarde, zij ontdaan, dankbaar knikkend naar de voorbijgangers die bij wijze van condoleantie hun hoed afnamen. Ze sloegen rechtsaf, liepen rond een plein, staken een rotsige dwarsstraat over, waarna Hannah een heuvel opliep met bovenaan een poort waarop Max het ondenkbare las: Vogelkerkhof.

Oy vey, wat een waanzin! Hij wandelde rond tussen kleine

graftombes van steen en gekalkt cement waaronder kolibries, kaketoes, kerkuilen en al wat vliegt en veren heeft rustten. Hannah riep een jongen die geleund op een schop zat te slapen. De jongen – de vogeldoodgraver? – geeuwde, koos een hoekje en begon te graven. Hannah was mooi in haar beheerste verdriet terwijl ze het ritueel volgde, neerknielde en de kleine kist in het gat plaatste. Ze bad, streelde de doos en stond toe dat de jongen het werk voltooide. Max stond er zo stil en roerloos mogelijk bij. Hij had nooit gedacht dat hij een papegaai zou begraven – een papegaai die Iôssef heette. Hannah was onmiskenbaar een eeuwige lente van bloeiende verrassingen.

Wat kon hij van haar verwachten? Passie, vriendschap, vertier? Er viel onmogelijk te dromen van een eilandrelatie à la Paquetá. Max zat op de boot terug maar te piekeren: hij moest haar begrijpen, haar geschiedenis begrijpen: de keuzes, uitdagingen, ontberingen. De *Wijsheid der Vaderen* leerde dat er zonder kennis geen begrip is en dat er zonder begrip geen kennis is. De oude Shlomo zei op zijn beurt dat je een man niet moet oordelen naar wat hij is maar naar wat hij zou willen zijn – en naar de eventuele reden waarom hij dat niet is. Maar wie was er werkelijk in staat zijn naaste te oordelen? Wie kon zijn redenen begrijpen, niet alleen om te zijn wat hij is, maar ook om niet te zijn wat hij had kunnen zijn? Weinigen konden zelfs maar begrijpen wat zijn naaste geworden was (vaak genoeg ondanks zichzelf). Trouwens, de grootste van alle paradoxen was te constateren dat een man die niet wilde zijn wat hij niet werd, uiteindelijk zou zijn wat hij niet was.

Hannah vertelde dat Iôssef een geschenk was geweest van haar eerste echtgenoot toen ze vijf jaar getrouwd waren. Meer zei ze niet. En Max, die nooit een vogeldoodgraver had gezien, vroeg maar niet wat zoiets typisch tropisch als een papegaai deed in Polen, omdat de coherentie daarvan verder te zoeken was dan het leven van Iôssef. Hij keek naar de stad die als een kerststal twinkelde op de oever van de baai van Guanabara. De nacht viel in de wereld waar ze papegaaien begroeven, maar onbegraven mensen, dood of levend, waren er te over.

* * * * *

Ze gingen al maanden met elkaar om, Max gereduceerd tot de ontmande rol van vriend en raadsman, zeulend met tassen als ze de winkels uitliepen, luisterend naar haar ideeën en stiltes, van plan haar gaandeweg, methodisch en steels te veroveren. De dag voor elke ontmoeting las hij boeken en kranten om gespreksstof te hebben. Hij had zijn garderobe vernieuwd en een telefoon aangeschaft alleen om haar te kunnen laten bellen. En meteen de eerste keer had Hannah hem uitgenodigd om Pesach te vieren in het Gele Huis.

De week daarop was het seider. Vrouwen van diverse leeftijden, weinig mannen en veel kinderen herdachten de slavernij in Egypte, memoreerden de tien plagen en de doortocht door de Rode Zee. Ze dronken wijn toen Hannah een terzijde plaatste: 'Wisten jullie dat de Tora het nooit over de Rode Zee heeft? De zee die zich ontsloot voor ons volk heette Iam Suph, wat Hebreeuws is en "Strozee" betekent. Ze zeggen dat er een fout is gemaakt toen de Exodus in het Engels werd vertaald, waardoor "reed", wat stro betekent in het Engels, "red" werd, rood dus.'

'Hoort u dat, meneer Kutner?' Fanny had al een glaasje te veel op. 'Vertalers maken ook fouten!'

Max verslikte zich: wat insinueerde het dikkerdje? Tot het tegendeel bewezen was wist niemand dat hij voor de postcensuur werkte. Zou Fanny hem bespioneren? Best mogelijk! Uiteindelijk was ze de meest regelmatige en indiscrete verschijning aan zijn werkbank in de Rua Visconde de Itaúna, altijd op zoek naar smoesjes om hem koekjes, bekraste schoenen of nieuws van Hannah te komen brengen. Natuurlijk bespioneerde Fanny hem! Max probeerde zijn woede in te tomen door zijn aandacht te richten op de kinderen die Pesachliederen zongen. Toen de maaltijd was afgelopen nam Hannah opnieuw het woord: 'We moeten nooit vergeten dat ons volk werd bevrijd dankzij de moed van twee vrouwen: de moeder en de zus van Moshe. Waren zij het niet die de farao trotseerden en de baby in een mandje op de Nijl zetten? Een toast op de vermetelheid van die vrouwen!'

'Lechajim!' zeiden ze in koor.

Ja, Hannah had de gaven van een leider – overwicht, slimheid, doorzettingsvermogen. En moed. Op een keer begon een kind in het Gele Huis te hoesten zonder ophouden. Hannah nam het in haar armen en ging naar een straat met twee-onder-een-kapwoningen, donkere holen waar vrouwen als gedroogd vlees in de deuropeningen en voor de ramen hingen. Het was in de Manguebuurt.

'Waar is Sheila?'

'Die heeft een klant', antwoordde een roodharige.

Ze gingen zitten wachten op een ranzige bank in een halletje, het jochie bij Hannah op schoot. Het plafond golfde en dreigde naar beneden te komen onder het geweld op de verdieping erboven. Na verloop van tijd verscheen Sheila met een handdoek omgeslagen, op slippers en met verwarde haren. Ze was te versuft, dronken of gedrogeerd om te begrijpen wat er aan de hand was tot ze een klap in haar gezicht kreeg: 'Je zoontje is ziek en jij bent het geneesmiddel, *kurwa.*[*] Kom met me mee voordat hij sterft.' En ze trok de vrouw met haar mee.

Als een strenge heerseres waakte Hannah over haar imago. Niks geen ontboezemingen of ergernissen, niks uithuilen op iemands schouder of openbare momenten van zwakheid. Tussen Hannah en de wereld stond een schot – of gaapte er een afgrond? De enige die tot haar door kon dringen was haar zus.

'Guita is ijdel, vrolijk en intelligent. En ze aanbidt me!'

'Ze is niet de enige', voelde Max zich geroepen te memoreren.

Ze dronken een vruchtensapje in de Rua Uruguaiana, beladen met tassen en pakjes. Hannah zoog aan haar rietje terwijl hij de verhouding tussen de twee probeerde te ontcijferen. Behalve dat ze van Guita hield, hield Hannah van zichzelf via haar zus. Al haar kwaliteiten zouden niets waard zijn zonder de goedkeuring van Guita. De twee vulden elkaar bijna in alles aan, zodat er voor anderen slechts bijrollen als dienstbaren waren weggelegd. Hannah kon en zou ook nooit kunnen houden van iemand anders dan Guita – en bijgevolg van haarzelf. Guita was de Hannah van Hannah.

'Ik sterf liever dan haar pijn te doen. O God, als Guita eens wist ...'

'Wat wist?' blufte Max.

'Ze denkt dat ik een keurige, getrouwde, godsdienstige vrouw ben.'

'Heb je er nooit over gedacht het haar te vertellen?'

'Geen moment! De wereld mag vergaan, maar dat nooit! Guita is afhankelijk van mijn voorbeeld, van mijn adviezen, en ik ben afhankelijk van haar liefde. Zonder Guita ben ik niemand.'

'Jullie hebben elkaar al meer dan tien jaar niet gezien. Waarom ontmoeten jullie elkaar niet eens?'

Hannah stak een sigaret op. 'Guita is van plan naar Brazilië te komen met haar man. Dat is prachtig, maar ... Oy! Het maakt me bang, heel bang. Hoe moet ik me aan hen presenteren? Getrouwd met wie? Als Guita de waarheid ontdekt, is het met me gedaan. Ik maak me van kant, dat zweer ik je!'

Niets vreemders dan haar dat te horen zeggen. Hannah was dol op het leven, de zon, de regen, de kou, de hitte. Of ze nu samba's danste in een achterbuurtkroeg of walsen draaide in dure salons, ze paste perfect in de atmosfeer en was helemaal in haar element. Ze ging altijd naar het strand in Copacabana. Haar ranke lichaam in het zand met die prachtige blanke benen, zilt van de Atlantische Oceaan waarin Max deed alsof hij zwom om zijn opwinding te verbergen!

Hannah maakte ook een verpletterende indruk door haar kleding. Sobere jurken of geplisseerde rokken, zelfs broeken stonden haar goed, om nog maar te zwijgen van schoenen, handtassen en hoeden in verschillende afmetingen en stijlen. Ze kleedde zich gevarieerd. De ene dag had ze iets zwierigs en kleurrijks aan, de andere dag koos ze voor een discreet strak mantelpakje. Ze at weinig, dronk matig en rookte te veel. Omgaan met Hannah vereiste tact. Een kleine misstap of een onvoorzien gebaar kon resulteren in een ijzige blik of een uitbrander. Max voelde zich een onhandige gokker die punten won of verloor op een denkbeeldig scorebord omdat hij de juiste wijn had gekozen of een verkeerde mop had verteld. De regels waren even onvoorspelbaar als het tijdstip van de volgende ronde.

Ze wandelden langs het strand van Flamengo op een middag met een wilde zee. De golven hadden het zand verzwolgen en de avenida overstroomd, tot verbazing van het publiek dat zich verdrong onder de luifel van een gebouw.

'Mooi land', zuchtte Hannah. 'Maar het is niet van ons. We moeten de schade ongedaan maken die de Romeinen tweeduizend jaar geleden hebben aangericht.

Max krabde aan zijn kin: 'Ik betwijfel dat Engeland ons Palestina geeft.'

'De Engelsen zelf erkennen dat we er recht op hebben.'

'Maar de Arabieren erkennen niets. We hadden Oeganda moeten aanvaarden.'

Uiteraard wilde Max alleen maar indruk op haar maken door van begin tot eind uit de krantjes van Praça Onze te citeren. Ze konden de wereld en het zionisme beter vergeten en op Paquetá gaan wonen om papegaaien te begraven.

Maar Hannah hield aan: 'God heeft ons Oeganda of Brazilië niet beloofd. Hij beloofde ons Israël.'

Max, oprecht: 'Ik verdien hier mijn brood en leef hier in vrede. Wat heb ik te zoeken in Tel Aviv of Jeruzalem?'

'Jij wel, maar ik voor mij weet het nog niet zo zeker …' Bloedernstig: 'Je kunt geen land stichten zonder vrouwelijke strijders, als je begrijpt wat ik bedoel.'

De schoenmaker verschoot: Lieve God! Hannah dacht toch niet over bordelen in het Heilige Land?

Plotseling: 'Ik ga het water in.' Hannah trok haar schoenen uit en ontdeed zich van een gebreid vestje. Ze gaf ook haar tas aan Max en stak de avenida al over toen hij achter haar aan kwam: 'Ben je gek geworden?!'

De golven beukten tegen de kademuur. Gelach: 'Ben ik altijd geweest!' En ze liep naar de rand om de branding te zien.

'Laten we hier in godsnaam weggaan!'

'Nee! Ik blijf!'

'Niet doen! Het is hier gevaarlijk! Kom, laten we gaan ...'

Op dat moment werden de twee opgetild door een hoge golf die de schoenmaker tot voor de voeten van het publiek aan de andere kant van de avenida sleurde. Dezelfde handen die hem overeind hielpen wezen naar Hannah die op de kademuur stond. Ze sprong vrolijk heen en weer met druipende, opgekrulde haren. Ze was gek, haar naaktheid nauwelijks verborgen onder de drijfnatte jurk, die haar stevige borsten benadrukte, terwijl haar geslacht schemerde onder haar broekje. Ze barstte in schateren uit toen ze de verzopen Max hoorde smeken: 'Trouw met me! Hoeveel wil je hebben? Ik betaal het, vraag maar!'

'Geen denken aan!'

'Hoeveel? Vraag wat je wilt!'

Hannah stapte van de muur af: 'We zijn vrienden, meer niet. Laten we hier weggaan, het is mooi geweest.'

Max hijgde: 'Hou je van iemand?'

Hannah wrong haar haren uit: 'Ik kan van niemand houden want ik ben een hoer.'

'Of ben je een hoer omdat je van niemand kunt houden?'

Ze bleef roerloos staan, door twijfel besprongen.

'Ik beloof erover te denken.' En ze kuste hem op zijn voorhoofd.

Max vroeg zich af of hij de romantische held was die werd uitgedaagd haar te verlossen uit haar eigen duisternis of dat hij een marionet was in een perverse poppenkast. Hij kon wel huilen. Hij bewonderde Hannah zo hartstochtelijk dat hij God smeekte hem van die marteling te verlossen. Zelfs een schrikbarende teleurstelling zou welkom zijn, als het maar werkte. Uiteindelijk was een trieste opluchting beter dan een pijnlijke betovering.

God zou de bede van de schoenmaker twee dagen later verhoren.

* * * * *

Max was niet per ongeluk geboren. Hij was besteld om de liefde van zijn ouders te bezegelen en, wie weet, ze op een dag kleinkinderen te geven en ze een verzorgde oude dag te garanderen. Tijdens haar zwangerschap misleidde Reisele Goldman de misselijkheden door zich de deugnieterijen van haar zoon voor te stellen in de kleertjes die ze weefde. Helaas liep het in de eerste week al mis.

Het roze baby'tje, gevoed door anonieme borsten, bezegelde op de dag van zijn *briet mila** al geen enkele liefde meer. Het was een mislukt project. De jaren daarop groeide Max omdat hij groeide en bestond hij omdat hij bestond. Niet dat Leon een hekel had aan zijn zoon – hij zorgde voor zijn schoolopleiding, zijn gezondheid en gaf hem wat speelgoed –, maar de man was niet meer dan een treurige verzorger.

Toen hij tien was jengelde Max op de schoot van zijn opa: 'Waarom houdt mijn vader niet van mij?'

Shlomo garandeerde gespeeld verwonderd dat Leon wel degelijk van hem hield, hoe kon het anders? Natuurlijk hield hij van hem! Alleen was oprechte liefde verre van volmaakt. Didactisch vertelde de grootvader een verhaal over een stekelvarken dat geen vrienden had. Het beest was heel sympathiek en goedwillend maar niemand kwam bij hem in de buurt omdat zijn omhelzingen prikten. Wat weinig dieren begrepen was dat de liefde van het stekelvarken nu eenmaal zo was. Die prikte.

Max zou zich het verhaal achttien jaar later herinneren op het kerkhof van Katowice, toen hij zijn vader begroef naast Reisele Goldman. Toen wist hij al dat geen enkele beminde van zijn geliefde kon verwachten dat die zichzelf oversteeg of ontkende. De liefde omvatte de hele persoon, met al diens meest verborgen eigenaardigheden, beperkingen en stekels. Op de begraafplaats van Katowice was de geprikte Max in staat de liefde van Leon te beoordelen; zijn liefde was evenredig aan de opgave een leven te verlengen dat door zijn weduwnaarschap geen richting meer had. Op dat moment vergaf Max zijn vader en zichzelf, betreurend dat zijn vader niet in staat was geweest (of niet eens geprobeerd had) zichzelf te vernieuwen of opnieuw uit te vinden, zijn zoon opnieuw te ontdekken en te begrijpen dat onvoorziene omstandigheden, fouten of tragedies ook kunnen uitmonden in mooie veroveringen.

Christoffel Columbus was bijvoorbeeld op zoek naar Azië toen hij aan land ging in Amerika, de Grote Oorlog had aan Polen zijn zo gemiste onafhankelijkheid teruggegeven; een

Britse wetenschapper had een geneesmiddel ontdekt dankzij de wanorde in zijn laboratorium; in de Joodse geschiedenis waren de synagoges ontstaan uit de verbanning en niet uit de belofte over een eigen land.

Nu, in 1938, was het hoog tijd dat Max een lesje leerde aan zijn vader, zijn tegendraadse leermeester. Hij zou blijven houden van Hannah, ondanks zijn verdriet. Hij had geleerd, afgeleerd en opnieuw geleerd van haar te houden – van haar Amerika, haar oorlog, haar ballingschap – door haar opnieuw uit te vinden en te herontdekken. Hij was in staat haar te aanbidden in al haar versies: gelijktijdige en opeenvolgende, heilige en profane. Koppigheid, moed? Wat het ook was, de creativiteit van de liefde was de deugd die ontbrak bij veel stellen, die bezweken onder het gewicht van onwelkome nieuwigheden: ziekte, ellende, lelijkheid. Max exploreerde dat gevoel zonder kaarten of beloftes, bestendig tegen de stormen die hem alleen maar aanmoedigden.

Wat de schoenmaker niet wist was dat in het leven niet alle Columbussen Amerika's ontdekken. Sommigen ontdekken zichzelf. Kijk naar de zeemannen van Fernão de Magalhães, die zo ver vooruit voeren dat ze op hun beginpunt terugkwamen; kijk naar de oorlogen die niets anders deden dan een nederlaag bezorgen aan de vrede.

Op een meidag zou Max leren dat de onverbiddelijke toekomst onvolmaakte misdaden uit het verleden genadeloos onthult.

De zwerver Mendel F. liep weer eens zijn onzin uit te kramen op Praça Onze en vertelde dat een orthodoxe man flirtte met de orisja's en dat een grote echtgenote uit de kolonie zo groot was dat een enkel huwelijk niet genoeg voor haar was. 's Middags legde de man aan bij Max' werkbank en vroeg om geld, eten en schoenen.

'Ga weg hier', gromde de schoenmaker, die twee dames aan het helpen was.

Mendel F. liet zich niet verjagen: 'Wat kleingeld, wat is dat daar?'

'Ga weg, mesjogge!'

'Mesjogge??'

'Maak dat je wegkomt! Laat me rustig werken!'

Mendel F. verroerde zich niet, zijn neusgaten dampten. 'Noemde je me mesjogge? Is dat wat je zei?'

'Ga weg, mesjogge.'

Mendel F. wreef zijn handen, klaar om de schoenmaker een dreun te verkopen. Maar om de twee vrouwelijke getuigen te sparen nam hij zijn toevlucht tot de sterkste spierbundel van de mens: de tong.

'Jij bent mesjogge, Max Kutner, jij legt het aan met een polaca!' Hij keek naar de geschokte dames. 'Schaam je, flutschoenmaker! Dat loopt ongegeneerd te flaneren met zo'n slet!'

En hij strompelde luid foeterend verder door de Rua Visconde de Itaúna. Max viel neer op een stoel, met een droge mond en een verloren blik. Hij sloeg zijn handen voor zijn gezicht: oy, oy! Dat ontbrak er nog aan!

'Een polaca?' zei een van de dames verbijsterd. 'Wat een schande, meneer Kutner!'

Max deed zijn werkplaats op slot, sloot zich op in zijn kamer en doofde het licht. Wat haatte hij de beschaving met haar onderdrukkende logica! Wat waren de moraal en de goede zeden anders dan katapulten tegen de kanonnen van het absurde? Wat waren de witte, rechtlijnige muren van die kamer anders dan een door de rede vertekende grot? Alsof het leven in een geometrie viel te passen en je het lot van een mens kon wassen en opvouwen als een laken!

Ja, Max was onvoorzichtig geweest toen hij met Hannah door de stad paradeerde: straten, winkels, trams. Had hij zijn besef van gevaar verloren?

Wanneer was dat ooit vertoond? Rondlopen met een hoer op het kleine, oplettende Praça Onze! Waarom al die mensen beledigen die een hoge prijs moesten betalen om hun normaliteit te behouden of te veinzen? Vertel eens, Max! En nu, hoe moest hij omgaan met de mogelijke minachting van Praça Onze? Je kunt niet zonder de geloofsgektes en tics van je landgenoten; je hebt de communisten nodig om niet zoals zij te zijn; de zionisten om ze te kunnen bekritiseren; de dames om ze af te kunnen kammen. Je uitgevente autonomie is onzin; je zou juist niemand van hen nodig moeten hebben. Baal Shem Tov zei terecht dat elke Jood een letter, elke familie een woord en elke gemeenschap een zin is. Jammer alleen dat de letters van die geschiedenis niet altijd behoren tot dezelfde grammatica. Soms had Max de indruk dat de Joden eigenlijk niet het Volk van het Boek waren, maar van de boeken, van een uitgebreide, slecht combinerende bibliotheek, alsof de paragrafen op de ene plank die op de andere tegenspraken. Baal Shem Tov moest eens uitleggen of elke ziel zijn letter alleen maar in een enkel woord, een enkele zin of een enkel boek mocht vastleggen. Werkten de lettertjes zich niet stiekem naar binnen in andermans hoofdstukken? Infiltreerden ze niet in voetnoten, glossaria en binnenkaften? Waarom waren de geschiedenissen gemaakt van letters en de letters niet van geschiedenissen? Tenslotte bestonden de geschiedenissen van de letters ook uit letters!

Geklop buiten. Wie zou het zijn? Mogelijk verontwaardigde vrouwen, geestelijken met de Tafels der Wet! Max ademde diep in en ging opendoen, maar niet dan nadat hij zijn gezicht had gedroogd en zijn haar had gekamd. Hij opende de deur op een kier en stond oog in oog met huwelijksmakelaar Adam S.

'Ik kom in vrede!' Terwijl hij binnenkwam: 'Ik weet wat Mendel F. heeft gedaan, iedereen weet het, maar ik ga u niet veroordelen. Integendeel, mijn felicitaties. Prostituees zijn heel praktisch. Stelt u zich voor dat we zouden moeten trouwen met alles wat praktisch is. Kleren, schoenen, meubels! Oy, afgrijselijk! En afgezien daarvan bestaat er altijd de hoop dat ze te repareren zijn. Gaf God zelf de profeet Hosea niet de opdracht te trouwen en kinderen te krijgen met Gomer, de mooiste lichtekooi van Israël? En was het God niet die tot de profeet zei dat hij haar moest vergeven dat ze van huis was weggelopen en bij andere mannen had gelegen? Welnu, als zelfs God de zondaren liefheeft en vergeeft, waarom zouden we hem daarin dan niet volgen? Ga uw gang, mijn beste, wees gelukkig en probeer niet de mysteries van het vlees verklaren. Ik ben ook al eens verkikkerd geweest op een dikkerdje.'

Ontsteltenis: 'Dikkerdje? Hannah is niet dik.'

Adam S. verzuchtte minzaam: 'Ach, verliefden! Ze zien grind voor goud aan. Zaten jullie een paar dagen geleden niet te eten in Bar Luiz?'

'Fanny!' riep de schoenmaker uit.

Mendel F. had het over Fanny! Max spuwde vuur als een draak: de sloerie, dat stuk venijn! Als een gestrande walvis op zijn werkbank, van maandag tot vrijdag, boordevol roddels en bemoeizucht. Ze kon naar de hel lopen met haar aanstellerijen, glimlachjes en lieve koekjes. Het ergste was zich het doelwit te weten van dat kleffe hart.

Max werkte Adam S. de deur uit en probeerde zijn gedachten te ordenen. Wat moest hij aanvangen met Fanny? Lieve hemel, hij zou haar graag in stukjes snijden. Hij waste zijn gezicht: geen overhaaste beslissingen. Er stond niets minder op het spel dan zijn relatie met Hannah. Uiteraard misbruikte Fanny dat voordeel om hem te manipuleren, om hem haar slaaf te maken, om hem te martelen met haar valse behulpzaamheid. Nou, het uur was gekomen om een einde te maken aan die platonische driehoeksverhouding. Maar hoe?

Hij dronk een glas water toen er werd gebeld. Daar kwam Adam S. hem weer lastigvallen. Of zouden het toch die verontwaardigde vrouwen zijn? Waarom niet Mendel F. met zijn onzin? Max herinnerde zich een uitspraak van Napoleon Bonaparte die hij kort tevoren vertaald had: een werkelijk moedige man is niet degene die geen angst kent (dat is niet meer dan een dwaas), maar degene die zijn angsten onder ogen ziet. Hij draaide de deurknop om en opende de deur met gezwollen borst. Hij kreeg een schok. Hij zag niet de verontwaardigden van Praça Onze voor zich, noch Adam S. noch Mendel F. Evenmin lag Hannah aan zijn voeten. Hij stuitte wel op een schalkse glimlach onder een hoedje van organza, gehandschoende handen en paarse lippenstift. Waar moest Fanny heen in die uitdossing? Naar een trouwerij of een theatermatinee? Nou, ze kon naar de hel lopen! Max bleef roerloos en verdoofd staan terwijl de ander een beautycase opende, iets zei en hem een briefje gaf.

'Ik ga vanavond op reis. Waarschuw Fanny als Guita slecht nieuws stuurt. Bedankt, Hannah.'

Max greep zich vast aan de muur om niet op straat in elkaar te zakken. Dít was slecht nieuws: Hannah wist dat hij voor de politie werkte.

'Voelt u zich niet goed?' Fanny probeerde hem te ondersteunen.

'Laat me los. Je hebt haar alles verteld. Alles!'

Hand op haar borst: 'Alles waarover?'

'Alles, vuile hoer. Alles!'

Afgrijzen: 'Waarom zegt u dat, meneer Kutner?'

'Hou op met je leugens, Fanny! Je weet wat ik buiten mijn gewone werk doe, hè? Dat weet je, of niet?'

'Ja, meneer Kutner, dat weet ik.'

'En je hebt haar alles verteld.'

'Aan wie?'

'Aan Hannah! Ga weg voordat ik je op je gezicht sla, smerige slet!'

'Nee, o nee! Goeie God, nee!' Fanny begon te huilen. 'Het is helemaal niet zoals u denkt! Ik smeek u, in godsnaam, luistert u naar me! Ik heb niets misdaan, ik ben onschuldig! Het is tijd om de waarheid te zeggen, u verdient het te weten, u moet het weten! De waarheid die niemand u heeft verteld, maar die u nu moet weten! In godsnaam, luistert u naar me!'

HOOFDSTUK 6

Zes maanden later

De wijken van Rio de Janeiro verschilden zo van elkaar dat je de indruk kreeg dat je continenten doorkruiste als je in de tram zat. Reed je bijvoorbeeld van Relógio da Glória zuidwaarts, dan zag je niet meer de overvolle, lawaaiige straten van het centrum met zijn groezelige gebouwen en reclameborden. In het centrum had de haast geen tijd, maar zodra je in Flamengo kwam had de tijd geen haast. De stilte heerste in de door bomen beschaduwde straten, waar dametjes hun parmantige hondjes uitlieten. Dure sleeën zoefden bijna geruisloos tussen kapitale huizen door die niet zelden werden bezet door ambassades of hoge staatsdiensten, terwijl geüniformeerde kindermeisjes hun veelbelovende kindertjes in de gaten hielden.

Max keek graag naar de palmbomen die de Rua Paissandu flankeerden vanaf het Palácio Guanabara tot de Rua Marquês de Abrantes. Die ranke stammen hadden koetsen voorbij zien rijden met markiezen en barons, broches en tiara's, voordat de automobiel bezit nam van de steden en de Braziliaanse monarchie zichzelf verbande naar musea. Maar de palmen langs de Rua Paissandu hadden zich niet gebogen voor de moderne tijd: geen enkele republiek zou ze kunnen beroven van hun verheven trots of van de adel van hun bladerkronen die zich openvouwden als soevereine vleugels. Dicht daarbij lag het veld van Fluminense met zijn oorverdovende supporterslegioenen. Bij elk doelpunt stoven de vogels in zwermen op van de takken. Soms vloog er een de salon binnen waar Max aan het einde van de middag rustte in zijn bergère, begeleid door de geluiden van de lachgrage kinderschare die de moeders pas naar binnen riepen na het radionieuws van zeven uur. Dan koos hij iets van Haydn of Mozart en liet hij de grammofoon zijn melodieuze effecten ten beste geven terwijl hij iets lichts at aan de bijkeukentafel. Na tienen schoof hij onder de dekens en las hij tot hij wegdommelde in de slaapkamer van het achterhuis, in slaap gezongen door de zwerfkatten die zich buiten oprolden in de duisternis.

Max' nieuwe huis van twee verdiepingen sloot bij de buurpanden aan alsof het Siamese tweelingen waren. Het was een koopje geweest omdat de stokoude eigenaar op sterven lag en zijn kinderen de verkoop snel wilden afhandelen en de werkplaats op Praça Onze als deel van de betaling hadden geaccepteerd. Ongelofelijk! De rest loste Max af in maandelijkse termijnen, geborgd door niemand minder dan kapitein Avelar. Naast de bergère combineerde een jacaranda boekenkast met de ronde tafel die de vorige eigenaar had achtergelaten. Max had vier rieten stoelen gekocht en een fruitschaal van Portugees porselein, die altijd vol lag met appels, sinaasappels en bananen. In de keuken bewaarde hij de voorraden zout en suiker waar de buren tijdens hoffelijke eenpersoonsinvasies om kwamen vragen, om hem daarna als tegenprestatie te komen bezoeken met stukken cake of pudding. Hij liep op pantoffels om geen krassen te maken op het tweekleurige parket en het Arraiolostapijt in zijn slaapkamer niet te bederven. Jazeker, Max had nu een fatsoenlijk huis.

Op de benedenverdieping had hij zijn veel ruimere en beter georganiseerde werkplaats. Elk dingetje had zijn plaats en elke plaats had zijn functie. De naaimachine stond in het midden, op een tafel voorzien van laden vol potjes, spijkers en draadklosjes. Maar niet alles was nieuw. De voeten van de Flamengowijk leden aan dezelfde eksterogen en wintertenen als die van Praça Onze. Een verfijnde minister of hyperchique madame uitgezonderd, droeg de klantenkring hetzelfde triviale schoeisel. Natuurlijk waren de Joden in de wijk wel beter gesitueerd dan die uit het 'Joodse getto' dat Max vier maanden eerder de rug had toegekeerd. De aanleiding om zijn oude wijk te verlaten waren de geruchten dat de regering alles tegen de vlakte wilde gooien om de beloofde avenida aan te leggen tussen het Marine-arsenaal en Cidade Nova. Waarom wachten? Max wilde een andere omgeving zonder ranzigheden of tics. Hij wilde meer dan een bladzijde omslaan, hij wilde een boek sluiten. Vaarwel verleden, vaarwel Hannah!

Ze hadden elkaar al een half jaar niet gesproken. In het begin sliep en ontwaakte Max niet. Hij had ingevallen ogen, een droge mond, viel vier kilo af en vergat zich te scheren. De berusting kwam langzaam en geleidelijk, totdat zijn eetlust terugkeerde en Flamengo wenkte via een krantenadvertentie. Het was vreemd ver van de oude buren te wonen, ver van de prekende idealisten en de folkloristische figuren. Hij hoorde geen grappen, nieuwtjes, roddels, propagandapraatjes of scheldpartijen meer. Het verleden zweeg.

Ja, Max had Hannah opgegeven. Of beter gezegd, Hannah had zichzelf opgegeven. Het had geen zin een gouden kalf te vereren dat was opgebouwd uit zo veel leugens. Max moest de deugd maar gaan zoeken in iemand anders, iets anders, een andere Max. Hij kon zijn verlangen maar beter niet meer verankeren in troebele wateren en moest zien een veilige haven binnen te lopen. En het mooiste was dat hij Hannah verloor met wijsheid. Geen afgrondelijke depressies. Hij verkoos te vergeten wat vergeten moest worden en te leren wat er geleerd moest worden. Zijn opgave was het ene van het andere te onderscheiden.

Toen Fanny hem op die middag langgeleden de 'waarheid der waarheden' vertelde, was zijn eerste reactie haar een klap in het gezicht te geven. Waarom? Hij wist het niet. En hij wilde het ook niet weten, want hij had zijn buik vol van wat hij te weten kwam. Hoe meer hij wist, hoe minder hij begreep; gevolgen waren oorzaken geworden en wat hij het begin noemde was het einde. Wie vertaalde wie? Wie hield wie in de gaten? We gaan naar de feiten.

Twee jaar geleden had Hannah aan kapitein Avelar verteld dat ze weduwe was.

'De auto is gezonken en het lichaam verdwenen. Ik vraag me nog altijd af of Max nog leeft.'

'Welke Max?'

'Max Kutner.'

De kapitein zocht in zijn geheugen: 'Mijn schoenmaker heet Max Kutner.'

Geïntrigeerd was Hannah meteen naar de werkplaats gegaan, waar ze het mannetje in zeer geagiteerde staat bezig zag: 'Maak dat je wegkomt!' schreeuwde hij tegen een jongeman in overall met een pet op. 'Ik praat niet met communisten! Als je de wereld wilt verbeteren, leer dan eerst je schoenveters maar eens fatsoenlijk strikken!' En hij herinnerde hem aan de parabel van Rebbe Zusha, die toen hij jong was ook de wereld wilde verbeteren, maar toen hij ontdekte hoe groot en ingewikkeld die was, genoegen nam met het verbeteren van zijn land. Maar dat land was ook groot en ingewikkeld, zodat Zusha besloot zijn stad te verbeteren. Op rijpe leeftijd zette hij zich in om zijn gezin te verbeteren en op zijn sterfbed vertrouwde hij een vriend toe: 'Tegenwoordig hoop ik alleen nog dat ik mezelf kan verbeteren.'

Hannah zag ervan af de schoenmaker aan te spreken maar zou de parabel niet vergeten. Een paar weken later vroeg Avelar haar vertalers uit het Jiddisch te charteren en ze vond dat Max Kutner geschikt was voor dat werk. Zo was alles begonnen. En wat vertaalde de schoenmaker nu, in november 1938, anders dan de verzinsels van Hannah zelf?

Haar laatste wapenfeit was dat ze Guita en Jayme, die in januari 1939 naar Brazilië zouden komen, onderdak aanbood. Bijtend op zijn potlood probeerde Max te raden wie de rol van José zou krijgen. De kaketoe? Hannah ging haar zus en zwager onderbrengen op nummer 310 van het Topáziogebouw. In een hoerenkast? Maar wat werkelijk indruk maakte op de schoenmaker waren niet Hannahs leugens. Het waren haar waarheden.

Hij kon nauwelijks geloven dat gezeten tegenover dezelfde soldaat Onofre op andere dagen van de week ook Fanny en twee van haar collega's brieven vertaalden. Ziedaar het illustere team van de Joodse postcensuur – Max en drie hoeren –, samengesteld en aangevoerd door hoerenmadam Hannah Kutner, die de vertalingen superviseerde. Ofwel, Hannah las haar eigen brieven in het Portugees!

'Maak dat je wegkomt, verdwijn!' had Max tegen Fanny gebruld op de stoep van de Rua Visconde de Itaúna.

'Het is niet mijn schuld, meneer Kutner! Ik verdien het niet dat u me zo behandelt!' Max dreigde haar lek te prikken met een schaar voordat Fanny huilend en snikkend afdroop. Ze zou nog vier maal terugkeren en vier maal buiten de deur worden gezet. Daarna hing ze rond op straathoeken, vermagerd en gek, en hield ze de werkbank in de gaten van de schoenmaker, die deed of hij haar niet zag. Op een stormachtige dag bleef ze, doorweekt van top tot teen, als een standbeeld staan aan de overkant van de straat. Fanny's overduidelijke gekte bracht iemand ertoe een ambulance te waarschuwen, waarin ze zich zonder protest liet wegrijden om nooit meer terug te komen in de Rua Visconde de Itaúna.

Hannah was ook verdwenen. Halleluja! Ze moest maar andere mensen gaan belazeren, want Max wist nu dat ze een geslepen geheim agente was die de bespioneerden tussen de lakens ontving in hotels, villa's, schepen en kazernes. Ze speelde vrouwen van allerlei types, sprak zes talen, afhankelijk van de situatie met of zonder accent, en deed dat zo overtuigend dat elke prooi voor haar viel. Roodharig, blond, donker: Hannah had de gave niet te zijn wie ze de dag tevoren geweest was. Hannah was alle vrouwen en niemand.

Max was niet de enige geweest met een gebroken hart – veel andere harten leidden een zieltogend bestaan. Rio beleefde een epidemie van desillusies. In de overlijdensberichten van de *Correio da Manhã* wemelde het van de jongedames die arsenicum of rioolwater ophoestten en het fel maar vergeefs begeerde bruidsboeket inruilden voor een tuiltje op hun graf op het kerkhof van São João Batista of Caju. Max vond daarentegen het lichaam nog altijd een gastvrije plaats om de ziel te herbergen. Hij had zijn gewoonte hernomen om wandelingen langs de waterkant te maken na zijn bezoekjes aan de meisjes uit de Gloriawijk, die zo vriendelijk waren hem niet verliefd te laten worden of in bizarre machinaties te betrekken.

Op een dag leerde hij Belinha kennen, drieëntwintig jaar, lang zwart haar, stabiele familie, geboren in Rusland en getogen in Penha. Al tijdens de eerste ontmoeting: 'U bent heel, heel ...' Belinha zocht het juiste woord. 'Elegant. Hebben ze u dat al eens gezegd?'

Verbazing: 'Eerlijk gezegd niet.'

'Uw manieren, uw voorkomen. Ontegenzeggelijk. U bent een bijzonder elegante man.'

Max was er confuus van, maar hoe kon hij haar ongelijk geven? De weken daarop aten ze suikerspinnen, roeiden ze op het meer van de Quinta da Boa Vista en beklommen ze de trappen naar de Penhakerk. Belinha was een en al lof: 'Wat bent u toch elegant', of: 'Dank u wel, dat is heel elegant van u.'

De toegewijde schoenmaker deed recht aan haar commentaren. Hij ging het meisje thuis ophalen en leverde haar keurig thuis af, betaalde de rekeningen en gaf haar rozen. Soms bekeek Max zich in een denkbeeldige spiegel, verwijlend bij details die het vanzelfsprekende bevestigden: ik ben elegant. Waarom had hij dat niet eerder opgemerkt?

Hij begon beter op zichzelf te letten, bestudeerde zijn gebaren, polijstte zijn omgangsvormen. Of hij nu schoenen repareerde, overhemden dichtknoopte of brieven vertaalde, hij deed het met aandacht voor zijn elegantie. Uiteraard kon hij zich soms ergeren aan die routine (zelfs koningen zijn niet eeuwig majesteitelijk). Maar zodra de inzinking voorbij was hervond hij zijn elegantie zoals rivieren naar de zee stromen.

Op een dag besloot Belinha hem uit te nodigen voor de verjaardag van haar grootvader. Tachtig jaar – of, zoals de Fransen zeggen, *quatre-vingts*. Max kocht dure bonbons en putte zich uit in vriendelijkheden tegen de tramconducteur. Hij stapte uit in Penha en controleerde zijn elegantie in een spiegelende etalageruit.

Belinha omhelsde hem en nam hem bij de hand naar de kamer waar de familie op hem zat te wachten. Max werd voorgesteld: 'Dit is mijn grootvader, geboren in Leningrad ...'

'Sint-Petersburg!' corrigeerde de bejaarde.

'O ja! Zie je, Max, wat een wijze man en ... zo, hoe zal ik het zeggen ...?'

'Elegant, bedoel je?'

Max begroette de grootvader met een subtiele buiging.

'Mama, mama, kom eens hier! Dit is nu Max Kutner. Max, dit is mama, een getalenteerde naaister. Ze maakt heel elegante jurken!'

Even later: 'Oom Boris!' Tegen Max: 'Oom Boris is getrouwd met de zus van mama. Een eleganter paar kun je je niet voorstellen.'

Kortom: Belinha vond iedereen elegant, zonder uitzondering. Zelfs het hondje kwispelde elegant in de achtertuin. Oy, schrok de schoenmaker, wat een gekkin! De kennismakingen waren nog niet ten einde en hij telde tussen de twintig en de veertig eleganten. Eentje minder maakte geen verschil. Max kneep er onelegant tussenuit. Vaarwel, Belinha!

Daarna kwam Mariana, dertig jaar, ontmoet in de wachtkamer van de tandarts. Mariana had gewaagd kort haar, was journaliste en schreef voor het mondaine damesblad *Fon-Fon*. Als habituee in het artistieke milieu nam ze Max mee naar musea en exposities, waar ze notities maakte en visitekaartjes uitdeelde. Aan de stamtafels van de nachtbrakers van Cinelândia en Lapa maakte ze afspraken voor ontmoetingen en regelde ze zelfs reisjes. Op een theatersoiree wist ze door te dringen tot in de kleedkamer voor een vraaggesprek met Procópio Ferreira, die in de rol van bedelaar de première speelde van zijn succesregie *Deus lhe pague*. Nog listiger was haar overrompelingsaanval op maestro Villa-Lobos in een biljartzaal. Mariana knoopte een praatje met hem aan terwijl hij op een sigaar kauwde en zijn keu masseerde op de groenvilten tafel.

Maar niet alles was glamour. Jaren eerder stond Mariana op het punt te trouwen met een jongen die werd gekidnapt door de gezondheidspolitie en meegenomen naar een ziekenhuiskolonie in Jacarepaguá. De diagnose bevestigde het vermoeden van de buren: lepra. Mariana verloor haar vrienden en haar baan, maar niet haar hoop. Op zondagen boog ze zich over een balkon van het leprosarium en wuifde en schreeuwde ze naar haar bruidegom in de hoop dat hij zou genezen, totdat een verpleegster haar zo delicaat mogelijk vertelde dat een derde van de kraamafdeling van het hospitaal bezet werd door zijn kinderen. Ouders met lepra besmetten hun kinderen niet, legde de verpleegster uit, aan wie Mariana een pijnstiller vroeg. De dag daarop had ze genoeg gehuild om nooit meer van iemand te houden.

Mariana en Max gingen volwassen met elkaar om. Ze sliepen samen in zijn huis en Mariana verzon standjes terwijl Max kreunde in het Jiddisch. Daarna lagen ze in elkaars armen tot de zon opkwam, zonder plannen of lyrische ontboezemingen. 'Leve het heden' was het motto van beiden. Mede daarom was Max niet geschokt toen haar stem aan de telefoon ernstig klonk: 'We moeten eens praten.'

Op een bank op het Praça São Salvador: 'Het was leuk, je bent lief en sensueel, en je hebt me Jiddisch geleerd. Maar het is afgelopen.'

Ze bekeken elkaar als vrienden, twee volwassenen wier wegen waren samengekomen voor een gretig moment dat nu voorbij was. Geen enkele rancune. Max kuste haar wang en zei iets als 'zo is het leven'. Misschien konden ze vrienden blijven, waarom niet? Maar Mariana had hem de rug al toegekeerd en ging haar eigen weg.

Onderweg naar huis keek Max naar de palmbomen van de Rua Paissandu. De middaghitte nam af en de zon bestreek de hoogste kronen. Wat een heimwee naar de negentiende eeuw toen de mensen zich tot elkaar beperkten van de wieg tot het graf. Wat waren ontmoetingen tegenwoordig anders dan preludes op het afscheid?

Een militair met een klompvoet had in de werkplaats twee laarzen met versleten zolen afgegeven. Max opende de kast met lijmen en penselen, en pakte de potten die hij nodig had. Gelukkig had hij een dag tevoren nog rubber gekocht. Hij zocht in een la naar een spatel toen de wind ramen en deuren dichtsloeg en de takken in de omgeving ontbladerde. Een zoete lucht woei door de werkplaats. Jasmijn?, vroeg de schoenmaker zich af toen hij een gestalte aan de toonbank zag staan. Hij vroeg een momentje terwijl hij zijn aandacht bij de la hield. Waar was verdorie zijn assistent! Dan kon die uitleggen wat de spijkers op de plaats van de penselen deden en de penselen op de plaats van het leervet. Rommelkont! Uiteindelijk sloot hij de la en veegde hij zijn handen af aan een doek om de klant te gaan helpen. Hij begon zich al te verontschuldigen voor de vertraging toen de tijd ineens stilstond. Geen wind, geluid, kou, warmte. Geen spatel, spijker, lijm. Max zei instinctief 'hallo', met knikkende knieën en opengevallen mond.

Hannah Kutner was in het roze gekleed.

* * * * *

Fanny had een zelfmoordpoging gedaan. Al maanden delireerde ze, had ze ijlkoortsaanvallen en praatte ze, volgestopt met medicijnen, tegen zichzelf. Hannah had haar doorgesneden polsen kunnen afbinden en een ambulance gebeld. De ziekenhuispastoor van het Santa Casa de Misericórdia diende haar al het laatste oliesel toe toen Fanny hem waarschuwde: 'Ik ben Jodin!'

En dat zou ze blijven in haar ziekenhuisbed. Of niet? Er werd zelfs over bezetenheid door de duivel gesproken: haar stem, haar blik, alles was veranderd. Tussen de injecties en pillen door schold ze de verpleegsters uit en spuugde ze in haar eten. Hannah was al op zoek naar een gekkenhuis om haar te omringen met Cleopatra's en Maagden Maria's toen Fanny een verzoek formuleerde: 'Max Kutner.'

In de taxi naar het Santa Casa: 'Sorry voor het ongemak, maar ze wil u dringend spreken. Ook de dokters vroegen of u kon komen.'

De auto reed langs zee naar het centrum over de Avenida

Beira-Mar. Hannah maakte een trieste en vermoeide indruk, haar blik verloren tussen de meeuwen die over de baai van Guanabara scheerden. Ze droeg een tailleur met een rechte snit en een rok tot onder de knie, zonder sieraden of make-up. Ze behandelde Max afstandelijk en pragmatisch, alsof ze onbekenden waren. En hij, perplex over haar verschijnen (maar niet over de reden daarvan), krabde zijn kin: nee maar, zaten ze ineens naast elkaar in een taxi. En wat zag hij naast zich behalve een beschimmelde mythe? Niets beter dan de tijd om gelegenheidswonden te genezen. Niets beter dan de tijd, die wonderbaarlijke lens, om feiten en personen hun ware dimensie terug te geven zonder gedateerde spanningen of valse toekomstigheden. Arme Hannah, een getuige uit voorbije tijden, een symbool zonder betekenis. Wie had ze in het afgelopen half jaar slachtoffer gemaakt, hoeveel harten had ze verscheurd? Hij wilde het liever niet weten. Trouwens, dat hij haar weerzag had zijn voordelen. Profiteer ervan, Max! Dit is je kans om de vergetelheid te vergeten. Hoor je dat, Hannah? Je bent een duizenden jaren oud fossiel!

Natuurlijk zat Max alleen maar in die auto om Fanny te bezoeken, ontboden door de omstandigheden waarvan Hannah toevallig deel uitmaakte. Het was normaal dat het verleden af en toe terugvloeide naar de herinnering – normaal en gezond, mits het gebeurde in bescheiden, leerzame doseringen. Nostalgie? Nee, dwaallichten, gestalten die dolen door de voorsteden van de herinnering. Soms bezoeken ze ons alsof ze de regels nog dicteerden, als onttroonde koninginnen. Ze maken nog indruk met hun vervaalde kronen, maar zijn niet meer dan dode zielen. En de indruk die hij van Hannah had was juist in die hoedanigheid. Nee, Max, je bent geen ex-verslaafde die in verleiding wordt gebracht om opnieuw toe te geven aan je zwakte. Uiteraard niet!

Ze reden over het Praça Paris met zijn fonteinen en sierheesters toen Hannah een sigaret opstak. Misschien was het niet meer dan een vermijdbare heropleving, een heimweekramp die de schoenmaker verhulde door zijn benen met een onweerstaanbare discretie over elkaar te slaan. Hij verzon berekeningen, hersengymnastiek. Hoeveel palmbomen stonden er langs de Rua Paissandu? Hoe heette het personage dat Procópio Ferreira speelde in het stuk van het Teatro Regina? Hij dacht aan Hitler, Stalin, de invasie van Oostenrijk, de Spaanse burgeroorlog. Alles om zijn zandkasteel te beschermen tegen die onvoorziene windhoos.

Maar een volgende blik was genoeg om Max' handen te doen zweten, hem de impuls te geven uit de auto, van de wereld te springen, de rake adjectieven te zoeken – leugenaarster, aanstelster – om de vrouw te karakteriseren die hem, zo dichtbij, te groot en te complex toescheen om zich in woorden te laten vangen. Ach, Heer! Waarom is afstand een schuur vol zekerheden en nabijheid een verraderlijke modderpoel? En nu, Max, waar is de definitieve punt die je hebt gezet door je verbanning?

In de hal van het Santa Casa stonden zeven polacas voor hem klaar met zoetigheden en cadeautjes terwijl Fanny binnen werd 'geprepareerd' door Hannah en de verplegers. Ze merkten dat de schoenmaker zich slecht op zijn gemak voelde: 'Tijd niet gezien, meneer Kutner!'

Op fluistertoon begonnen ze frivole verhalen en tragedies te vertellen, van problemen met kleurspoelingen tot slecht verlopen abortussen. Ze waren weg van de nieuwe tanden van zus en zo en lachten zich rot om de steenpuisten van die en die. Van de hele wereld maakten ze een grote grap, een roddel zonder einde. Van het lot verwachtten ze niet meer dan een lippenstiftje, korset of flesje parfum dat kon zorgen voor het volgende lippenstiftje, korset of flesje parfum. En daar gingen ze voor bidden in hun synagoge aan de Praça da República, tijdens diensten die werden geleid door hun soort mensen – rufiões, gigolo's en geestverwanten. Ze waren de hysterie nabij wanneer ze God om vergeving smeekten, die zij op hun beurt vergaven in een wederzijdse uitwisseling van schulden en verplichtingen. Na de ceremonies dronken ze cachaça op cathartische feesten waar uitzinnig werd gedanst en gezongen. Ze waren geen personen meer, maar lachende stigma's, iconen van perversie, aanleiding tot fascinatie en afschuw, publieke antipathieën en private sympathieën.

'Voelt u zich niet lekker, meneer Kutner?' Een van de meisjes kwam bij hem staan.

'Ik voel me prima.'

'Drink een slokje water.' Een ander meisje bracht hem een glas.

Niets erger dan vriendelijkheid te moeten aanvaarden van tegenstrevers. Max was niet dorstig maar vooral in verlegenheid gebracht als doelwit van die buitensporige attenties: hebt u koorts? wilt u een aspirientje? een warm kompres? De vrouwen waren een en al hulpvaardigheid en openden tassen en tasjes waar ze een grote variatie aan hulpmiddelen uit haalden waarmee ze Max overlaadden – liefdeblijken die even dienstbaar en onthecht waren als zijzelf.

Op een gegeven moment verscheen Hannah. 'Fanny is

klaar. Max gaat eerst.' In de gang: 'Schrik niet van haar, ze had redenen om gek te worden.'

Redenen om gek te worden?, mijmerde de schoenmaker. Wat een paradox: de rede tot schade van zichzelf. In een zaal met naast elkaar opgestelde bedden had Max moeite haar te herkennen onder een lichtgroen laken. Ze was graatmager, had dun grijs haar, een uitgedoofde blik. Hannah pakte haar hand: 'Hier is Max Kutner, lieverd.'

'De schoenmaker?' vroeg een slepende zwakke stem.

'Ik ben het, ja.'

Fanny bekeek Max langdurig in een eerbiedige stilte, zonder een woord tot haar ogen vochtig werden.

'Gaat het goed met u?'

'Ja, hoor, en met u?'

'Best.'

Max raakte geëmotioneerd. Voor het eerst speelde Fanny niet de rol van een voorspellende heks die met onheilszwangere stem fluisterde: 'U zult zich met mij tevreden moeten stellen.' Fanny was alleen nog Fanny – en, vreemd genoeg, terwijl ze niet meer in omstandigheden was om zichzelf te zijn. Haar vertrokken lippen waren levenloos, zonder enige uitdrukking, en toonden haar gele tanden.

'Ik hoorde dat u bent verhuisd.'

'Inderdaad, naar Flamengo.'

'O, wat mooi.'

Ze trok een goedkeurend maar sceptisch gezicht toen de schoenmaker haar beloofde haar in zijn nieuwe huis te ontvangen. Op de thee, zodra ze uit het ziekenhuis was. Nogal onwaarschijnlijke welwillendheden:

'Daar zal geen tijd voor zijn, ik ben stervende.' Max praatte eroverheen: 'Gelukkig dat Hannah mijn nieuwe adres heeft achterhaald en me hierheen heeft gebracht.'

Fanny klonk bezorgd: 'Gelooft u echt dat ze uw nieuwe adres heeft "achterhaald"?' Ze verwijdde haar ogen met een plotselinge vitaliteit. Opgewonden: 'Maar meneer Kutner, doe niet zo onnozel! Zij heeft u geholpen dat huis te kopen en er de helft van betaald.'

Hannah kwam tussenbeide: 'Kalm blijven, Fanny!'

Max week verbaasd terug terwijl Hannah de verplegers riep en Fanny in een satanisch gelach uitbarstte: 'Denkt u werkelijk dat u het zich kon veroorloven in Flamengo te gaan wonen?' En met een zucht: 'Ze is zo goed! Ze helpt iedereen! Hannah en God zijn overal! Alleen is God niet almachtig!'

Max werd weggeleid terwijl Fanny tegenspartelde: 'Meneer Kutner! Meneer Kutner! Dat is niet wat ik u wilde zeggen! Er is iets anders!' In bedwang gehouden door de verplegers brulde ze zo hard ze kon: 'U moet het weten! U moet weten ...'

'Wat moet ik weten?' mompelde Max.

'Weg hier!' Hannah duwde hem de zaal uit. 'Kom mee!'

Max werd op een gang achtergelaten. Hij wankelde naar een binnenplaats met bloemperkjes en ging op een bank zitten. Alles viel pijnlijk op zijn plaats! Inderdaad had hij een heel zacht – om niet te zeggen absurd laag – prijsje betaald voor het huis in Flamengo. En dan de hulpvaardigheid van kapitein Avelar, de snelheid waarmee de koop beklonken was. Natuurlijk had Hannah geholpen, hoe kon het anders? Ze had de schoenmaker in staat gesteld zich te wortelen op een andere plek, ver van Praça Onze, ver van haarzelf.

Oy vey! De tunnel naar de vrijheid die Max gegraven had was geen tunnel maar een diepe put. Hij voelde zich gekwetst in zijn eer, zijn vrije wil, zijn mannelijkheid. Hannah was een vonnis, een tragedie, een noodlot. Als hij vluchtte naar Patagonië zou ze verkleed als pinguïn op hem staan te wachten; in het zand van de Sahara zou ze een kamelenbult zijn. Op bergen en in dalen, in hemels en hellen, Hannah was onontkoombaar. Max was de paniek nabij toen hij op zijn schouder werd getikt en geschrokken in het gezicht keek van niemand minder dan luitenant Staub. Wat deed die in het Santa Casa?

'Ik moet Hannah spreken', was het antwoord.

Logisch!, dacht de schoenmaker. Wie anders? Staub kwam zijn favoriete gedienstige bezoeken – als de luitenant zelf de dienstbare niet was.

De luitenant liet even een mogelijk medeplichtige stilte vallen, ging zitten en vroeg waarom de schoenmaker zo terneergeslagen was. Was de situatie van Fanny verergerd?

'Nee, ik zit in de problemen!' Snikkend: 'Ik heb nooit brieven willen vertalen, voor de politie willen werken en anderen in de gaten willen houden. Ik heb altijd alleen maar mijn schoenen willen repareren en verder niets. Nu is mijn leven een chaos, een aaneenschakeling van complicaties zonder eind!'

'Ik begrijp je, Kutner. Ik heb hetzelfde probleem gehad. Tot voor kort was ik een willekeurig iemand op het hoofdbureau, belast met het opruimen van archieven en het stempelen van dit of dat document. Op een nacht veranderde alles ...'

Max keek de luitenant geïnteresseerd aan.

'Ik had avonddienst op de Rua da Relação toen de telefoon ging. Ze belden van een ziekenhuis op de Praça da República omdat een van onze agenten gewond was geraakt op een missie en mij dringend wilde spreken. Ik ging erheen.

Een verpleegster ontving me in de hal en zei dat de agent onderzocht werd en dat ik even geduld moest hebben. Hoelang kon ze op geen uur na zeggen. Hij scheen een been te hebben gebroken en misschien moest hij worden geopereerd.

Wat konden we doen? Wachten! We raakten aan de praat en dronken een kop koffie. Ze heette Maria en had een ziek dochtertje, dat afhankelijk was van verschillende medicijnen. Ze liet het meisje achter bij een vriendin wanneer ze ging werken, drie opeenvolgende diensten in drie verschillende ziekenhuizen. Een vechtster.'

Staub wreef in zijn handen: 'Kortom, we hadden ... hoe zal ik het zeggen? Een avontuurtje. Moet je nagaan, in een ziekenhuistoilet. Absurd! Zij sleurde me mee; ze zei dat ze dol was op mannen in uniform. Ik kan het nog niet geloven, maar het gebeurde. Weet je, Kutner, elke man is in staat zijn hoofd te verliezen, hij hoeft alleen maar de juiste vrouw tegen te komen.'

'Of de verkeerde', verzuchtte de schoenmaker.

De luitenant schepte adem: 'Alles ging goed, te goed, totdat iemand op de deur van het toilet klopte. Ik schrok me wezenloos! Als ze me pakten in die situatie! Regelrecht de cel in, mijn beste.

Maar het was een andere verpleegster. Ze had Maria door het hele ziekenhuis lopen zoeken. Haar dochtertje was bij haar vriendin en er was iets mis met haar. Maria was de wanhoop nabij, want ze had een van de medicijnen thuis laten staan. In een minuut kleedde ze zich aan.

Maar de echte ellende komt altijd in tweeën. Toen we uit het toilet kwamen, kwam haar collega terug om te zeggen dat de dokters de agent gingen opereren en dat ze Maria meteen nodig hadden. Ze begon te huilen, wat moest ze doen? Haar dochtertje of het werk? Toen kreeg ze een idee, waarom niet? Omdat de man geopereerd moest worden kon ik dat medicijn gaan halen en naar het huis van haar vriendin brengen. Zo gezegd zo gedaan. Dat was precies wat er gebeurde!

Maria woonde in de Rua do Riachuelo, dicht bij de Arcos da Lapa, in een appartementenblok. Ik voelde me wel een beetje raar natuurlijk, het is niet normaal dat je zomaar bij iemand anders naar binnen loopt. Ik vond het medicijn, een flinke fles, in de badkamerkast.

De vriendin woonde op de Rua dos Inválidos, in het laatste huis van een rijtje. Het ging allemaal heel snel, ze zei bedankt en sloot de deur, meer niet. Opdracht uitgevoerd.'

Staub pauzeerde even.

'Dus ik terug naar het ziekenhuis ... en wil je weten, Kutner, dat mijn collega buiten op de stoep op me stond te wachten?'

'Hè? Hoe kon dat?'

'Hij was er beter aan toe dan ik.'

'En die operatie dan?'

'Hij had alleen zijn voet verzwikt.'

Max begreep er niets van. En Staub, afrondend: 'Hij had zijn voet verzwikt toen hij een cocaïnehoertje achterna zat op de Rua do Riachuelo. Hij struikelde, viel en werd naar het ziekenhuis gebracht.'

'Maar die verpleegster ...'

'Maria was geen verpleegster. En dat medicijn dat ik ging halen was geen medicijn maar cocaïne.'

'Nee!'

'Een valstrik, mijn beste! Een prachtige valstrik! Geloof me, ik ben beetgenomen als het eerste het beste onnozele groentje. Wat Maria betreft ...' Staub maakte het spannend. 'Die mag je ook Hannah noemen.'

Afgrijzen: 'Oy main Got!'

'... en noem de vriendin die het spul in ontvangst nam maar Fanny.'

Max was sprakeloos, wat een lef! Hij keek Staub aan met een gevoel van solidariteit: ze waren door dezelfde bliksem getroffen.

'Wat deed u toen u begreep hoe het zat, luitenant?'

'Niets. Hannah kwam bij me langs om uitleg te geven. Fanny moest de coke afgeven aan een dealer, het was een kwestie van leven en dood. Maar onze agent stond te posten voor haar huis. Fanny werd goed in de gaten gehouden door de politie en dat wist ze. Dus wat deed ze? Ze ging de straat op en liep van hot naar her om de agent af te leiden. Intussen verscheen Hannah en die kreeg vervolgens de agent achter haar aan. Goed ... de rest weet je.'

'Nou en of!'

'Ze is tot alles in staat en ik dacht erover haar te arresteren. Ik praatte erover met kapitein Avelar, maar die is hopeloos verliefd op Hannah. Omdat we de moed niet hadden haar te arresteren, hadden we een gesprek met onze chef. De man barstte in huilen uit, hij was helemaal gek van Hannah. We concludeerden dat ze lid moest worden van ons team. Sindsdien is ze onze beste agente.'

'Dank u wel, luitenant', zei de agente, die achter hen was komen staan. 'Ik hoorde dat de politie een klus voor me heeft. Weer een reis?'

Bekomen van de schrik: 'Een missie op hoog niveau, alleen jij kunt het doen.'

Hannah zuchtte: 'Ik ben zo moe, luitenant ...'

'Dat spijt me zeer, Hannah, maar het is een hoogst delicate kwestie.'

'Wat is het probleem?'

'Herinner je je die Duitse jongen, die dokwerker?'

'Oskar Stein.'

'Precies.'

'Ik begrijp het al.'

'Je vertrekt morgenochtend vroeg.'

Hannah stond op het punt weg te lopen toen Staub het idee kreeg. Hij kuchte: 'Ik zat te denken ... en als je dit keer eens niet alleen ging?' Hij gaf de verbijsterde schoenmaker een klopje op de schouder: 'Spreek je Pools, Kutner?'

* * * * *

Duitsland, een jaar eerder

De moheel haalde de instrumenten uit zijn tas en legde die neer naast de baby, die sliep in de armen van zijn peetvader.

'De besnijdenis', zei hij tegen de genodigden, 'is een van de tradities die de jood onderscheiden van de afgodendienaar. En de heren weten allemaal heel goed waar de afgoderij toe in staat is.'

Ja, dat wisten ze allemaal. Twee jaar eerder hadden de Neurenberger wetten een einde gemaakt aan de burgerrechten van de Duitse Joden, of ze nu beroemde wetenschapsmensen waren of simpele dokwerkers zoals de vader van de baby. Hitler schreef de kwalen van het land – en dat waren er heel wat sinds de in 1918 verloren oorlog – toe aan de 'Semitische plaag'.

Het kamertje in het huis liep vol met arme mensen, die deden of ze vrolijk waren en het zoontje van Oskar Stein veel geluk wensten. Velen vroegen zich stilzwijgend af waarom er in deze sombere tijden besneden moest worden. Misschien veroordeelde dat ritueel het jochie wel tot niets dan ellende in het nazistische Reich. De hoopvollen duimden voor een omwenteling. Wie weet zouden de Amerikanen of de Russen de Führer komen kortwieken? Wie weet zou God de maatregelen nemen die Fransen en Engelsen schuwden, alsof het opkomende nazisme hen niet aanging?

Het leven in Hamburg werd alleen maar slechter. Oskar Stein werkte op de kades van de haven, zakken sjouwend in een eeuwig heen-en-weergeloop dat steeds moeizamer werd. Soms stal hij een handvol van het een of een dozijn van het ander om te kunnen eten of een paar centen te verdienen in de stegen met clandestiene handel. Horden werklozen zwierven door de stad – en tussen de horden door liepen groepen nazi's die graag Joden lastigvielen, die evenals Oskar alleen maar hun dagelijks brood wilden kunnen verdienen en zegenen.

Maar zelfs de dagelijkse routine was een ondenkbare luxe geworden in Hamburg. Drie jongens met swastika-armbanden begonnen op een dag met gesar en dreigementen die Oskar probeerde te negeren terwijl hij doorwerkte. In de weken daarop namen de vijandigheden gestaag toe, totdat de jongens Oskar vastgrepen en hem dwongen een kilo rauwe ham te eten en er een fles wodka bij te drinken. De leider van de groep schuimbekte van woede toen hij vernam dat Oskar vader zou worden: 'Nog zo'n worm die Duitsland naar de verdommenis komt helpen!'

Tien dagen later zei de moheel de gebeden terwijl de 'worm' sliep als een roos en zijn moeder nerveus op een zakdoek beet. De genodigden bleven zwijgend staan toen de moheel het rituele mes opnam en de voorhuid met een tangetje straktrok. Enkelen sloten de ogen, anderen hielden ze goed open. Ze wachtten op het huilen van de baby dat het verbond met Abraham bekrachtigde toen een ijzingwekkend koor de stilte verbrak: 'Heil Hitler!'

Buiten tierde de groep nazi's die met geheven arm rondmarcheerde tot een steen door de ruit vloog en een genodigde verwondde. De peetvader werd lijkbleek en de moheel onderbrak het ritueel. In zijn hand schitterde het mes dat Oskar hem in blinde woede ontnam voor hij met vaste tred de kamer doorliep.

'Oskar, nee!' smeekte zijn vrouw. 'Nee, Oskar, niet doen!' De jongen liep woest door, duwde genodigden opzij en gooide de buitendeur open. De gebeden richtten zich naar het raam terwijl het bloed op de straatstenen droop. Oskar vocht stompend en schoppend tegen drie tegenstanders tegelijk, een bij voorbaat verloren strijd als hij in zijn woede niet met een trefzekere beweging van het in zijn hand verborgen mes de leider van de groep de keel had doorgesneden. De nazi loeide en kronkelde, badend in het bloed. Hoestend wankelde hij tot hij log en zwaar tegen de grond sloeg.

'Nu is het jullie beurt!' Oskar hief het bebloede mes en rende achter de anderen aan.

Een half uur later zou hij terugkeren, zich verontschuldigen tegenover het verbijsterde publiek en om geld vragen. Hij gaf het mes terug aan de moheel, trok zijn vrouw met de baby op haar arm met zich mee en zei dat hij Duitsland voorgoed zou verlaten.

De volgende maand verborgen de Steins zich in Antwerpen, waar ze aankwamen in het ruim van een vrachtschip en onderdak kregen op de zolder van een bejaard echtpaar. Per brief smeekte Oskars vrouw om hulp aan een verwant in Rio de Janeiro. Ze wisten dat emigreren naar Brazilië moeilijk was omdat de Amerikaanse regeringen steeds meer deuren sloten voor Europese Joden. Van Lissabon tot Warschau waren ambassades en consulaten tonelen van wanhoop.

Oskar kon het bidden bijna niet meer opbrengen toen de Belgische gastheer en gastvrouw op een ijskoude middag een zeer beschaafde vreemdeling ontvingen die foto's van de Steins kwam maken. 'Waarvoor?' wilde de dokwerker achterdochtig weten. 'Voor de paspoorten.' Alleen de baby lachte niet op de foto's. Een paar dagen daarna kreeg Oskar opdracht met zijn gezin te vertrekken op een trans-Atlantische stomer. Aan de haven overhandigde de vreemdeling hem een dikke envelop met documenten, wat geld en instructies over de ontscheping. Over drie weken zouden ze in Rio de Janeiro zijn. Op het formulier bij het paspoort figureerde Oskar als een ervaren ingenieur van de Duitse wapenindustrie. De fraude was gerechtvaardigd want Brazilië verstrekte alleen visa aan beroepsmensen uit 'strategische' vakgebieden – wetenschappers, ingenieurs, agronomen – die in staat waren het land te veranderen in de grootmacht waar zijn leiders van droomden.

Eerder verward dan euforisch vertrokken de Steins als derdeklaspassagiers en bereikten ze de zuidelijke zeeën. Ze kwamen alleen uit hun hut voor de dagelijkse maaltijden en vermeden indiscreties en gesprekken met vreemden. Maar desalniettemin liepen ze een Joodse priester tegen het lijf aan wie Oskar enigszins beschaamd vroeg of het vergefelijk was dat een baby werd besneden als hij twee maanden was en niet op de traditionele achtste dag. Het was een schrandere man: 'Als Abraham zich liet besnijden toen hij negenennegentig was, kunnen we dit nu best oplossen. Ik ben ook moheel.'

Een uur later zoog de baby op een doekje gedrenkt in zoete wijn terwijl het verbond werd bezegeld in de hut van de Steins. Op de gang klonk applaus: 'Mazzeltof, mazzeltof!'

In Rio vond Oskar werk als kokshulp in een restaurant op Praça Onze. Zes maanden later droeg hij al een vlinderdasje en nam hij met een dienblad in de hand bestellingen op in het Jiddisch en Portugees. Van tijd tot tijd moest hij zich melden bij de vreemdelingendienst in het Palácio Itamaraty om inlichtingen te verstrekken – niets meer dan zijn woonadres en over ziektes en dagelijkse gewoonten. Oskar vroeg herhaaldelijk aan de verwant van zijn vrouw bij wie ze inwoonden hoe hij het huzarenstukje met de Antwerpse envelop had klaargespeeld: Braziliaanse paspoorten en heel ingewikkelde documenten met zegels en stempels in verschillende kleuren. De verwant hield zich op de vlakte en garandeerde alleen dat het oude echtpaar geen problemen zou krijgen en dat de ingenieursstatus die aan Oskar was toegekend alleen een bureaucratisch detail was waar niemand belang aan hechtte. Op zijn beurt verzweeg Stein tegenover de verwant de gebeurtenis in Hamburg die door de afstand en de tijd inmiddels vergeten leek.

Oskar en zijn vrouw waren dol op Rio de Janeiro, waar de excessen van Hitler beperkt bleven tot de kranten die straatjongens verkochten bij de tramhaltes. In juli 1938, na de geboorte van een tweede zoon, werd Oskar gepromoveerd tot bedrijfsleider van het restaurant en het gezin verhuisde naar een rijtjeswoning in Tijuca. Zijn vrouw vulde het huishoudgeld aan met een naaimachine en de zondagen werden doorgebracht op de Quinta da Boa Vista.

Oskar droomde die vroege morgen al niet eens meer in het Duits.

'Meneer Stein! Meneer Stein!' Er werd op de deur geklopt.

Zijn vrouw loodste de kinderen weg terwijl Oskar twee ernstige mannen te woord stond: 'Onze verontschuldigingen voor het ongemak. U bent wapentechnisch ingenieur, niet? Komt u met ons mee, alstublieft, het is een noodgeval.'

Oskar werd in een auto gestopt en naar de kade van Praça Mauá gereden.

Een commissaris van de grenspolitie ontving hem: 'Niemand beter dan u als Jood om de nazi's te wantrouwen' – en hij legde uit waarom hij was ontboden. Een Braziliaanse spion had verdachte voorwerpen gezien in het ruim van een Duits schip dat in Rio lag en de volgende morgen zou doorvaren naar Santos.

'Het zijn dingen die aan onderdelen van kanonnen doen denken', verduidelijkte de spion aan wie Oskar een paar lukrake vragen stelde om de indruk te wekken dat hij een specialist was en zijn angst te bezweren.

De commissaris besliste de zaak: 'Aan beschrijvingen hebben we niets, u moet die dingen zelf zien. We willen een officiële verklaring.' En hij beval twee Braziliaanse politieagenten de Jood naar het vaartuig te begeleiden.

De commandant vloekte tegen de 'beledigende' inspectie, voerde aan dat het schip territorium van het Reich was, eiste de aanwezigheid van de Duitse ambassadeur en benadrukte dat hij Oskar alleen ontving als blijk van goede wil. Een delegatie daalde de steile trappen af en doorliep het grijze ruim vol kisten en zakken tot de voorwerpen in zicht kwamen.

'Het zijn gewoon gedemonteerde landbouwtractors', mopperde de commandant. 'Waarom al die drukte?'

'Dat weet u zelf het beste', provoceerde een politieagent.

Of moest er worden uitgelegd dat het zuiden van Brazilië een kruitvat was met zijn miljoen aan Hitler getrouwe Duitsers?

'Controleer de documenten.' Een matroos gaf de Jood een stapel papieren met nummers en codes. 'Het zijn tractors die zijn besteld door een planter uit ... hoe zeg je dat? O ja, Santa Catarina.'

Oskar bladerde door de papieren, trok grimassen terwijl hij de metalen onderdelen betastte en bad dat hij zo gauw mogelijk weg mocht. Hij was misselijk, voelde braakneigingen en was niet in de stemming voor heroïek. Gelukkig wist hij niet wat het allemaal was: tandraderen, wielen, gigantische stangen, rupsbanden, allemaal van staal. Gezegende onnozelheid! Hij stond op het punt opgelucht in zijn handen te wrijven toen de zekerheid hem trof als een dolkstoot. Ja, hij had het antwoord. Zonder twijfel wist hij het. Hij had het raadsel ondanks zichzelf opgelost.

In de haven van Hamburg, sjouwend met zakken rijst of vliegtuigpropellers, had Oskar een allesbehalve academische maar gevarieerde en solide kennis opgedaan. Hij herinnerde zich de zorgvuldigheid waarmee goederen werden geëtiketteerd en opgeslagen zodat ze nooit, onder geen enkel beding, konden worden verwisseld. En zo had Oskar systematisch zijn reukzin ontwikkeld om de herkomst van koffie te herkennen of de inhoud van dit of dat vat te raden. Zo had hij ook de rede ingezet om wat dan ook te kwalificeren en kwantificeren, het de juiste naam, aard, herkomst en bestemming te geven, altijd wetend welke schroef in welk drijfwerk paste en welk fruit naar welke stad ging.

Dat talent stelde nu vast dat die voorwerpen geen onderdelen van landbouwtractors waren. Het waren, jawel, losse stukken van de oorlogskolos van de nazi-industrie, de Panzer II-tank, gefabriceerd in Tsjechoslowakije. Er lagen daar twee van die gevechtswagens, na montage bedrijfsklaar om Brazilië aan stukken te scheuren.

'En, meneer Stein?' spoorde een Braziliaanse agent aan.

'Kunnen we buiten praten?' vroeg de Jood uit voorzorg.

Met trage tred en gespannen blikken wisselend klommen ze terug naar het dek, waar Oskar iemand rechts van hem hoorde sissen: 'Ik weet wie jij bent.'

Oskar herkende een van de nazi's uit Hamburg.

Op woedende fluistertoon: 'Dus jij bent naar Brazilië gegaan ... knap geregeld. Hoe ben je binnengekomen? Denken ze echt dat je ingenieur bent?' Dreigend: 'Goed, luister eens, mannetje. Als jij ons verraadt, verraden we jou. Is dat wat je wilt?'

Oskar rilde. Bij de douane vertelde hij dat het landbouwtractoren waren, punt uit. Er was geen reden tot bezorgdheid.

'Als een Jood dat zegt, kan ik er alleen maar op vertrouwen', lachte de commissaris. Oskar ondertekende een verklaring en dronk een kop koffie terwijl hij wachtte op de auto die hem thuis zou afzetten.

Later omhelsde hij zijn vrouw en kinderen. Hij huilde onbedaarlijk. Het verleden presenteerde zijn rekening en het zou onrechtvaardig zijn als Brazilië zijn borgsteller werd. Hij moest iets ondernemen – of ten minste zorgen dat anderen iets ondernamen.

Hij ging langs bij de verwant van zijn vrouw en eiste dat hij hem eens en voorgoed de naam gaf van zijn waardevolle contact bij de vreemdelingendienst, de politie of de regering, dat deed er weinig toe. Omdat de man tegensputterde vertelde Oskar alles, echt alles wat er te vertellen was, van de nazi in Hamburg tot de Panzer II-tanks. De verwant was onder de indruk van de ernst van de zaak, greep Oskars hand en rende met hem de straat op om een taxi aan te houden. Er was geen tijd te verliezen.

'Waar gaan we heen?' vroeg Oskar.

'Praten met degene die je heeft gered en je paspoort, je visa en alles heeft geregeld. Vertel haar alles, verzwijg niets. Maar ...' De man verslikte zich.

'Maar wat?'

Ze stapten in de taxi, de verwant met smekende ogen: 'Wees sterk, mijn beste. Hou dapper vol! En weet dat het niet makkelijk is.'

'Wat moet ik volhouden?' wilde Oskar verbaasd weten.

'Dat begrijp je later.' Tegen de chauffeur: 'Naar Rio Comprido, alstublieft.'

HOOFDSTUK 7

De trein slingerde door het Atlantische woud, een wildgroei van bomen en bloemen beschaduwd door de toppen van de Serra da Mantiqueira. Het was een trage reis met bruggen en steile bochten. In de wagon hoorde je het ruisen van het woud en de rivieren die zich vernauwden tot watervallen en verwijden in kristalheldere meren. Hannah en Max zaten al zeven uur in de trein, met twee lange oponthouden om de locomotief te keren, die de wagons nu eens over de vlaktes trok en dan weer tegen de bochtige hellingen opduwde. Hannah sliep sinds het Leopoldinastation en ontwaakte pas toen ze Minas Gerais binnenreden. Ze schikte haar omslagdoek, keek op haar horloge: 'Nog een uur tot São Lourenço' en kamde haar nu korte steile haar. Haar uiterlijk was radicaal veranderd.

Hannah en Max speelden voor Sylwia en Alexander Kazinsky, een katholiek Pools echtpaar op vakantie in Brazilië. Ze hadden kerstmis gevierd bij landgenoten in Curitiba en namen de gelegenheid te baat om het kuurcircuit in Minas Gerais te bezoeken, aangetrokken door de casino's en geneeskrachtige bronnen. Zij had maagklachten en hij nierproblemen. Alexander was notarisklerk in Warschau; Sylwia werkte niet.

Ze waren bijna op hun bestemming toen Max vroeg wat het verband was tussen Oskar Stein en hun 'topgeheime' missie. Hij wist natuurlijk dat Brazilië vergeven was van de nazispionnen en dat de bestrijding – of althans het in het oog houden

– van deze elementen de taak was van luitenant Staub, aan wie Hannah de tip van de Poolse dokwerker had doorgespeeld.

Feit was dat het door Stein ontdekte wapentuig de verdenkingen versterkten tegen een grenspolitiecommissaris in Santos, de grootste haven van Brazilië en een van de zwaarst bespioneerde plaatsen van Latijns-Amerika. Wat daar in- en uitging kon de koers van het continent bepalen, garandeerde Staub, die iedere vierkante meter van de stad in het oog hield. Welnu, de commissaris was een intimus van de Duitse consul, met wie hij dicht voor de kade ging vissen in een bootje om na een half uur terug te keren zonder iets gevangen te hebben. Heel vreemd, vond een oude visser, want in die door het scheepsverkeer en de bijbehorende vervuiling roerige en troebele wateren was er geen vis die beet. De kwestie was: wat bekonkelefoesden die commissaris en de consul in dat bootje?

Agenten van Staub hadden het lossen van het wapentuig in Santos gadegeslagen. Ze volgden nauwgezet alle bewegingen om op het juiste moment toe te kunnen slaan, hielden de machinerieën goed in het oog en vergaten ook een vreemd echtpaar niet dat een paar dagen later was gearriveerd op een Noorse oceaanstomer. Franz en Marlene Braun werden op de kade opgewacht door de adjunct van de Duitse consul en naar een huis gereden waar ze een week lang niet uit kwamen en veel visites ontvingen. Vanwaar al dat eerbetoon? Wat was het geheim van de Brauns en hun mogelijke relatie met de clandestiene wapenleverantie? Dat was wat Hannah en Max moesten ophelderen.

'Waarom São Lourenço?' vroeg de schoenmaker.

'Eergisteren hebben de Brauns voor het eerst hun huis verlaten en zijn ze daarheen gereisd. Staub zei dat ze alleen zijn en met niemand praten. Wij zitten in hetzelfde hotel.'

Max had moeite in de vreemde opdracht te geloven. Wat had hij gedaan om zo veel verwarring te verdienen? En wat moest hij denken van Hannah? Daar gingen ze saampjes naar São Lourenço. Enerzijds de vrees voor een lot waar hij geen grip op had, anderzijds de opwinding: hoe ver zouden de echtelijke simulaties gaan? Zouden ze in dezelfde kamer slapen en hand in hand door het Parque das Águas wandelen, bronnen bezoeken en broodjes kaas eten. Wat zouden ze nog meer doen in naam van de nationale veiligheid? Zou Hannah nu, in een andere omgeving, in een andere context, in een andere tijd, een andere Hannah zijn en hij een andere Max? Zouden de zes maanden scheiding onvoorziene effecten teweegbrengen? Hoe vaak blijken verwijderingen die als eeuwig zijn bedoeld niet meer dan een pauze, een onderbreking die de wederontmoeting rijpend in haar onverdachte schoot draagt? Met het woord: São Lourenço.

Ze kwamen om drie uur aan. De middag hing rond in met keien geplaveide straten met rustieke huizen en de geur van brandhout. Karren piepten tussen fietsen, rijtuigen en een enkele auto. De mannen droegen strohoeden, de vrouwen gebloemde parasols. Straatjochies in lompen lieten vliegers op, op blote voeten, de lijnen vierend en aantrekkend met behendige haast.

Op de hoek van de hoofdstraat lag Hotel Metrópole, geflankeerd door een plantsoen. In hun suite op de tweede verdieping hoorden Hannah en Max de draf van de paarden en de kalme drukte op de wandelpaden. Toen ze de koffers hadden uitgepakt, voorzagen ze zich van gekleurde glaasjes en gingen ze wandelen in het Parque das Águas. Ze dronken zwavelhoudend, magnesiumhoudend en ijzerhoudend bronwater. Het was een aangename plek met tuinen en mooi gesnoeide heesters naast klassieke beelden die aan Europa deden denken. In de lanen liepen de mensen zonder haast de namiddagkoelte in te ademen terwijl de kinderen ronddolden. Het was december en de welgestelde families waren al op zomerreces. Toen de avond viel gingen Hannah en Max op een bankje zitten om naar de sterren te kijken. Op dat moment bekende Hannah dat ze bezorgd was, of liever gezegd doodongerust, niet over de Brauns, niet over reële of imminente oorlogen, maar over het bezoek van Guita en Jayme aan Brazilië.

'Ze komen volgende maand. Ach, als ze eens wist ...'

Hannah voelde zich in het nauw gedreven door haar eigen leugens en zag zich voor de moeilijke opgave gesteld de onberispelijke zus te zijn die Guita hoopte te ontmoeten. Max kende de litanie uit en te na, maar niettemin was hij aangedaan door het gezicht van die vrouw, heldin in alle omstandigheden, geconfronteerd met haar grootste – en wie weet enige – zwakheid. Hannahs stem trilde toen ze over haar zus sprak. Ze droogde een traan: 'Het leven is niet eenvoudig, Max.'

Hij knikte neutraal. Hij behield zijn koelbloedigheid om nieuwe romantische aanvechtingen te vermijden. Waarom zou hij zichzelf voor de gek houden? Tot nader order was Hannah een onvoorspelbare ziel bewogen door onbedwingbare eigenbelangen. Maar daar op dat bankje werd Max getroffen door een flits van inzicht. Als je pragmatische mensen wilde verleiden, moest je ze helpen. Hoe kon je in hun leven komen zonder een functionele tegenprestatie? Max zag een kans om niet alleen nuttig maar ook noodzakelijk te zijn voor

Hannah. Hij pakte haar hand: 'Ik kan de rol van José spelen. Hij is mank, niet? We kopen een paar krukken en je trekt bij mij in zolang Guita in Rio is.'

Ongelovig: 'Zou je dat voor me willen doen?'

Hij schoot door zijn remmen: 'Ik zou meer doen, veel meer!'

'Zweer je dat?'

'Op alles wat me lief is!'

'Goeie God, dat zou fantastisch zijn! Ik weet niet wat ik moet zeggen. Dank je wel?'

'Zeg maar niets.' Gretig: 'Dat is nergens voor nodig.' En hij bleef bewonderend naar haar zitten kijken.

Hannah bleef peinzen: 'Hoe kan ik iets voor je terugdoen? Sta me toe dat ik iets terugdoe.'

'Niet nodig. Volg je hart.'

Max zweefde, overgeleverd aan idyllische fantasieën tot hij bruusk werd neergehaald: 'Niet overdrijven.'

Hij deinsde terug: 'Overdrijf ik?'

'Niet zo hard praten. Franz en Marlene zaten naar ons te kijken.'

'Wie?'

Max kwam tot zichzelf toen hij het paar op de andere bank zag. Ja, het waren dezelfde twee als op de foto die Staub hun had laten zien. Ze leken triest, niet in elkaar geïnteresseerd. Vormden zij het publiek van het melodrama waarvan de schoenmaker zojuist de openingsscène had gespeeld?

* * * * *

Taarten en likeuren besloten het diner in het restaurant van Hotel Metrópole. De gasten wedijverden in elegantie en Hannah combineerde een bruine stola met een beige linnen jurk. Het korte haar gaf haar een lieftallig, bijna meisjesachtig uiterlijk, evenals de pareloorbelletjes en een vlindervormige broche. Toen ze door de hal liepen stelde ze voor een partijtje canasta te spelen.

De kaarttafels werden klaargezet in de aangrenzende salon terwijl garçons schone asbakken neerzetten en drankjes aandroegen. Het was een bejaarde wereld van grijze of geverfde kapsels, sommige versierd met spelden van hoog karaat. Een maître vol tics leidde Hannah en Max naar een tafel achter in de zaal, dicht bij de tafel waar Franz en Marlene Braun ieder voor zich een patience legden. Ze waren even in de vijftig, hij grijs en elegant, zij uitgeblust.

Hannah en Max zaten bijna drie uur te kaarten. Rondom tinkelden glazen en kopjes in rimpelige handen. Velen rookten en bemorsten met hun as het groene vilt van de tafels. Gelach kondigde het eind van de partijen aan, waarna de kaarten bijeen werden geveegd onder vriendschappelijke beloften van revanche. Hoewel het een mooie salon was met kristallen luchters en geslepen spiegels, hing er iets lugubers in de lucht, alsof het spel des levens al voorbij was en niemand nog iets anders restte dan een paar beduimelde stokken kaarten. De traagheid heerste in de gebaren, het gekuch en de gebogen schouders. Waarom lijken mensen aan het eind van het leven zo veel op elkaar? Hannah sprak niet tijdens de partijen – verdiept in haar kaarten? Toen de klok middernacht sloeg begon een geleidelijke uittocht en de garçons verhulden hun geeuwen achter een eerbiedige toeschietelijkheid. Franz

Braun wuifde beleefd naar Hannah en Max voor hij wegging met zijn verveelde echtgenote.

De volgende dag verliet het paar de kamer alleen om een sorbet te eten in een ijssalon dicht bij het hotel. Ze bleven bijna een uur zitten lepelen, zonder een woord of verandering in gelaatsuitdrukking. Op een gegeven moment maakte Franz zijn marineblauwe jasje schoon met een servet en Marlene stak een sigaret op. Het was een oud echtpaar, zo een dat elkaar niets meer te vertellen heeft. Marlene rookte verzonken in apathie, met die typische blik van een dodenwake, gekleed in kleren die even verschoten en vaal waren als zijzelf. Versierder Franz daarentegen verhief niet zelden zijn blik naar het op straat voorbijwandelende vrouwvolk. Van daar keerden ze terug naar het hotel.

's Middags roeide Max op het meer van het park terwijl Hannah geborduurde kleedjes uitzocht op een nijverheidsmarkt. Ze maakten een rijtoer in een koetsje en bezochten een boerderij voor toeristen. Ze zagen een weide met melkkoeien en Max werd bijna gebeten door een boze gans. Ze kochten kaasjes en vruchtenconfitures en besloten de dag met een high tea in hun hotel.

Na het diner lieten Franz en Marlene zich zien aan dezelfde tafel van de avond tevoren, wederom eenzaam verdiept in hun spelletjes solitaire. Twee uur later zweefde Marlenes blik in het oneindige tot een garçon hun kopjes en een pot thee kwam brengen. Toen hij zich over de tafel wilde buigen bij het inschenken, verstapte de knaap zich en hield hij het dienblad scheef om te voorkomen dat een kopje van een schoteltje gleed. Een ongelukkige manoeuvre te oordelen naar de kreet die door de zaal sneed. Een plas thee dampte tussen de kaarten en de pot was geland op de bovenbenen van Franz Braun, die opsprong en de garçon, een magere negerjongen, de huid vol schold. Hannah, die alles had gezien, aarzelde niet de garçon de schuld te geven. In het Duits: 'Die gozer maakt overal een bende van! En het is nog een zwarte ook! Gisteren heeft hij een jurk van me bedorven, en nu dit weer!' In gebroken Portugees: 'Roep de maître!'

Max was verbaasd: jurk, welke jurk? De garçon had moeite zijn tranen te bedwingen toen de maître hem de les las. Marlene, in zichzelf gekeerd, bleef roerloos zitten. Bijna hysterisch leidde de maître de schoonmaakwerkzaamheden, verricht door vier garçons en een kamermeisje. Hij smeekte Franz zijn excuses te aanvaarden en die accepteerde ze alleen omdat hij op dat moment meer interesse had voor Hannah. Om de vrede te bezegelen stelde ze een kaartspelletje met zijn vieren voor, waarbij de schoenmaker de futloze mevrouw Braun tot partner kreeg.

Franz haalde al snel zijn eerste canasta binnen, waarop Hannah – of liever Sylwia Kazinsky – aan het ratelen sloeg. Ze werkte een indrukwekkende rozenkrans leugens af. Ze had het over de prijzen in Warschau, over haar tweelingbroers (van wie er een tot priester was gewijd en begraven wilde worden in de catacomben van Sint-Calixtus in Rome), over een Duitse oom die haar Goethe had leren lezen in het origineel (vandaar haar beheersing van de taal van de Brauns), over de pathologische verlegenheid van haar echtgenoot tegenover vreemden (gediagnosticeerd door een leerling van meneer Freud), en over zoveel andere breed uitgesponnen onzinnigheden dat de perplexe schoenmaker nauwelijks in staat was zijn kaarten van elkaar te onderscheiden.

Omdat Franz en Hannah onbarmhartig de ene partij na de andere wonnen stelde de Duitser voor de verliezers een pauze te gunnen om bij te komen.

'Garçon, whisky! Marlene en ik zijn net aangekomen uit Kopenhagen.'

'Werkelijk?!' Hannah glom. 'Alexander en ik wilden altijd al eens naar Denemarken, nietwaar, lieveling?'

'Op Jutland hebben we vier verschillende soorten haring gegeten.'

'Wat heerlijk! Reist u voor uw plezier?'

'Zo zou je het kunnen noemen, ja.' Op gedempte toon: 'Ik ben gepensioneerd ambtenaar in Duitsland, ik heb gevochten in de Grote Oorlog en lijd aan een ernstige ziekte. Mijn uiterlijk is alles wat ik nog heb. Ik hoef u maar te zeggen dat ik me een paar dagen geleden niet lekker voelde en een week in bed heb gelegen. We wilden Rio de Janeiro en Amazonië leren kennen, maar de dokter heeft ons naar dit kuuroord gestuurd. Wat moet een mens hier behalve die watertjes drinken?'

Max, die redelijk Duits sprak vanwege de overeenkomsten met het Jiddisch, vertelde dat de mineraalbronnen beroemd waren om hun geneeskrachtige werking. Wie weet gebeurde er een wonder?

Braun, met een professoraal kuchje: 'Weet u wat het verschil is tussen wonderen en niet-wonderen, meneer Kazinsky? Dat de mensen denken niet-wonderen te kunnen verklaren, meer niet.' Hij nam een slok whisky. 'Ik heb altijd een leven gebaseerd op de logica geleid. Ik zal u zeggen dat ik liever overtuigingen heb dan geloof. Hoewel de logica soms beangstigend kan zijn, is ze nog altijd een trouwe vriendin. De prijs moeten betalen van de luciditeit is beter dan zich gratis voor de gek houden. Een man die gelooft in wat hem uitkomt, mijn beste, heeft de neiging niet te geloven in wat hem niet uitkomt, en niets is gevaarlijker dan van het eigenbelang een overtuigingsfactor te maken. De belangen variëren van geval tot geval. De evidenties niet.'

Max reageerde fel: 'Zonder geloof heeft het leven geen zin.'

'En waarom zou het zin moeten hebben?' riposteerde de Duitser. 'Er bestaan miljarden wezens die nooit ergens een zin in hebben gezocht en die zich prima redden. Muizen, krokodillen, vlinders. Die hebben geen godsdienst, nazisme of socialisme nodig. Ze slachten elkaar niet nodeloos af en toch worden ze irrationeel genoemd!'

Hannah bewoog druk met haar ogen. En Braun vervolgde: 'Vertel me eens, meneer Kazinsky, bent u op straat ooit tegen een "zin" aangelopen? Nee, natuurlijk niet, want de echte wereld bestaat uit materies en feiten. Romantische abstracties bestaan alleen in lichtzinnige hoofden. De mens verbeeldt zich nogal wat wanneer hij hoopt dat de krachten van het universum zich buigen voor een "zin".' Plechtige pauze. 'Vermijd wat eerder troost dan verheldert, mijn beste. Zorg dat uw kritische zin zich niet laat afstompen door het zoeken naar geluk. Seneca zei al: *unusquisque mavult credere quam judicare*! Iedereen gelooft liever dan voor zichzelf te oordelen!'

Braun nam weer een slok whisky en staarde langdurig naar het ijs in zijn glas. Uiteindelijk: 'Een veelvoorkomende fout van onnozele zielen is dat ze oorzaak en doel verwarren. Bijvoorbeeld, ziet u die in het groen geklede vrouw daar, die dikkerd? Laten we aannemen dat ze besluit een dieet te volgen om af te vallen. Velen zullen zeggen dat de wens te vermageren de oorzaak is van haar dieet. Fout, helemaal fout! De oorzaak is het feit dat ze dik is. Vermageren is het doel! Dat lijkt eenvoudig, niet? Nou, u moet weten dat de mensen het prachtig vinden de dingen door elkaar te gooien als ze geen oorzaken voor hun doelen vinden. En wat doen ze dan? Ze stellen zich tevreden met de doelen! God is een leverancier van doelen zonder oorzaken! Alsof die vrouw wil vermageren als ze mager is.'

'Wat stelt u de mensheid dan voor?' vroeg Max met subtiele ironie.

'De rede en de angst zijn geen vijanden van de vrede, meneer Kazinsky. Maar ongefundeerde bijgelovigheden hebben ons gebracht tot gruwelijke oorlogen, zoals degene die nu in de maak is in Europa. Wat hebben we aan innerlijke vrede in een wereld die in brand staat? Het een voedt het ander: meer oorlog, meer wanhoop, meer godsdienst!'

Hannah: 'Karl Marx zei dat religie opium voor het volk is.'

Franz: 'God is een antropocentrisch delirium, maar er bestaan andere opiaten. De kunsten, de prostitutie, de misdaad. Het zijn de overdrukventielen van de beschaving waarlangs haar giftige gassen ontsnappen. Prostituees en priesters dienen elk op hun manier om de mens te temmen. Zoals Voltaire zegt, de vrede is meer waard dan de waarheid.'

Het humeur van Max verzuurde naarmate Hannah zich meer en meer liet biologeren door de ogen van de aansteller. Tussen de whisky's en citaten door voelde Max een discrete affiniteit ontstaan met Marlene. Vergeten smolt ze als een gebedskaars, het kaarsvet uitgelopen en een steeds zwakker vlammetje. Ze was de anti-Hannah, de ruïne van alle dromen en instincten – en misschien daardoor een ongewone bron van vrede.

Kort daarop had Franz genoeg wijsheid geëtaleerd en verklaarde hij de conversatie voor gesloten: 'Morpheus roept ons! Morgen zien we elkaar, afgesproken? Dineren we samen? Er moet in dit oord toch een Châteauneuf-du-Pape zijn te vinden.'

* * * * *

Max weet het feit dat hij slecht geslapen had aan de sofa in de antichambre. Hij werd wakker van melodieus gefluit en zag Hannah de badkamer uit komen onder een tot tulband gedraaide handdoek.

'Wat dacht je van een wandelingetje door het Parque das Águas?' Ze trok een lila jurk met witte bloemen aan.

Geen wolkje te zien. Het was een stralende morgen, kinderen speelden in de lanen en bootjes dreven op het meer waar Max de dag tevoren had geroeid zonder op te merken dat het water zo troebel was als de wereld hem nu leek. De zon scheen door de boomkruinen, versneden tot lichtbundels die taferelen schiepen van een clair-obscur dat schilders inspireerde die, palet in de hand, op het uiteinde van hun penselen beten terwijl ze de kleuren keurden op hun doeken. Het was inderdaad een stralende morgen. Te stralend bijna, alsof de zon geestdriftig applaus eiste. Hannah neuriede, floot, debiteerde dwaasheden en nam zelfs even een baby op haar arm. Max peinsde over het waarom van die vrolijkheid tot hij het zeker wist: logisch! Ze was opgelucht omdat hij de rol van José zou spelen tijdens Guita's bezoek aan Brazilië. Ze zouden de gasten ontvangen voor een diner in de Rua Paissandu, Max gezeten in zijn bergère, uit de grammofoon zouden de trillers van Haydn opklinken terwijl Hannah het braadvlees uit de oven haalde. Guita zou dolgelukkig zijn, trots op haar zus en overtuigd van haar puurheid en eenvoud. Later zou ze haar prachtige brieven schrijven en de dagen zouden voortaan altijd stralend zijn. Of niet?

Nee, erkende de schoenmaker. Guita was niet de kern van het probleem. Haar zus moest Hannah maar vergeven, want er stonden andere zaken op het spel. Max kreeg het er niet meteen benauwd van, maar voelde zich bepaald ongemakkelijk. Om het ongemak te bezweren dronk hij een geel frisdrankje in de lunchroom bij het meer, nou ja, eigenlijk een modderpoel waarop een legioen idioten stuurloos ronddreef. Hij onderdrukte een boer toen hij werd aangestoten: 'Daar heb je ze.'

Er werden groeten gewisseld. Franz, in safarivest met bijpassende hoed, zei dat hij verrukt was over de kleine kaasbroodjes van de inboorlingen. Hannah loofde de compotes van het hotel. Het was het intro voor een gesprek over eten en drinken met verwijzingen naar de juiste wijnen bij deze of gene vleesschotel. Ze bespraken de consistentie van kazen, chocolades, patés, boter, van alles wat harder of zachter dan goed was ter tafel kon komen. Ze wisselden weetjes en glimlachjes uit in een wederzijdse fascinatie.

De verbaasde schoenmaker wilde alleen weten of hij te maken had met een slimme spionne of dat de topgeheime missie uit de hand liep. Hij probeerde zijn rol te spelen: 'Kent u Polen?'

Marlene vestigde traag haar blik op Max. 'Polen?'

'Ja, Polen.' Niet dat het hem interesseerde, hij wilde alleen hoffelijk zijn.

De vrouw stak een sigaret op: 'Dat hangt ervan af.'

Max knikte voor de vorm. Waarom zou hij daar op ingaan?

'Het hangt af van Pommeren', zei ze droog. 'Als Pommeren deel uitmaakt van Duitsland, ben ik nooit in Polen geweest. Als het deel uitmaakt van Polen wel.' Op moppertoon: 'Dus, tja, ken ik Polen?'

'Tja', echode de schoenmaker.

* * * * *

Ze dineerden in het restaurant van het hotel, zonder Châteauneuf-du-Pape maar verrukt van wat de garçons huisgemaakte cachaça noemden. Alleen Franz en Hannah dronken, gedachten wisselend die de slechtgehumeurde Max niet eens probeerde te volgen. Marlene, naast hem, leek een opgezet dier. Ze aten een consommé voor de hoofdschotel: gekookt vlees met een dikke saus, rijst en aardappelpuree. Max had geen honger, onpasselijk van de citrusgeur van Franz Braun, vast een van die lavendelwatertjes met 'Paris' op het etiket. Na het dessert klaagde Marlene over vermoeidheid en zonder plichtplegingen vertrok ze naar haar kamer. Max bleef alleen, overbodig en doelloos achter. Wat nu?

'Zullen we nog een wandelingetje maken in de buitenlucht?'

Met zijn uitnodiging wilde de schoenmaker alleen zijn lijden bekorten – of ten minste verzachten. Maar het effect was averechts: Franz en Hannah stonden kwiek op en liepen samen pratend en lachend de nacht in. Max moest rennen om ze bij te houden, struikelend in het duister totdat de afstand hem versloeg. Hannah schaterde in de verte.

Max keerde terug naar het hotel, een afgepeigerde soldaat zonder eer of eigenwaarde. Hij had zin de muren van de kamer met zijn vuisten te bewerken, de ruiten kapot te slaan, Franz Braun op zijn tronie te timmeren. Wat was er zo verleidelijk aan dat kleffe monster? Hij plofte neer op de sofa in de antichambre. Oude trauma's kwamen boven, wrede lessen beleefden een nieuwe editie. En de eerste van allemaal – ken je beperkingen – was de vooronderstelling van de tweede: aanvaard ze. Dat was de absolute grondstelling in het dierenrijk. De leeuw, bijvoorbeeld, tart het vogeltje maar respecteert de afgrond. Het vogeltje respecteert de leeuw maar tart de afgrond. En wat zag Max anders dan de leeuw en de afgrond die gearmd door de maannacht liepen en het arme vogeltje in de kou lieten staan?

O God, hoe was het te aanvaarden dat sommigen niet hoefden te vechten voor wat anderen vergeefs hoopten? Waarom waren relaties asymmetrisch, puzzelstukken die alleen passend te krijgen waren ten koste van verminkingen, lapwerk en grove kunstgrepen?

Max was ontroostbaar. Kortgeleden had hij nog gedacht dat Hannah ongevoelig was voor welke man dan ook. Daarmee kon hij zichzelf vergeven, zich laten opgaan in de mannelijke soort om de afwijzing te verwerken die nu hoogstpersoonlijke finesses kreeg. Wat een pijn!

Nee, Hannah veinsde niet. Ze was werkelijk gecharmeerd van de Duitser en bekoord door zijn Seneca's en Voltaires. Waar waren ze op dit uur, wat deden ze? Max stelde zich heftige vozerijen voor op een bed van mos. O nee! De schoenmaker daalde af naar de diepste hellen, de uiterste angsten, en verzon bezigheden als een bad nemen en zijn nagels knippen. Om drie uur 's nachts ijsbeerde hij radeloos rond: als Franz Hannah in het struikgewas had gewurgd? En als hij haar, wetend dat ze een spionne was, geheimen had weten te ontfutselen? En als – de grootste gruwel! – de twee innig verstrengeld en dolgelukkig waren? De paniek laaide huizenhoog. O God!

Max trok een kamerjas en pantoffels aan en dwaalde stuurloos door Metrópole. In de hal viel hij de conciërge lastig met vragen en klachten voor hij zich aan een snelle ronde door de hoteltuin waagde. Buiten adem zag hij een gestalte die de arme garçon leek, de magere negerjongen die Hannah beledigd had om Franz Braun het hof te maken. De verraadster! En als de garçon zijn baan kwijt was of in ongenade was gevallen?

Teruggekeerd in de hal, schrok hij hevig. Marlene zat onderuitgezakt in een fauteuil en leek een spook omhuld door rook. Ze stak de ene sigaret met een andere aan toen Max op zijn tenen naar haar toeliep en in de fauteuil naast haar ging zitten. Zonder hem aan te kijken bood Marlene de brandende sigaret aan, die Max zonder een woord aannam. Urenlang zaten ze te roken. Er werd niets gezegd en niets verzwegen. Wat viel er te praten? Woorden verwarren meer dan ze verhelderen. Franz en Hannah mochten zich sufkwekken, waar ze ook waren. Na elk leeg pakje haalde Marlene een ander pakje voor de dag, en een ander, totdat het licht begon te worden en de eerste gasten hun gezicht lieten zien in de hal.

En het was in die fauteuil, stijf van de nicotine, ver van het paradijs, dat Max het ongebruikelijke gewaarwerd. Een vaag maar onmiskenbaar gevoel van opluchting, een verdovende inertie. Geen droefheid of blijdschap, geen hemel of hel. Alleen de roes, de tevredenheid, een rustige aanpassing aan de wereld, aan zichzelf, aan de fauteuil. Pas toen zag hij het boek op Marlenes schoot. Hij had naar de titel gevraagd als ze niet had verzucht 'Ik snap niet waarom u dit toelaat.'

'Wat toelaat?'

Marlene keek hem aan zonder haast of ontzag. Ze stak een volgende sigaret op: 'Dat weet u best.'

Max reageerde geagiteerd: 'Wat weet ik best?'

Marlene antwoordde niet en blies een wolk rook uit. Max gaf zich met een treurige blik over: 'U hebt geen idee hoeveel pijn het me doet.'

'De mijne is groter. Hij doet alles voor vrouwen. Alles! Hij is onverzadigbaar, een stier, een gek.' Ze tikte haar as af op de grond: 'Een week geleden papte hij aan met drie hoertjes in Kiruna, alle drie tegelijk! Altijd hetzelfde verhaal. In Narvik was het niet anders. Getrouwd, ongetrouwd, weduwes, prostituees, vrome kwezels! Franz is niet kieskeurig.' De woede maakte van Marlene een andere vrouw: 'Of denkt u dat Franz echt ziek is, dat hij echt iets afweet van filosofie of religie? Spinoza, Aristoteles! Och, meneer Kazinsky, hou toch op! Alles wat hij beweert staat hierin!' En ze zwaaide met *De grote denkers*. 'Hier! Hier staat het allemaal in! En wat hier niet in staat verzon hij ter plekke!'

Snikkend erkende Max dat mevrouw Kazinsky ook nogal, hoe moest hij het zeggen?, onrustig en vindingrijk was. De twee plengden tranen toen een hotelmedewerker de gordijnen in de hal opentrok. Het licht verjoeg de schemerplekken en een koekoeksklok meldde dat het zes uur was. De dag was begonnen. Er dribbelden al kleuters rond en het gekletter van ontbijtservies was te horen. Van de straat kwamen de geluiden van passerende koetsjes en stemmen. Een gezin rekende af bij de receptie, waar de conciërge met een belletje klingelde. Er verscheen een leepogige jongen in een paars uniform met een hoge hoed. Op dat moment zag de schoenmaker vanuit een ooghoek het ondenkbare. Wazig in het felle ochtendlicht zat Marlene met een gegroefd gezicht naar hem te kijken, een zweem van een glimlach om haar mond. Ook Max glimlachte bijna.

De overwinnaars moesten het hun vergeven, maar niets schept een groter, zoeter en troostrijker gevoel van lotsverbondenheid dan de gedeelde nederlaag.

* * * * *

In Rio werden Hannah en Max naar een auto geleid door een als kruier vermomde politieagent. Achter het stuur met pet en zonnebril zei luitenant Staub dat ze zouden worden ondervraagd op een geheim adres en hij schoot weg naar Tijuca. Het was zes uur 's middags en het centrum loste zijn menigten naar de buitenwijken waardoor het verkeer verstopt zat. Hannah vroeg hoe de zaken liepen, waarop Staub een ernstige stilte liet volgen en vertelde over de dood van Fanny. De begrafenis was 'waardig' geweest en de begrafenisgebeden waren gezegd in het Gele Huis.

Hannah opende haar beautycase: 'Dat was te verwachten.' Ze werkte haar lippenstift bij en ze begon een geanimeerd gesprek met Staub: namen, feiten, gissingen waarvan Max (ook als hij wilde) niets begreep. Ontroerd herdacht hij het dikkerdje dat zich uitputte in vriendelijkheden, hoop en dwaasheden en dat hij vlijtig had weten te misbruiken als pooier van die geest die altijd klaarstond om hem te vleien, te informeren en te beminnen zoals niemand hem in veertig jaar had bemind. Haar laatste woorden, herinnerde Max zich, waren iets geweest als 'u moet het weten, u moet het weten!' alsof hij al niet genoeg wist en nog meer moest weten. Mocht Fanny rusten in vrede daar waar de gerechtigheid zegeviert, alles bekend is en alles een verklaring heeft.

Ze reden omhoog langs een bochtige weg tussen de heuvels van Tijuca. Het was een donkere avond en Rio schitterde in de diepte als een sterrenhemel op zijn kop. Max keek zonder belangstelling naar het landschap, gefolterd door de wens te weten wat Hannah in vredesnaam had uitgevoerd met Franz Braun voor ze om negen uur 's morgens ongekamd en opgewekt het hotel betrad en de missie afgelopen verklaarde. In de trein terug had ze aan een stuk door geslapen met een glimlach op haar lippen die de gekwelde schoenmaker leek te bespotten.

Op de Alto da Boa Vista ging een poort open en de auto reed rond een fontein tot hij stilstond voor een enorme villa in Normandische stijl. Een smalle butler leidde Hannah en Max naar een eetzaal, waar landkaarten en documenten over de tafel verspreid lagen. Tussen twee zilveren fakkelhouders hing een wandtapijt met een jachttafereel. De kroonluchter, eveneens van zilver, was een soort wierookvat dat met vier kettingen aan het plafond hing. Terwijl ze zwijgend wachtten vroeg de schoenmaker zich af wat Hannah de agenten te zeggen zou hebben. Iets wat hij niet wist? Op welke toon zou ze zich uitlaten over Franz Braun? Zou ze in staat zijn hem neutraal te beschrijven en op te biechten dat de missie was mislukt omdat ze hem verliefd in de armen was gevallen? Zou ze reppen over de trucs en leugens die ze had aangewend om nader tot de Duitser te komen, zoals het belasteren van de arme garçon en het tot wanhoop drijven van de maître van de speelzaal?

Na een poosje ging de deur open en kwamen er acht agenten binnen. Max voelde de grond onder zich wegzakken. Hij sloot zijn ogen toen hij iemand in een elegant alpacajasje zag en niemand minder dan de magere negerjongen herkende, de beruchte garçon uit het hotel: 'Jullie waren niet alleen!' Hij stelde Max voor aan de maître, eveneens een geheim agent. 'Om eerlijk te zijn, ik vond het heel vermakelijk.'

Max was totaal van zijn stuk gebracht. Nu hoefden alleen Franz en Marlene Braun nog binnen te stappen, Adolf Hitler gearmd met Carmen Miranda, wie weet Getúlio Vargas in pofbroek, zijn schmink uitgelopen en met een brede glimlach vragend wat ze van de show hadden gevonden.

Tijdens de ondervraging vertelde Hannah alleen voordehandliggendheden, met een monotone stem en een nerveus gespannen blik. Ze zei niets over de noodlottige avond en betreurde het klaarblijkelijke falen van de missie omdat er bewijzen of zelfs maar aanwijzingen tegen Franz Braun ontbraken. Max bevestigde Hannahs relaas, tot teleurstelling van de agenten. De nepgarçon en de maître hadden evenmin aanwijzingen gevonden in het afval en de eigendommen van het stel toen ze hun kamer doorzochten. Franz en Marlene hadden tijdens hun verblijf in São Lourenço geen gebruik gemaakt van de telefoon, geen brieven verzonden of ontvangen en alleen gepraat met Hannah en Max. Die morgen waren ze doorgereisd naar Caxambu, waar ze in de gaten zouden worden gehouden door een ander team spionnen. De agenten waren unaniem de trieste mening toegedaan dat de operatie tot op dat moment 'inconclusief' was.

Luitenant Staub rommelde diep teleurgesteld aan de kaarten op tafel: 'Maar niets overtuigt mij van de onschuld van dat sujet!'

'Onzin', zei Hannah. 'Het is alleen een nette, goeduitziende man. En nog heel beschaafd ook, een kenner van de filosofie, een oorlogsheld ... een wijze.'

Max kon zich niet meer inhouden: 'Niks geen wijze!' Schuimbekkend van woede: 'Het is een oplichter, een schurk, een schoft zonder respect voor zijn eigen vrouw en voor niemand!'

De butler droeg water aan voor de overstuur geraakte schoenmaker, aan wie Staub om kalmte verzocht. Tevergeefs: Max was een ontembaar monster en stond klaar om Hannah een dreun te verkopen. Hij besloot te vertellen over de ontboezeming van Marlene in de hal van het hotel, niet omdat hij daar speciaal belang aan hechtte, maar om te laten zien dat Braun een maniakale Don Juan was, een lezer van citatenboekjes, een hoerenloper, zoals die keer met die drie sloeries tegelijk in ... 'Korina?' Hij twijfelde. 'Karina?'

Stilte in de zaal, iedereen stond perplex. Max was opgestaan, buiten adem krabde hij zijn bezwete voorhoofd totdat een agent probeerde: 'Kiruna?'

'Dat is het!'

'Weet u het zeker?'

'Ja, het was Kiruna! En daar niet alleen. Na Kiruna ging Braun weer achter de vrouwen aan in ... Narvik?'

De agent slaakte een triomfkreet. Allemaal begonnen ze extatisch fluisterend te zoeken in harmonicamappen, kaarten open te vouwen en te bladeren in dossiers. Vulpotloden krasten op papieren die met loepen werden onderzocht. Op een gegeven moment vierden de acht agenten de 'kostbare informatie'. Uiteindelijk: 'Gefeliciteerd, meneer Kutner! U hebt ons de sleutel gegeven! Kiruna en Narvik! Kalm, maak u geen zorgen. We leggen alles uit. Sinds lang heeft Hitler het Verdrag van Versailles verscheurd dat sinds de Grote Oorlog verbiedt dat Duitsland zware wapens bezit. De wereld staat de militarisering van het Reich oogluikend toe omdat die het nazisme beschouwt als de grote vijand van het communisme. Voor wie het niet weet, Kiruna is een Zweedse stad en Zweden levert ijzererts aan Gustav Krupp, eigenaar van het grootste Duitse hoogovenbedrijf. Krupp maakt wapens voor Hitler. Het erts komt uit Zweedse mijnen in Kiruna en Gällivare. Van daar gaat het naar Noorwegen en vervolgens naar Duitsland via de haven van Narvik.'

Staub jubelde: 'Meneer Braun, of hoe hij ook heet, werkt in de wapenindustrie. Wat hij in Brazilië komt doen is een raadsel dat nu gedeeltelijk door jullie is opgelost. Gefeliciteerd! Daar drinken we op!'

Max was nog stomverbaasd toen Hannah al een bubbelend glas hief. De agenten omhelsden elkaar en twee wisselden zelfs kussen. De butler vulde en distribueerde de glazen met aristocratische allure. Het toppunt van absurditeit was de magere negerjongen die uit volle borst uitriep: 'Lechajim!'

HOOFDSTUK 8

Buenos Aires, 10 december 1938

Lieve Hannah,
Ik heb drie crèpe kostuums besteld en twee galajurken naar de wasserij gebracht, een van marineblauwe zijde gedrapeerd op de borst en een andere van ivoorkleurig chiffon met gouden kettinkjes aan de hals. Ik neem ook mijn petite robe noire *Chanel en praktische combinaties voor op de boot mee. Zonodig koop ik kleding in Rio. We hebben tijd genoeg terwijl Jayme aan het werk is.*
Natuurlijk zou ik graag bij jullie logeren, bedankt voor de uitnodiging, maar Jayme heeft al een suite gereserveerd in Hotel Glória. Ik hoop dat dat dicht bij jullie huis is.
Ik was blij te vernemen dat José schoenmaker is. Trouwens, wat denkt hij van die Anabelahakken? Een paar dagen geleden verzwikte ik bijna mijn enkel op een Salvatore Ferragamo.
Kussen en kussen, veel kussen!
Guita.

* * * * *

Kanten hoofddoekjes, omslagdoeken, zelfs tulbanden bedekten de hoofden tijdens de ceremonie in het Gele Huis. Een van de rufiões had de kaddisj gezegd voordat Hannah het woord nam. Ze liep met kleine stapjes blootsvoets tussen de vrouwen die op de grond zaten door. Ze hadden een week gebeden, hun gezichten onopgemaakt, hun kleren gescheurd op borsthoogte ten teken van rouw. Elk tragisch einde was een voorbode (of, voor de zwaarmoedigen, een bemoediging). Misschien wachtte Fanny op hen in de andere wereld, begreep zij de waaroms van deze en hoorde zij de zoete, soevereine stem waarmee Hannah hen troostte: 'Zij die ons honen, ons beledigen en graag de Schrift citeren zijn, op zijn minst, ondankbaar jegens een van onze voormoeders.' Hannah bewoog rustig haar handen. 'Heeft iemand hier weleens van Rachab gehoord? Onthoud die naam: Rachab. Wie was deze vrouw? Daarvoor keren we terug naar de Exodus, de lange mars van ons volk naar het Beloofde Land. Er waren veertig jaren in de woestijn voorbijgegaan sinds de slavernij in Egypte. Moshe was pas gestorven en Jozua leidde het volk. We stonden voor de poorten van Israël, klaar om binnen te gaan, maar we moesten de Jordaan over en het machtige leger van Jericho verslaan. Jozua was een behoedzaam man. Eerst stuurde hij twee spionnen naar de stad. Maar het nieuws werd bekend en de soldaten van de koning gingen achter hen aan. Ze doorzochten de hele stad, straat na straat, steeg na steeg, huis na huis. Ze werden niet gevonden.' Een plechtige pauze. 'Raad eens wie hen verborg? Wie hun onderdak bood en beschermde, met gevaar voor eigen leven? Rachab, lieve vriendinnen, een hoer! Zo staat het in de Tora, ronduit en onverhuld. Rachab verborg hen in haar huis, tartte de koning van Jericho en verleende een grote dienst aan ons volk. Een heldin! Wees dus trots, geliefden, en weet dat elke jood, orthodox of liberaal, verplicht is aan een hoer. Ik waag zelfs te zeggen dat het Westen zijn lot te danken heeft aan deze vrouw. Gezegend zij Rachab!'

'Gezegend!' herhaalden de polacas.

Meer dan ooit was Hannah de matriarch van die bastaardfamilie. Max woonde de plechtigheid bij met een mengsel van ontroering en ontzag. Heilige vrouwen, symbool van een perversie die hun niet altijd recht deed. Hun geloofsrituelen waren momenten van zelfbevestiging, de meest authentieke die de schoenmaker had gezien. Zonder echtgenoten of eer, zochten ze versterking bij andere pilaren van identiteit die ze in hun binnenste voor zichzelf wilden. Eigenlijk waren de polacas degenen die God en zijn aura van weldoener het hardst nodig hadden om de aardse beproevingen te kunnen dragen. Sereen vroeg Hannah de vrouwen op te staan van de vloer en elkaar de hand te geven.

'Dit is het laatste gebed van de *sjivve*,* en we gaan daarom afscheid nemen van Fanny, zodat haar geest in vrede zijn weg kan gaan om voor ons te ijveren waar hij ook is.'

De polacas vormden een keten en liepen de straat op, waar ze de voorbijgangers angst aanjaagden met hun geweeklaag, gesnik en ten hemel geheven handen. Daarna gooiden ze hun haren los, omhelsden ze elkaar wuivend met hun hoofddoekjes en konden ze eindelijk hun spiegeltjes raadplegen, sommigen al met open make-uptasjes en zich bijkleurend, plotseling lachend en alledaags alsof er niets gebeurd was. Max zag ervaren artiesten, klaar om hun publiek te verrukken in de bedden waar ze hun levensonderhoud verdienden (en hun leven verloren). Op dat moment kwam een van hen naar hem toe en overhandigde hem een brief van Fanny. 'Waarheden' stond op de verzegelde envelop. Max voelde een rilling voor hij het papier opborg of liever gezegd wegpropte in zijn zak om het pas te openen als en wanneer zijn moed dat toeliet. Hij had meer dan genoeg van de bombastische onthullingen, de versies die elkaar heftig tegenspraken om even provisorische 'waarheden' te doen prevaleren. Fanny was dood, punt uit. Waarom de levenden nog lastigvallen? Ze moest haar 'waarheden' maar gaan voorleggen aan het Hemelse Gerecht! Wie hem interesseerde was Hannah: waar, hoe, wanneer was ze die vrouw geworden?

De maand daarop:

'Mijn vader was assistent van de rabbijn van Bricza. Hij heeft me leren lezen en schrijven, toen iets zeldzaams voor meisjes.'

Ze dronken kokos frappé in een lunchroom in het centrum, beladen met zakken met asbakken, snuisterijen en alles wat het huis van Max in een echtelijk nestje moest veranderen. Guita en Jayme zouden drie dagen later arriveren, vandaar de bloemstukken op de veranda, de tule gordijnen en de fotolijstjes die het echtpaar toonden in romantische poses. Tussen de slokjes frappé door definieerde Hannah haar vader als 'de rechterhand van de rabbijn'.

'Hij deed van alles in de synagoge. In zijn vrije uren las hij de goede boeken. De slechte stuurde hij naar de geniza.'

Een geniza, legde hij uit, was een opslagruimte, doorgaans onder de tempels, waar in onbruik geraakte boeken werden opgeborgen. Soms was een onleesbaar geworden letter, een gescheurde bladzijde of een of ander klein mankement genoeg voor verbanning. Teksten die de naam van God bevatten mochten echter niet worden verbrand of weggegooid. De traditie schreef voor dat ze dienden te worden begraven en dat hoopte Hannahs vader op een dag te doen.

Op een dag hielp Hannah haar vader een boekrol naar het donkere en stoffige ondergrondse van de synagoge te dragen. Daar zag ze boeken en nog eens boeken, vele in het Jiddisch en Hebreeuws, sommige prachtig uitgegeven en gebonden in leren banden met gouden titels. Die waren niets waard volgens haar vader, want bladzijden zaten verkeerd, waren er uitgescheurd of aangevreten door motten.

De week daarop besloot Hannah stiekem naar beneden te gaan om in die muffe boeken vol commentaren, parabels en spreuken te snuffelen. Ze wist niet wat er zo mis was met de werken die ze bij kaarslicht doorbladerde. Alleen, niezend, nu eens niet en dan weer wel akkoord met wat ze las, begon het meisje zich af te vragen waarom die kostbare lessen tot nutteloosheid gedoemd waren. Het was haar eerste geheime gewoonte. Ze las de Vijf Boeken van Moshe, de Talmoed, Maimonides, ze las alles. Ze zat uren gebogen over alinea's, verzen en strofen die uitdagend waren voor haar jeugdige leeftijd. Hannah leerde leren, leerde kennis te verwerven in kelders, onvolmaaktheden en zonden.

Toen ze tien was vroeg ze haar vader of er prostituees waren in Bircza.

'Wat is dat nu voor taal, meisje? Hou je hoofd met iets anders bezig en help me hier eens mee!'

Hannah hield haar hoofd bezig met de boeken en rollen die in de kuil de eerste schep aarde over zich heen kregen.

'Dat is de helft van de geniza', schatte de man. 'Volgende maand begraven we de rest. Nu moeten we de tempel schoonmaken voor de sjabbat.'

Vrijdagmiddag, vijf uur. Op dat moment lieten de Joden van Bircza hun schoffels, weefgetouwen, zagen en pannen in de steek voor de wekelijkse rust. Drie uur later las de rabbijn de *parasja** van de week toen een kreet door de synagoge klonk. Het was Guita, die besloten had tijdens de ceremonie ter wereld te komen.

Hannahs zus was een 'ontijdige zegen' geweest volgens de rabbijn. En omdat haar moeder niet helemaal lekker was, vocht met bomen en de wind vervloekte, moest Hannah snel opgroeien. Terwijl andere kinderen met poppen speelden, voedde zij de hare op met kusjes en klappen en moest ze de rommel opruimen die ze op haar leeftijd nog zou moeten kunnen maken.

In 1914 zette de moord op aartshertog Frans Ferdinand Europa in vuur en vlam. Mannen van zeventien tot vijftig jaar werden naar de oorlogsfronten gesleept. Zo ook Hannahs vader, die uit zijn huis werd ontvoerd en vertrapt door de Russen stierf. Ineens waren de mannen van Bircza te jong of te oud, of te invalide, om het land te ploegen en hout te hakken, zodat de vrouwen eelt op hun handen kregen – of, in het geval van Hannah, ook op andere lichaamsdelen.

Guita was drie jaar, tien jaar jonger dan haar zus, toen scheurbuik haar mond deed opzwellen. Hannah ging wanhopig de deur uit, doorwroette puinhopen op zoek naar citroenen of sinaasappels tot ze stuitte op Russische soldaten die een spoorweg bewaakten. Een fortuinlijke ontmoeting. De dikke witte onderdanen van de tsaar waren het allang zat hun gerief te moeten halen bij steeds dezelfde stakkers, die even oud en verwoest waren als Europa.

Hannah kwam thuis met drie sinaasappels, twee broden en een paar worsten. Ze begon een afmattend leven te leiden, overgeleverd aan de strijd die haar niet alleen eten voor thuis bezorgde maar haar ook de waardering van de buurt opleverde. Ze wist het onvoorstelbare van de soldaten los te krijgen, van medicijnen tot warme kleren, flessen wodka en calorierijke conserven. Haar huis werd een bazaar, het beloofde land voor een legioen behoeftigen. Haar moeder, elke dag gekker, danste en zong terwijl Hannah zich ver van daar begroef in de geliefde geniza om de schimmels te lezen. Ze niesde niet eens meer.

In 1915 werden de Russen naar het oosten verdreven en raakte Hannah uit de gratie, uitgescholden voor verraadster door dezelfde monden die een dag eerder nog haar handen kusten. Toen haar moeder stierf bracht Hannah haar laatste bezoek aan de geniza, nam Guita op haar arm en vertrok uit Bircza.

Tijdens de oorlog maakte ze van haar lichaam haar arsenaal. Ze sliep met hele kazernes, maakte commandanten en gecommandeerden verliefd, verhandelde geheimen en bezocht loopgraven (niet zelden ingehuurd door de vijand). Drie keer ontwaakte ze in de armen van een lijk. Ze woonde in veroverde paleizen, in puinhopen, in het struikgewas. Ze leerde verschillende talen en de accenten waarmee sprekers van de ene taal de andere taal spraken. Ze deed zich voor als Russin, Poolse en Amerikaanse. Ze was een kwezeltje, een tuberculoselijdster en een blinde. Waarheden, leugens? In oorlogstijd zijn waarheden dodelijker dan leugens – en in vredestijd ook. Haar leven hing altijd af van leugens. In wouden en zeeën, op de polen en in steden, wat deden dieren en planten anders dan de andere misleiden of op een dwaalspoor brengen en zichzelf camoufleren – kortom liegen? De leugen bestond al voor de rede, de ethiek en de moraal. Toen de eerste mens besloot de waarheid te prediken, deed hij dat niet uit liefde voor God of iets dergelijks, maar omdat hij bang was te worden bedrogen. Zo simpel was dat.

In 1918 woonden Hannah en Guita in de buurt van Pinsk in een verlaten treinwagon terwijl de Spaanse griep de lijkenhuizen van Europa overbelastte. Hannah werkte toen als verpleegster in een veldhospitaal, waar ze doden en stervenden plunderde. In haar vrije tijd improviseerde ze grammaticalessen en lessen over het jodendom voor Guita en legde ze uit dat het slecht ging in de wereld omdat God boos was. Op wie? Op Guita uiteraard, die niet goed at en maar ziek bleef. Het meisje klaagde niet over de oorlog omdat ze de vrede niet kende, maar op een dag beloofde Hannah dat als ze ophield met huilen ook het leed op de wereld zou stoppen. Bijna schuldig, maar ook trots op haar krachten, droogde Guita haar gezichtje en begon ze te glimlachen. En het werkte. In hetzelfde jaar hield de oorlog op.

De jaren twintig begonnen toen Hannah de rijke erfgenaam leerde kennen op wie ze verliefd zei te zijn geworden. Max Kutner was een prima jongen, de kleinzoon van een wonderdoende wijze – en Hannah was een van zijn huzarenstukjes. Toen ze al in ondertrouw was, heelde hij haar lichaam in een kliniek, aan de eigenaar waarvan ze zich voor haar gang naar het altaar had verkocht om de chirurgie te betalen. In de huwelijksnacht bloedde ze als een maagd en droomde ze van een kind dat nooit zou komen. Haar lichaam bestond uit verschroeide resten. Daar konden alleen leugens vrucht dragen.

* * * * *

Er bestaan geen wederontmoetingen, alleen ontmoetingen.
Shlomo Goldman

De miezerregen en de vroege ochtend stonden luxes toe als de met fluweel gezoomde cape waarin Hannah op de havenkade uit de taxi stapte. Max droeg een hoed en liep met krukken.

'Is dat de schoenmaker niet?' werd ergens gefluisterd.

Hannah had rode pijpekrullen en met potlood aangezette wenkbrauwen. De vorige avond had ze een jurkje nat gezweet op een dansfeest in een bar op het Praça Tiradentes, terwijl Max zat te snurken aan een tafeltje. Sommigen zullen zeggen dat Hannah te veel gedronken had, anderen dat ze een losbol was. Maar de volkomenheid aanvaardt alleen kritiek uit mededogen. Onverschillig voor de blikken danste Hannah tot het orkest ophield en de verdoofde schoenmaker zich uitrekte in de salon.

Het was vol op de kade. Max ging op een bank zitten wachten op Guita en wreef nerveus in zijn handen: dit was het moment waarop hij Hannahs zus zou leren kennen, niet meer vertaald of geschreven, maar in levenden lijve; het uur van de confrontatie met haar en met de eigen gedachten die hij zich in de loop der tijd over haar had gevormd. Maar het voornaamste doel van de schoenmaker was zorgen dat Guita hem aardig vond of ten minste tolereerde. Hij zou proberen haar te boeien, aangenaam te blijven en vijandige gedachten in een onverdachte geniza te bewaren. Hannah had hem geleerd dat belangen en waarheden elkaar slecht verdroegen en dat een etiket alleen vooroordelen wekte. Aan de slag!

De toeter kondigde de aankomst aan. Er viel weinig te onderscheiden in de dichte motregen tot de oceaanstomer de kade verbaasde. Het was een majestueus wit wonder met de Engelse vlag op de romp. De regennevel besloeg het dek waar kleurrijke poppetjes zwaaiden tijdens de aanmeermanoeuvres. De menigte aan land wuifde extatisch terug terwijl het getoeter trilde tot in de botten. Velen stonden daar omdat zij of hun dierbaren vertrokken naar New York, de bestemming van het schip. Het was een episch tafereel. Achter hun kraampjes verheugden snoep- en popcornverkopers zich op hun muntjes, attent op zakkenrollers die af en toe geboeid werden afgevoerd uit de drukte.

'Je heet nu José', waarschuwde Hannah. 'Hoor je me? José!'

'José', herhaalde Max minzaam.

Hij zou doen wat ze hem vroeg. Hij wist al niet meer waarom, maar hij zou het doen. Niets mooier dan haar zo euforisch te zien, springend als een kind. Max zondigde nu niet uit onnozelheid en hing zijn genoegen evenmin op aan romantische dromen. Hij was blij haar te helpen, haar te verheffen. Een toegeeflijk aura omhelsde de wereld en sloeg acht op elke korrel, elke druppel of vonk. Max ontdekte het essentiële. Wanneer de liefde gratis is, wordt de wederkerigheid een gevolg, geen oorzaak.

Elf uur, het regende niet meer. Het schip legde aan, het getoeter was opgehouden en een loopbrug werd neergelaten tussen het dek en de douanekade. De zon animeerde de elkaar verdringende gemoederen op de kade en de passagiers begonnen af te dalen, onwennig op de smalle treden. Hier en daar klonken kreten, kinderen deinden op schouders, oudjes hapten naar adem, een militaire band begon carnavalsmarsen te spelen. Hannah kneep haar ogen toe, duwde en werd geduwd, wuifde naar de verkeerde mensen totdat een lila vlek uitzinnig naar haar zwaaide. De brug wiegde zo dat een gepluimde hoed door de lucht vloog en tot schrik van de meeuwen in de baai van Guanabara landde. Daar was Guita.

20 januari 1939, de zon hoog aan de hemel. Tien jaar na de laatste omarming en zesentwintig jaar na de eerste, ontmoetten de zussen elkaar weer op het Praça Mauá – als er wederontmoetingen bestaan. De kreten, de tranen en vreugdedansjes imponeerden de omstanders.

HOOFDSTUK 9

Ze wandelden op Praça Onze.

'Hé, Max Kutner!'

Het was Mendel F., haveloos gekleed en hij stonk een uur in de wind: 'Hoe is het met de hoertjes? Nog steeds vaste klant? Je bent hem gesmeerd uit de sjtetl, hè?'

Guita hief haar parasol: 'Wie is dat, José?'

'Ik weet het niet ...'

'Wat is dat met die krukken, Max Kutner? Poten gebroken?' En met een obsceen gebaar: 'Er zal onder de dochters van Israël geen aan hoererij gewijde vrouw zijn, noch onder de zonen van Israël een aan hoererij gewijde man!'

Jaymes mond viel open en Hannah nam voorzorgsmaatregelen: 'Genoeg, maak dat je wegkomt!'

Mendel F. bleef de profeet uithangen: 'Gij zult geen hoerenloon of geld van sodomie brengen in het Huis des Heren!'

Hannah verloor haar geduld: 'Ga weg, zwerver! Of anders sla ik je op je smerige gezicht!'

Mendel F. deinsde terug en droop af met een bang glimlachje, als een straathond die zijn tanden laat zien om zijn eer te redden voor hij jankend wegrent.

Max stond te trillen op zijn benen en kon degene die was blijven aandringen op een bezoek aan het 'Joodse getto' wel kelen. Wie anders dan Guita?, die hem nu vragend aankeek.

'Wie is die sjlepper, José?'

'Ik weet het niet, Guita. Ik heb hem nooit eerder gezien.'

Oy vey, wat een ramp! Ze hadden ergens anders moeten

zijn, tussen de palmen van de Botanische Tuin of in de duinen van Ipanema, maar niet in dat mijnenveld. Dreck, dreck, dreck! En alles was zo goed gegaan sinds de omhelzingen op het Praça Mauá, twee dagen eerder. De eerste avond hadden ze geapplaudisseerd voor het geklepper van Carmen Miranda in het casino van Urca. De volgende morgen bestegen Hannah en Guita de Corcovado om te leren dat het standbeeld van Christus-de-Verlosser was geplaatst onder leiding van een Joodse opzichter. Daarna had het viertal de Jockey Club bezocht en had Jayme op een paard gewed om het einde van de race te kunnen zien. Hij had een fortuin verloren. Later gaf Guita haar zus een paar gouden oorbellen, terwijl Max – of liever gezegd José – zijn zwager Jayme bedankte voor een Mont Blanc-inktpot die hij had gekregen.

Tijdens de uitstapjes sloten Hannah en Guita zich op in onderonsjes in een gefluisterd eigen dialect, tot ongemak van de zwijgende echtgenoten. Jayme was een grote, dikke kerel van een eindje in de vijftig met zwart haar dat glom van de haarcrème, gestoken in verstandige driedelige pakken en cowboylaarzen. Hij leek een aristocraat achter zijn bril waarmee hij de wereld mat en was zeer gehecht aan een soort guillotine waarmee hij zijn sigaren afknipte. Hij was een Jood uit Córdoba, verbouwde graan en was naar Brazilië gekomen om het binnenland van São Paulo te leren kennen, geïnteresseerd in de teelt van sinaasappels en koffie.

'Met een Bahiasinaasappel is het fortuin van Californië begonnen.'

Wat kon Max hem vertellen? Hij had alleen verstand van zolen, spijkers en schoensmeer – uiteraard afgezien van prostituees, pooiers, gauwdieven en communisten. Enfin, niets wat gespreksstof opleverde voor Hannahs zwager. De man bekeek Praça Onze zonder interesse, alsof hij gedwongen was die gribus te betreden, met heimwee denkend aan de Parijse allure van zijn Buenos Aires.

De verschrikkelijke Mendel F. was al verdwenen toen Hannah Max bij de arm nam: 'Wil je even gaan zitten, lieverd? Trek je in godsnaam niets aan van die zot! Het is allemaal mijn schuld, niet de jouwe.'

Tegen Guita en Jayme: 'Die brutale Jood achtervolgt me al sinds Pinsk, ik weet niet hoe hij in Brazilië is beland. Nu denkt hij dat José Max Kutner is, mijn eerste echtgenoot.'

'Tsss!' siste Guita met haar gebruikelijke geaffecteerdheid. 'Wat een nare kwestie. *Désolée*.'

Met haar golvende blonde haar was Hannahs zus een van die exotische vrouwen die door hun karakter mooi of lelijk zijn. Ze was mager en kleiner dan Hannah en had verslindende ogen en dunne lippen. Ze droeg alleen haute couture vol borduursels en strikken. En ze praatte, praatte, praatte – goeie God, wat kon ze praten! – met haar irritante stem stak ze verhandelingen af over koning Salomo en de vogelbekdieren in Australië zonder zelfs maar even adem te hoeven scheppen. Ze was niet in staat stil te zijn, een gesprek te voeren of iets te begrijpen wat geen onzinnigheden of roddels waren. Ze verzamelde zekerheden met de verwaandheid van wie nooit eens om een smakeloos grapje hoefde te lachen, hoewel ze niets anders deed dan die vertellen, en ze gebruikte en misbruikte om de haverklap buitenlandse woorden als chic, Beverly Hills en status quo. Guita was de bevestiging van de Talmoedwijsheid dat één munt in een kruik meer herrie maakt dan een handvol. Toen ze de Cinema Centenário zag, de trots van Praça

Onze, memoreerde ze dat Marlene Dietrich een opticien haar pupillen had laten vergroten om haar dezelfde ogen te geven als op een reclameposter voor een Hollywoodfilm. Schel: 'Ze kon niets zien op de set!'

'En jij bent met vergrote pupillen geboren', had de schoenmaker graag gegromd toen de zon zijn kale kruin blakerde en Hannah om de gemoederen wat af te koelen voorstelde even te rusten in een café daar dichtbij dat Jeremias heette.

Joodser kon niet. Bij Jeremias verzamelden zich links en rechts, Jiddisch en Hebreeuws, Griek en Trojaan van de gemeenschap. De kleermakers kwamen er zelfs de maten opnemen van degenen die stof kochten van de straatventers die met hun koffers van tafel tot tafel sjouwden. Op elk moment en onder ieder voorwendsel barstten er discussies los. Niet zelden stond er iemand op om een eloquent betoog te houden totdat een andere welbespraakte hem het zwijgen oplegde. Zo ging dat bij Jeremias.

De vier vielen vermoeid neer op hun stoelen, Max nog met de schrik in de benen en dankbaar voor Hannahs snelle en ingenieuze uitleg over Mendel F. Alleen jammer dat Guita het onderwerp niet met rust liet: 'Ik kan me die zot niet herinneren uit Pinsk.'

Hannah legde een hand op de arm van haar zus om het thema af te sluiten: 'Wat voorbij is, is voorbij.'

Maar voor Guita was het allerminst voorbij.

* * * * * *

Aardbeiengelei, eierpasta, *warnisjkes,** rundvleestaart, borsjtsj, sardines in olijfolie, vier soorten brood en een gevarieerde fruitschaal. Guita was verontwaardigd: 'Heb je geen kippenleverpaté?' En ze trok een pruillip.

Max kon haar wel schoppen. Als die paté er was, had ze vast wel iets anders op de tafel aan te merken gehad. Ze zeurde zo veel dat zelfs Hannah tekenen van irritatie vertoonde. En verwaand dat ze was! Guita vond zichzelf de meest benijde en populairste vrouw van Buenos Aires, altijd druk met cocktails en reizen over de landerijen van haar man. Haar leven was een Metro-Goldwyn-Mayermusical gedrenkt in glamour. Ze plande een rondreis door Europa zodra de situatie daar 'opklaarde'. Voorlopig moest ze zich tevredenstellen met de wolkenkrabbers van New York of de schaaldieren van San Francisco, waar ze de volgende zomer wilde doorbrengen – 'hun zomer', wel te verstaan. Max deed belangstellend, onderdrukte zijn geeuwneiging en smeekte God die gifslang terug te sturen naar haar brieven, waar ze nooit vandaan had moeten komen. Maar voorzichtigheid was geboden: mensen die denken dat ze worden benijd zijn de meest jaloerse ter wereld. Ze verkiezen haat boven onverschilligheid.

'Zonder kippenleverpaté is een Joodse eettafel niet compleet', stookte Guita.

Max, die zich had uitgesloofd om het vijfuurtje op tafel te brengen, verloor zijn geduld: 'Désolé. Helaas hebben de kippen in Brazilië geen lever.'

Guita legde diep beledigd een hand op haar borst. Hannah probeerde haar te kalmeren: 'Kom, lieverd, proef die bietensoep eens.' En ze zond de schoenmaker een verontschuldigende blik.

De relatie tussen Max en Guita was er uiteraard niet beter op geworden. De twee saboteerden elkaar, de een hoorde amper wat de ander zei, de ander zei amper wat de een hoorde. Hun enige verbinding was Hannah, die de boel overigens nog verergerde door haar rol van echtgenote te overdrijven met attenties en tederheden die de schoenmaker geneerden en Guita jaloers maakten. Haar gebaren waren zo nadrukkelijk dat Max bijna dacht dat Hannah haar zus provoceerde.

De zussen hadden de middag doorgebracht in het centrum – niet om het glanzende goud van de Candeláriakerk te bewonderen of het Museum van Schone Kunsten te bezoeken, maar ondergedompeld in het grootste warenhuis van Rio, Park Royal. Een stapel dozen en zakken vulde de bergère in de woonkamer: schoenen, sieraden, cosmetica, hoeden. Guita had er een stevige duit aan uitgegeven. Gewend als ze was aan al die luxe was ze waarschijnlijk geschokt door de eenvoud van een huis dat zo anders was dan het hare. Hannah verontschuldigde zich voor de 'staat' waarin het huis verkeerde en beweerde dat ze pas drie weken geleden waren verhuisd. Welke staat? Max had de kamer opgeknapt, de vloer in de was gezet en de gordijnen opgebonden met roze strikken. De namiddagkoelte drong overal door terwijl buiten de krekels vrolijk tsjirpten. De wereld was een perfect gestemd orkest, hoewel Guita alleen acht sloeg op dissonanten als het ontbreken van die vermaledijde kippenleverpaté. Max was in staat haar tot paté te verwerken, ware het niet dat hij zo hypocriet was geweest te zeggen dat het probleem zou worden opgelost bij de eerstvolgende 'gelegenheid'. Guita had hem niet gehoord en roerde in haar bietensoep: 'Waar is de room? Borsjtsj zonder room is geen borsjtsj!'

* * * * *

Om acht uur 's avonds hobbelden ze in een taxi naar Casino Atlântico. Ineens, zonder enige aanleiding: 'Heb je wel eens gehoord van conversiehysterie, José? Dat zou de oorzaak van het probleem met je benen kunnen zijn.'

Hannah kneep haar zus: 'Guita, gedraag je!'

De stilte verbroederde de mannen terwijl de vrouwen elkaar zacht vloekend knepen en krabden. Niets ernstigs, alleen wat zusterlijk gedol. Buiten verdichtte de zeemist het donker en de lantaarnpalen leken aquarellen die de avenida markeerden tot het fort van Copacabana. Het dreunen van de zee boezemde de stellen die op de boulevard wandelden vrees in. Max had nu zekerheid: er was iets vreemds in de relatie tussen de twee zussen. Iets heel vreemds. Wie ze gearmd in druk gesprek zag lopen zou de vertekeningen niet opmerken die alleen een intiemere omgang aan het licht bracht. Er heerste een constante spanning, hoewel subtiel, achter die lachjes, complimenten en tics, alsof de twee elkaar in evenwicht hielden op een dunne draad die bij een bruuske of onvoorziene beweging zou breken. En welk ander risico liepen ze dan van grote hoogte in zichzelf terug te vallen?

Hannah en Guita wilden elkaar overtuigen dat ze dezelfde zussen uit Polen waren en niet twee door de tijd getekende volwassenen. Ze zaten vast aan een protocol, aan een paar verouderde parameters die ze niet konden actualiseren. Soms herhaalden ze zinnen en gebaren als een muzikaal refrein in zo vaak geoefende scènes dat ze bijna een klucht leken. Zouden de uitglijders van Guita symptomen zijn van dat ongemak, de pijnen van een onmogelijke geboorte?

Guita en Hannah waren gijzelaars van de afstand. Ze hadden geen tijd voor risicovolle operaties als ontboezemingen of uitdiepingen. Ze moesten praktisch en efficiënt zijn, zonder voorbehouden te cultiveren die hun ballingschap alleen maar zouden bederven. Over drie dagen zouden ze weer voor wie weet hoeveel jaar van elkaar gescheiden zijn. Dan zouden ze elkaar weer suikerzoete, kinderlijke brieven schrijven met wederzijdse loftuitingen en romantische beloften. Wie weet werkte de liefde van de twee alleen op afstand, en waren ze daar alleen maar een poosje samen om het heimwee naar de laatste omhelzing en het verlangen naar de volgende op te bouwen? Gemis was de sleutel van hun relatie. In wezen waren ze allebei afhankelijk van die liefde die groter was dan hun eigen vertekeningen. Daarom bleven ze het gevoel dat hen verbond en hen tevens scheidde telkens opnieuw bevestigen. Een pijnlijke paradox.

Toen de auto stopte voor de deur van het Casino Atlântico, stapten Guita en Jayme als eersten uit. Hannah pakte een arm van de schoenmaker, maar werd afgeweerd: 'Ik stap liever zelf uit.' Max plantte de krukken op de rode loper: 'Waarom zouden we het nog erger maken?'

Hannah trok haar wenkbrauwen op. Voor een moment meende Max dat ze fictie en werkelijkheid had verward.

* * * * *

In de nabije omtrek was er geen boom te zien om de kwelling te beschaduwen. Er waren een stuk of twintig polacas, de meesten in ruste en altijd beschikbaar voor de begrafenisrituelen op de begraafplaats van Inhaúma. Een man had de *sjlousjem**-zegeningen gezegd, verhalen verteld en zelfs een manifest voorgelezen tegen de ongefundeerde politieacties in de

Manguewijk. Toen de ceremonie was afgelopen spreidden de vriendinnen van Fanny tafellakens uit in een hoek en hielden ze een picknick met fruit, koek en sandwiches. Op die plaats werden leven en dood geweven met dezelfde draad. Max legde uit dat hij gekomen was om Hannah te vertegenwoordigen, die afwezig was om 'persoonlijke redenen'.

'Alles goed met haar zus?'

Allemaal wisten ze overal van.

'Ja, ze zijn naar Petrópolis', bevestigde Max.

Iemand kwam naar hem toe: 'Hebt u de brief al gelezen die ik u gaf?'

'Welke brief?'

'Die van Fanny.'

Max herinnerde zich de envelop die nog verfrommeld in zijn zak zat.

'Leest u die', raadde de vrouw hem aan. 'Dan zult u veel dingen begrijpen, meneer Kutner.'

Max antwoordde niet, starend naar de marmeren graven, allemaal brandschoon, met Hebreeuwse letters en geloofssymbolen. Elke steen droeg een foto van de overledene en een kaarsenhouder. Een oude vrouw krabde de houders schoon met een spatel, verwijderde het kaarsvet van de oude kaarsen en stak nieuwe aan. Een andere vrouw instrueerde een doodgraver. De paden moesten worden geveegd en de mangoboom van waaruit vogels de graven bevuilden moest worden gesnoeid.

De polacas gingen op een alledaagse manier om met de dood, misschien omdat in hun levens alles als tijdelijk moest worden aanvaard. En die alledaagsheid maakte van Inhaúma een gastvrije begraafplaats. Hij was met veel moeite veroverd door de heldinnen die er rustten, de matriarchen van dat Beloofde Land.

De vrouw drong zo aan dat Max beloofde de brief van Fanny te lezen zodra hij thuiskwam. Hij waste zijn handen bij de uitgang en nam de trein naar Brazilië Centraal. Op het politiebureau vertelden vier stapels het gebruikelijke nieuws: huwelijken, ziektes, achterklap – allemaal overgoten met angst voor het nazisme. De oorlog was alleen nog een kwestie van tijd, maar een korte tijd. In Parijs werd voedsel gehamsterd en België beriep zich op neutraliteit. Maar wat had Max daarmee te maken? Hij wilde naar huis om uit te rusten. Aan het eind van de middag borg hij het potlood op in een etui en sloot hij het gelinieerde cahier. Toen hij het bureau verliet liep hij luitenant Staub tegen het lijf. Het onderzoek naar Franz Braun liep gesmeerd. De Duitser was in São Paulo en kon nu elk moment gevangen worden genomen, beschuldigd van het verhandelen van wapentuig aan nazisten uit Santa Catarina en Rio Grande do Sul. Braun leidde een organisatie die beoogde van Latijns-Amerika een filiaal van het Derde Rijk te maken.

'En Marlene?' vroeg Max voor de volledigheid.

'Die wordt uiteraard ook opgepakt.'

'Doe haar geen kwaad, het is een goed mens.'

'Dat beloof ik.' Staub gaf de schoenmaker een omineus klopje op de schouder: 'A propos, er kunnen op elk moment nieuwe missies komen. Waar is Hannah?'

'Met haar zus in Petrópolis.'

'Dan moet ze meteen terugkomen. We hebben vanavond een afspraak.'

In Flamengo speelden de kinderen blindemannetje en stegen de geuren van het avondeten op uit de keukens. Max liep door de werkplaats, las de briefjes die de assistent had achtergelaten en telde de dagopbrengst. Thuis nam hij een lauw bad en besloot hij te vergeten wat hij zich niet wilde herinneren. Later, in een handdoek gewikkeld, dronk hij een sapje en at hij twee appels. Zalige rust! Geen krukken, geen leugens, geen goochelarijen van Hannah c.s. En omdat de zang van de krekels tot lezen noodde ging hij in de kamer in de bergère zitten met een deel van de serie 'De grote schilders', die Hannah had gekocht om de boekenkast te versieren. Fragonard. Schitterende kleuren, prachtige figuren, meesterlijk! Max bewonderde een mollige dame toen er een flits door zijn hoofd ging: Fanny. Oy! Hij had zich liever niet de verdomde belofte herinnerd die hij zich nu verplicht voelde te vervullen. Hij sloot Fragonard en liep naar de slaapkamer voordat de lafheid hem zou achtervolgen. Hij opende de kledingkast en rommelde in alle zakken – jassen, broeken, vesten. Vijf, tien, vijftien minuten van vruchteloos zoeken. Omdat hij de brief nergens kon vinden voorvoelde hij de opluchting al toen het papier toch tevoorschijn kwam.

Het duizelde hem. Kom op, Max, wat een onzin, wat heb je van een dode te vrezen? Vrees de levenden!

Zittend op de rand van het bed scheurde hij een hoek van de envelop alsof hij een graf opende. Hartkloppingen. Hij had de brief amper opengevouwen toen hij zich realiseerde dat het de eerste brief was die hij in vele jaren ontving. Hij kon hem lezen zonder gelinieerde cahiers, agenten of nationale soevereiniteiten. Anderzijds kon hij zich niet achter anonimiteit verschuilen. Hij was het onontkoombare doelwit van die bevende en op een vreemde manier bekende letters.

Rio, 18 december 1938

Lieve Max,
Ik hoop je te treffen op een rustig moment, in goede gezondheid en genegen te lezen wat ik je te zeggen heb. Het is een van die geheimen die het hart niet aan de mond toevertrouwt. Maar ik ben stervende en kan niet langer wachten.

Triiiing! De bel? Op dat uur? Wie kon dat zijn? Max schoot snel een pyjama aan en stapte in zijn pantoffels. In de kamer bewoog de slinger van de klok tussen de keukendeur en een van de mezoeza's die Hannah aan de kastdeuren had gespijkerd. De bel hield aan: triiing, triiing!

'Ja, ja, ik kom al!'

Wat een ongeduld. Oy vey! Als het maar niet luitenant Staub was met zijn geheime missies! Wantrouwig opende Max de deur tot hij Hannah zag staan in een verkreukelde overjas. Ze kwam hijgend binnen: 'Sorry, ik was liever naar mijn eigen huis gegaan, maar we deelden een taxi en ik moest de schijn ophouden. Guita, o, Guita! Ze vond Petrópolis verschrikkelijk en had overal commentaar op! Ik ben het spuugzat! Ik tel de dagen tot dit voorbij is!' Languit in de fauteuil: 'Hoe was de sjlousjem? Ik mis Fanny zo. Geef me in godsnaam een beetje water.'

Max bracht een glas.

'Dank je wel. De president verblijft in Petrópolis, je hebt geen idee hoe het is in de stad.'

Hannah had verwarde haren en verdrietige wallen onder haar ogen. Ze was de vermoeidste vrouw van de wereld en haar gezicht was tot openhartigheid herschapen. Max zag een nooit eerder vertoonde Hannah, zoals alle diva's in hun intimiteit moeten zijn: de insolvente schuldenaars van zichzelf. Welke ziel lag daar uitgevloerd in de bergère? Het leek een spookstad, met straten en huizen die even verstoft waren als de geniza die ze pleegde te bezoeken in Bircza.

Ze dronk zwijgend van het water, inademend na elke slok. Er ontsnapte haar een snik en ze leek in tranen uit te zullen barsten. Ze was kapot. En Max, om iets te zeggen: 'Luitenant Staub vroeg naar je.'

'Wie?' Hannah sprong op uit de fauteuil en sloeg haar hand voor haar hoofd: 'Oy main Got! De Spaanse ambassade!'

Die avond bood de ambassadeur van Madrid een cocktail aan en Hannah moest de militaire attaché verleiden.

'Koffie, koffie! Maak gauw koffie voor me!' Ze rende naar de slaapkamer, trok een koffer onder het bed vandaan en sloot zich op in de badkamer. Tien minuten later kwam ze naar buiten in wolken parfum, gekleed in een zwarte zijden jurk met lovertjes en een lange split langs haar benen. Ze had blote schouders en droeg een anjer in haar haar; haar handen waren gestoken in handschoenen die een zilveren menudière vasthielden. Waar had ze dat allemaal vandaan gehaald? Ze zag er oogverblindend uit, herschapen, haar ogen zwart omlijnd en de lippen van een wreed rood, klaar om duizend Spanjes te verleiden. Ze dronk twee mokken koffie met veel suiker en nam een paar gele pilletjes voor ze kaarsrecht wegliep op haar muiltjes. Wat een gratie! En de volgende ochtend moest ze voor de deur staan van Hotel Glória om Guita op te halen voor een bezoek aan het graf van de papegaai op Paquetá. Hannah was geen vrouw, ze was een harem.

Max probeerde erom te lachen, een humor verzuurd door

het verlangen haar vast te grijpen, de jurk van haar lijf te scheuren en haar te nemen op de keukenvloer. Bij gebrek aan een alternatief, snoof hij aan haar mok, likte hij de lippenstift van de rand en masturbeerde hij wanhopig. In bad verbruikte hij een stuk zeep, berustend in Fanny's postume waarheden. Kort daarop, in de bergère in de kamer:

Rio, 18 december 1938

Lieve Max,
Ik hoop je te treffen op een rustig moment, in goede gezondheid en genegen te lezen wat ik je te zeggen heb. Het is een van die geheimen die het hart niet aan de mond toevertrouwt. Maar ik ben stervende en kan niet langer wachten. Ik word niet gedreven door wraak of kleinzielige gevoelens. Integendeel. Op deze vooravond die ieder mens op een dag leert kennen voel ik me verrassend goed. Het is dan ook met liefde dat ik je de waarheid vertel.
Ik was het die de brieven aan Guita schreef. Als secretaresse van Hannah wikkelde ik haar correspondentie af. Brieven, rekeningen, documenten. Hannah ondertekende alleen de papieren, soms zonder ze te lezen, en vertrouwde me de brieven van haar zus toe. Hoeveel ik er heb beantwoord? Honderden, duizenden. Ik weet het niet.
Enfin, Guita correspondeerde met mij, niet met Hannah.
Ik was het die jij vertaalde.
Curieus, niet? Ik had me nooit als aantrekkelijk genoeg beschouwd om in een man meer dan wat goedkope begeerte te wekken, hoewel ik mijn leven lang droomde van een prins die bijziend genoeg was om voorbij mijn uiterlijke verschij-

ning te kijken. En ziedaar, op een dag dat ik al niet meer hoopte hem te ontmoeten, wuift die prins me toe en herkent hij me, maar ziet hij in mijn plaats een andere vrouw.
Hannah heeft haar bekoringen, dat valt niet te ontkennen. Ze is mooi, intelligent, moedig. Maar ik had ook mijn bekoringen, Max, en die waren het waarop je verliefd werd.
Ik ga hier niet verder over uitwijden. Ik wilde alleen voor de eerste en laatste keer een brief onder eigen naam schrijven.
Ik ben moe en moet sterven, maar niet voordat ik je bedankt heb. En ook niet voordat ik je heb gezegd dat verschillende brieven die je hebben geraakt niet alleen door jou werden geïnspireerd maar ook echt aan jou waren gericht. Mogen Hannah en Guita het ons vergeven, maar welbeschouwd waren zij het die tussen ons in stonden.
Het ga je goed. Fanny

* * * * *

Jayme opende een zilveren etui en presenteerde een sigaar. Puffend vroeg Max zich af welk genoegen iemand aan zo'n ding beleefde terwijl de ander praatte over zijn land. Buenos Aires was niet meer wat het geweest was, hoewel Argentinië nog steeds meer exporteerde dan alle buurlanden samen. De crisis in Europa zorgde voor onrust op de markt en maakte de politiek een roerige zee. En alsof dat nog niet genoeg was woekerde het nazisme van Ushuaia tot Corrientes. Zelfs in het ijskoude Patagonië, ver van alles en iedereen, verdeelden Duitsers de woestijn in percelen in afwachting van *Der Tag*, de D-day waarop Argentinië zou worden ingelijfd bij Hitlers imperium.

'Brazilië heeft geluk: Roosevelt staat niet toe dat de Duitsers hier binnenkomen.' Jayme kauwde op de sigaar in zijn mondhoek. 'Ik ben jaloers op je, mijn beste, want schoenmaker kun je overal zijn. Wat mij betreft, ik ben tot aan mijn nek begraven in Argentinië.'

'Miljonair zijn is geen lolletje', beaamde Max nadrukkelijk. 'Zeker als je ook nog zulke sigaren moet roken.'

De twee heren converseerden in het licht van een protserig stel kaarsen terwijl Hannah en Guita de vierde fles champagne leegdronken. Ze dineerden in het restaurant van Hotel Glória, met dure versieringen en luguber grote geschilderde vruchten op de muur van de antichambre. Een garçon opende de vijfde Veuve Clicquot, een andere sneed de hoofdschotel. Op de veranda bekroonde de baai van Guanabara de laatste avond van Guita en Jayme in Rio de Janeiro. De volgende ochtend om tien uur zouden ze de trein naar São Paulo nemen en ze zouden naar Buenos Aires vliegen vanaf het moderne vliegveld Congonhas.

Het voorgerecht bestond uit vier asperges op een filet mayonnaise met een geatrofieerde tomaat. Voordien was er een enorme doorzichtige zwaan van ijs binnengereden die op zijn kop een portie kaviaar droeg, terwijl op zijn rug een schaal met boekweitpannekoekjes stond. Op een gegeven moment verlieten de zussen de tafel en begonnen ze, strompelend op blote voeten, een denkbeeldige bolero te dansen. Ze lachten tot ze zich verslikten, zo verstrengeld dat ze niet meer wisten welke arm of welk been van wie was. Ze kreukten hun jurken in erotische poses onder de flitsen van een voor de gelegenheid ingehuurde fotograaf. De garçons hadden niets meer te snijden en volgden discreet de twee losgeslagen vrouwen die inmiddels tranen met tuiten huilden totdat Guita een kreet slaakte, de handen in de lucht stak en om aandacht vroeg. Aangeschoten: 'Ik ben in verwachting.'

Het nieuws sloeg in als een bom. Absolute stilte. Hannah was verbijsterd: 'Jij??'

'Twee en een halve maand.'

Hannah verloor haar evenwicht, viel achterover en bezeerde haar arm aan een punt van een meubel. Max aarzelde geen moment, rende naar het buffet en brak de kop van de zwaan af. Geknield wreef hij ijs over de wond terwijl de garçon de kaviaar bij elkaar veegde die verspreid lag over het tapijt. Niemand sloeg acht op het vlotte voetenwerk van de schoenmaker. Iedereen was te dronken en Guita betastte haar buik terwijl Jayme de garçons toeriep: 'Champagne!'

Echtparen en niet-echtparen hieven het glas: 'Mazzeltof, mazzeltof!'

Een grammofoon speelde Strauss en de vier walsten vrolijk rond.

Het dessert bestond uit in cognac geflambeerde flensjes. Met de koekenpan in de hand goochelde de garçon met de vlammen, die de eters niet verblindden omdat de zon al doorbrak aan de horizon. Hannah glimlachte van oor tot oor, met een slepende stem en een zoetige zweetlucht die het fatsoen van de schoenmaker op de proef stelde.

Tijdens de koffie herkauwde Max oude dromen. Misschien was Hannah door de komst van Guita veranderd, waarom niet? Kon hij zijn hoop niet in ere herstellen en mijmeren over een huwelijksreis naar Buenos Aires? Maar de alcohol was zo wijs zijn verlangens meteen te torpederen. En de rede vroeg meedogenloos welke les Max geleerd zou hebben van de zussen wanneer hij op de oude voet verder ging door de verleden tijd te verlengen en daarmee een voltooid verleden toekomende tijd die onvervoegbaar was geworden.

De waarheid was dat Hannah niet de vrouw van zijn leven was en dat ook niet kon zijn. Ze schaatste graag op onveilig ijs, waar ze met acrobatische toeren scheuren en wakken ontweek. Max kon de held niet zijn die haar voorgoed op vaste grond hield. En met een gevoel van rust zag hij grootvader Shlomo wenken in de kleiner wordende vlammen van de kandelaars. Hij kwam hem eraan herinneren dat gelatenheid ook moed vereist; dat een droevig einde beter is dan eindeloze droefheid.

* * * * *

Tien dagen later

Max had een half uur nodig om zijn das te strikken voor hij zijn slapen parfumeerde, de Franse rode wijn bij de hals greep en vertrok uit de Rua Paissandu. De zon doofde in het westen en de vogeltjes vroegen waar die elegantie voor nodig was. De houten knopen op zijn linnen jasje combineerden met zijn tweekleurige schoenen. In de Rua Marquês de Abrantes trotseerden automobilisten en trambestuurders het spitsuur met getoeter en gebel. Max stopte bij een taxistandplaats en keek op zijn horloge, onverschillig voor de blikken van de drankorgels bij de bar op de hoek. Er was geen tijd te verliezen.

Hannah had half acht gezegd. Ze hadden elkaar niet meer ontmoet sinds het vertrek van Guita en Jayme vanaf het Leopoldinastation. Max bewaarde het tafereel op zijn netvlies, de zussen in tranen en de mannen bedrukt in de hal. Op een gegeven moment was Jayme iets gaan regelen aan het loket van de spoorwegmaatschappij en Hannah was kennelijk naar het toilet gegaan om haar neus te snuiten. Hoe dan ook, Guita en Max stonden ineens samen aan de bar van een café. Max glimlachte ongemakkelijk: 'We komen graag de baby bezoeken in Buenos Aires.'

Maar Guita was niet in de stemming voor hoffelijkheden. Venijnig: 'Wie weet komen Jayme en ik wel naar Rio om dezelfde reden.'

Max roerde nerveus suiker door zijn koffie. Guita had geen suiker nodig: 'Iets zegt me dat je liegt. Ik weet niet waarom, maar ik voel het. Ik hoop alleen dat je geen bandiet of iets dergelijks bent. Luister, José, mijn zus heeft al veel geleden in haar leven en ze heeft niet meer problemen nodig. Zorg goed voor haar of je krijgt met mij te maken, begrepen?'

Max verslikte zich: 'Ja.'

In de verte dirigeerde Jayme een jongen die een karretje duwde met vijf koffers, hoedendozen, tassen en pakketten erop. Heel Parijs paste erin. Hoe kon het anders: in zes dagen had Guita nog geen zakdoek of oorbel, niets opnieuw gebruikt. Nu was ze gekleed in haar petite robe noire van Chanel, op de borst een broche met robijnen die zo rood waren dat ze leek te bloeden. Op haar hoofd droeg ze een hoed met brede randen vol kantwerk en tierelantijnen. Jayme volgde met zijn geblokte jasje en onafscheidelijke sigaar de Britse lijn.

Op het perron beantwoordde Hannah het gewuif van haar zus, die zich al in haar compartiment had geïnstalleerd. Ze schreeuwden mooie dingen, huilden overvloedig met gezwollen druipneuzen. De hysterie brak uit toen gefluit de wagon in beweging zette en Guita uit het raam hing. Hannah draafde mee over het perron, zwaaiend met een zakdoekje, haar gezicht vertrokken alsof haar lever werd uitgerukt. Guita snikte 'ik hou van je, ik hou van je' in een roemloze strijd tegen de afstand. De trein verwijderde zich langzaam maar onverbiddelijk en werd steeds kleiner tot hij in het landschap verdween.

Maar het leven is geen Hollywood. Het stof was nauwelijks neergedaald of Hannah droogde haar gezicht en hield het ritueel voor geëindigd. Met een hoogst banale zucht: 'Wat een geluk dat ze die vent heeft opgeduikeld.'

Daarna nam ze afscheid van Max en stapte ze in een taxi naar huis, van plan net zo lang te slapen tot ze weer helemaal de oude was.

Een paar dagen later belde ze de schoenmaker en nodigde hem uit om op die en die dag om zo en zo laat bij haar te komen eten. Ze hadden iets 'heel belangrijks' te bespreken. Max kocht de beste wijn, streek zijn broek en verloor zijn rust: waarom had Hannah hem uitgenodigd? Gewoon uit dankbaarheid of was er echt iets belangrijks? En als ze alleen maar over de postcensuur of een volgende missie wilde praten? En als ze toegaf dat Fanny de brieven aan Guita had geschreven? En als ze hem bij schemerlicht ontving in een doorzichtige peignoir en hem gekkigheden fluisterend bij zijn das greep? Dergelijke gedachten wonden het dier in de man op op de verkeerde momenten en om het dier te bedwingen liep Max naar het dichtstbijzijnde toilet.

Twee dagen voor de ontmoeting was de schoenmaker de lyriek in persoon. Natuurlijk was hij in staat haar te vergeven. Hij koesterde geen enkele wrok. Ze zouden in een bloemenrijk buitenhuis wonen en zij zou de sjabbatbroodjes bakken voor de kinderen thuiskwamen van school. Guita en Jayme zouden hen komen bezoeken met hun prachtige erfgenaam en dan zouden alle trauma's niet alleen overwonnen maar ook begrepen zijn. Het waren noodzakelijke kwaden geweest op weg naar betere tijden; splinters van de onbewerkte steen terwijl de beitel van het lot vorm gaf aan het geluk.

De avond tevoren had Max zich ontspannen voorgedaan aan de telefoon toen hij Hannah vroeg naar de reden van het etentje.

'Ik ben het vlees aan het marineren en kan nu niet praten. Hou je van rijst met rozijnen?'

Omdat Max aandrong zei ze met een komische stem: 'Er was eens een man die zo onrustig was dat hij niet kon wachten op het juiste moment om de dingen te horen. Weet je wat er met hem gebeurde?'

'Nee ...'

'Hij moest wachten op het juiste moment om het antwoord te horen.' En ze hing op.

Het was twintig over zeven en Max stond nog op Marquês de Abrantes. Waar bleven die taxi's, dreck! Om zijn gedachten af te leiden keek hij naar de drinkers in de kroeg, mannen en vrouwen in een carnavalsroes. Koning Momo poetste zijn troon al op voor de kroning en van Copacabana tot Marechal Hermes betuigden zijn onderdanen hem eer. Eindelijk verscheen er een taxi, een gezegende taxi. Het was half acht. De opgeluchte schoenmaker wilde instappen en had de handgreep van het achterportier al vast toen het gebeurde. Het was absurd en ging razendsnel. Een zwarte auto die uit de Rua

Paissandu kwam remde abrupt en spuugde drie mannen de stoep op.

'Max Kutner?' vroeg een van de mannen.

De schoenmaker hoefde niets te zeggen want de chauffeur van de auto knikte al bevestigend. Toen de mannen hem vastgrepen schoot de fles tussen Max' vingers vandaan en versplinterde op de stoeprand. Iemand sloeg een kruis en de kroeg viel stil om naar de stakker te kijken die in de auto werd geduwd die met gierende banden wegreed. Het gepraat brak los: wie, wat, wanneer, waarom? Een communist, brieste een man op leeftijd. Dames fluisterden 'verschrikkelijk' en de kindermeisjes kalmeerden hun kindertjes. Maar de vrolijke metropool was al gewend aan de oprispingen van de dictatuur. En omdat er politie in de buurt liep, verspreidde de oploop zich en een bezem veegde de wijnscherven op. In de kroeg zette iemand Lamartine Babo op en de heupen wiegden weer: 'Je ogen, huid en haar vertellen:/ Ja, ik ben een mulattin./ En omdat je kleur niet afgeeft/ Zeg ik ja, ik heb wel zin.'

* * * * *

Het geronk van de propellers was oorverdovend.

'Water, meneer Kutner?'

Max antwoordde niet, apathisch in zijn stoel. De agent schonk een beker vol uit zijn veldfles: 'Drink iets, meneer Kutner.'

'Nee, dank u.'

Beneden glommen de lichtjes van komende en gaande auto's – de gaande rood, de komende geel. Het vliegtuig was steil opgetrokken, over de baai van Guanabara gevlogen en passeerde nu het Suikerbrood. Daarna vlogen ze over Copacabana en Lagoa en langs het Christusbeeld naar het zuidwesten. De piloot keek op het kompas en verwachtte dat ze binnen drie uur in Santos zouden zijn.

'Zien jullie dat daar? Dat is Mars, de rode planeet. Daar moesten ze die rotcommunisten heen sturen!'

De piloot en de agent schaterden, Max niet. Noordwaarts lagen de heuvels als eilanden tussen de lichtgloed van de voorsteden. De stad was een schittering zonder eind. Max wilde op het raam bonzen, springen, schreeuwen. Je zult haar nooit meer terugzien, zeiden de sterren. Nooit meer.

'Maak u geen zorgen, meneer Kutner, morgen bent u weer terug. Het is maar een korte missie.'

De agent herhaalde het oude liedje: een 'haai' was in de netten van de contraspionage geraakt, maximale urgentie. Ja, de schoenmaker kende het verhaal van buiten: over een poosje zou luitenant Staub hem met blozende wangen ontvangen, druk gebarend en blakend van vaderlandsliefde. Hij zou weer beginnen over 'soevereiniteit', 'nationale veiligheid', enzovoort.

Ze konden naar de hel lopen! Max' eigen soevereiniteit was aangetast. Welke zaak kon belangrijker zijn dan Hannah? Nooit eerder had hij de nazi's, de communisten en de kapitalisten zo gehaat. Hij rook nog naar parfum en zat daar met gepolijste nagels. In een donquichottesk hoekje van zijn ziel bewaarde hij nog een paar restjes vreugde, belegerd door de rede, wanhopige martelaren, de laatste strijders in het fort van Massada.

Hij stelde zich voor hoe Hannah thuis zat, het eten koud, het bestek weer opgeborgen, de twijfel die omsloeg in verdriet, de vergeefse telefoontjes, de nutteloze schone lakens, de onaangestoken kaarsen op tafel. Hij zag haar eenzaam zitten, rijst etend uit de pan, haar verbijstering begietend met wijn. O, wat een leed! Hij zou haar niet meer terugzien, nooit meer!

Hij vroeg of iemand aan boord geloofde in intuïtie. De agent keek Max met een vage verwondering aan: 'Bij de politie geloven we niet in mysteries of toevalligheden voordat we het onderzochte feit hebben geprobeerd te verklaren.'

'Kennen jullie dat verhaal over het licht en de schaduw?' vroeg de piloot. 'Op een keer zei het licht tegen de schaduw: ik heb de macht, ik ben mooi en fascinerend. Jij bestaat alleen maar dankzij mij, want als het overal donker was had jij niets te beschaduwen. De schaduw zei dat het licht gelijk had, maar maakte een voorbehoud. Ik kan u ook iets leren, dame licht: enerzijds besta ik dankzij u, maar anderzijds dien ik om u eraan te herinneren dat u, hoe mooi en fascinerend u ook bent, niet overal kan komen.' De piloot draaide zich naar Max: 'De rede is het licht, maar dat komt niet overal.'

Om middernacht landden ze in Santos. Een bestelwagen stopte bij de vliegtuigdeur en nam Max mee langs een weg met aan beide kanten opslagloodsen. Het duister rook naar modder vermengd met koffie en teer. Ze stonden stil voor een gebouw met matglazen ramen en Max werd naar een grijze hal geleid waar vier haveloze zwervers dicht tegen elkaar gedrukt op een bank zaten. Op de ontvangstbalie stonden een schrijfmachine, een ventilator en een zwarte telefoon. Erachter stond een man. Max vroeg of hij de telefoon mocht gebruiken maar de man gaf geen antwoord. Aan de muur hield de geweldige Getúlio Vargas de zwervers in de gaten die, zag Max nu pas, aan elkaar geketend waren. Een van hen rookte, waarbij de hand van zijn buurman meebewoog.

Luitenant Staub kwam uit een deur en groette Max energiek, zich verontschuldigend voor het ongemak. Hij nam de schoenmaker mee naar een halletje in een gang en vroeg hem zonder enige uitleg daar op een bank te wachten. Het zou niet lang duren – en hij verdween. Wat was er aan de hand? Vanwaar de urgentie? Max hoorde geknars en voetstappen die weerklonken tegen de muren. Hij kende de akoestiek van de politiegebouwen met hun ijzeren deuren en sleutels en was daarom niet verbaasd toen er een deur openging en er vier agenten door het halletje kwamen die het echtpaar Braun meevoerden. Daar had je die vervloekte Duitser! Hij was de haai in de netten van de contraspionage! Wie anders had Max weer van Hannah verwijderd? Hij leek een door duiven bescheten kolos in zijn blauwe jasje, het haar in de war, de ogen neergeslagen. Marlene, de arme stakker, was een spook in haar wollen vestje. Een goede vrouw, evenzeer slachtoffer van het toeval als de schoenmaker, verdwaald op een onbekend pad en slavin van een liefde die haar waarschijnlijk heel wat zwaardere beproevingen had opgelegd dan politieverhoren. Max dacht terug aan São Lourenço, aan het medeplichtige zwijgen en de ontboezemingen op de ver voorbije ochtend toen ze rookten als schoorstenen in Hotel Metrópole.

Nee, de schoenmaker hield niet van kleinzieligheden en vermeed de confrontatie. Hij had zijn beste pak niet aangetrokken om een oude kaduke nazi de waarheid te zeggen. Maar hij moest wel een heimelijk genoegen aanvaarden, een laag genoegen, maar noodzakelijk om een aantal demonen te bezweren die zich in zijn geest hadden genesteld sinds São Lourenço. Het zou goed zijn hem te vergeten, ware het niet dat hij drie uur gevlogen had en een geen uitstel duldende ontmoeting was misgelopen om hem te ondervragen. Max stond op, liep rondjes, begon te zweten. Hij trok zijn das recht en accepteerde een kop koffie die een keukenbediende hem kwam brengen. Nee, hij stond niet te glunderen, hij berustte in het lot en was helemaal klaar voor zijn vaderlandslievende missie. Eerlijk gezegd zou hij veel verder vliegen om die nazi een lesje te leren en de puntjes op de i te zetten. Spinoza, Aristoteles, Nietzsche! Ga in de gevangenis maar op je grote denkers zitten kluiven, arische blaaskaak! Ga ...

'Opnieuw mijn verontschuldigingen!' Staub brulde bijna, zo euforisch was hij. Hij droogde zijn nek met een zakdoek. 'Duizend excuses! Kom maar mee!'

Ze liepen een hoogje af naar een galerij met vochtige, ranzige cellen. Max zag de gedetineerden niet, maar zijn oren – die niet hadden geleerd zich te sluiten zoals de ogen – hoorden een afgrijselijk gekreun en gehuil. De luitenant stond stil voor een massief stalen deur en haalde een sleutelbos tevoorschijn. Grendels en scharnieren. Max rook een geur die niet alleen ondraaglijk maar ook vreemd was – een mengsel van urine en bloemen? Wat was dat? Ze traden het hok binnen en trapten in scherven en bloed. Een gelige lamp flakkerde aan het plafond. Staub legde uit dat een man net zelfmoord had gepleegd met een parfumflesje.

'Rest ons nog de vrouw.'

De schoenmaker deed een angstig schietgebedje voor zijn blik viel op een lichaam vol blauwe plekken en schaafwonden. Hij stond aan de grond genageld van afgrijzen. De vrouw kronkelde op de grond, kleren aan flarden, een diepe snee in haar borst en paarse benen. Het plakkerige haar bedekte het gezicht dat Max vermeed tot hij een schelle, dierlijke kreet hoorde, een dissonant geloei dat zijn trommelvliezen scheurde. Zijn mond zakte open en zijn hart verkilde voordat hem de zekerheid toestroomde, de meest tragische en absurde van alle zekerheden.

Het was Guita.

HET VERHAAL VAN MAX

'Het was Guita.'

Max zuchtte en leunde achterover in de beige fauteuil. De zon die binnenviel door het raam maakte de wallen onder zijn ogen zwaarder maar hij had een lief gezicht. Ik probeerde mijn schrik te verbergen: 'Waarom Guita? Wat deed ze daar?'

Hij pakte een mok koffie: 'Het was Guita.' En met zijn blik gericht op het oneindige herhaalde hij voor zich heen: 'Guita ...'

Max' bleekheid strekte zich uit tot het huis waar hij nu alleen woonde. De beige fauteuil moest in zijn jonge jaren bruin of groen zijn geweest. De tijd die hem zijn kleur had ontnomen had ook het tapijt, de kussens, het gordijn en de bank waarop ik zat gebleekt. Het appartement lag in een benauwd gebouw aan de Rua Mariz e Barros in Tijuca. Een kleine zitkamer, twee slaapkamertjes, een badkamer en een keuken, waar hij de koffie had gefilterd die we nu langzaam dronken. Het was onze vijfde ontmoeting. Op de lage tafel lag een foto van de Kutners, al op leeftijd, op een bank op een plein. Souvenirs zoals beeldjes, kopjes en asbakken sierden een boekenplank. Op een andere stond de *Jewish Encyclopedia*. Een bos koloniale sleutels en twee gravures hingen aan de muur. Langs de drempels van de deuren was het grijze tapijt vastgespijkerd met goudkleurige strippen die ik sinds mijn kinderjaren niet meer had gezien. De telefoon stond op een tafeltje dat vastzat aan een bankje waarop twee oude catalogi sluimerden.

'Het was Guita.'

Ik bestudeerde Max met een eerbiedige nieuwsgierigheid, las zijn rimpels en, een hebbelijkheid van schrijvers, probeerde de woorden te vinden die hem zouden kunnen vertalen. Hij had me verboden notities te maken, zijn verklaringen op te nemen of openbaar te maken uit respect voor mensen die nog konden leven of die, als ze kinderen hadden nagelaten, in vrede verdienden te rusten. Dat ik een roman wilde schrijven was geen geheim en Max steunde het project, mits we tien jaar wachtten met signeersessies. Ik probeerde het uitstel te bekorten door te beloven namen en details te veranderen om de privacy te sparen. Maar Max had zijn armen gekruist: tien jaar, geen dag meer of minder. Zijn levensverhaal was 'onmiskenbaar uniek'. En dat was zo.

Kinderen had hij niet. Neefjes of nichtjes, broers of zussen, zwagers of schoonzussen evenmin. Niemand. Hij had gewerkt als schoenmaker tot zijn weduwnaarschap hem de lust benam.

'Het was Guita', snikte hij weer, nu zachtjes. Mijn beklemming steeg: wat deed Hannahs zus in die mensonterende omstandigheden, geketend in een smerige cel? Ik durfde het niet te vragen. Ik wilde hem niet onder druk zetten, beïnvloeden of op weg helpen. Waarom de loop van de tot dan overvloedige stroom verleggen?

Max was ongetwijfeld een vaardige verteller. Hij sprak met pauzes, bewoog zijn armen en zette grote ogen op om zijn herinneringen te verlevendigen.

Het laatste 'praatje' – zo noemde hij onze ontmoetingen – had tot diep in de nacht geduurd en toen ik eindelijk op straat stond was het al licht. Thuis tikte ik dingen in op de computer voor of na mijn bezoeken aan de Nationale Bibliotheek om kranten uit de Vargasperiode te bestuderen. Alles klopte met de woorden van Max, zelfs de reclameadvertenties.

Ik was euforisch: eindelijk kreeg het boek vorm! Dankzij de gebenedijde Max, die het lot en een beetje discipline op mijn weg hadden gebracht.

Maar om alles duidelijk te maken gaan we terug in de tijd. Naar het allereerste begin.

Het was 1999 toen ik besloot een roman te schrijven die in zekere zin de twintigste eeuw zou hervertellen. Twee geliefden, misschien getrouwd, zouden over een periode van vele tientallen jaren hun door historische feiten gemarkeerde wegen gaan – nu eens als slachtoffers, dan weer als getuigen of handelende personen van hun tijd. Het was een ambitieus plan, maar niet erg origineel. De wereld beleefde een epische epidemie aan het eind van het decennium, de eeuw en het millennium. Het legendarische jaar 2000 was een kwestie van maanden en in de pers, de boekwinkels en de leslokalen wemelde het van de apocalyptische profetieën. Televisiecommentatoren spraken over de middeleeuwen of de voorbije week alsof het samenhangende, vrijwel op elkaar volgende feiten waren. Geestelijken, astrologen met een tulband op, intellectuelen en manicures: allemaal hadden ze iets te zeggen. En te voorspellen.

Goed. Aangestoken door die epische epidemie trok ik erop uit om getuigenissen te verzamelen van bejaarde mensen die me konden helpen het verleden te begrijpen. Ik bezocht clubs, pleinen, tehuizen, huizen. De eerste geïnterviewde was mijn grootmoeder, die in de jaren twintig uit Letland was gekomen om als gouvernante te werken bij de familie van ex-president

Artur Bernardes in São Paulo. Ze leerde mijn grootvader kennen tijdens een optocht op de Avenida Rio Branco in 1932. De tweede geïnterviewde was een oom die de Oekraïne ontvlucht was tijdens de Russische Revolutie (waarover hij fluisterend sprak om 'problemen met de politie' te voorkomen) en eind 1918 in Rio van de boot stapte, toen daar de Spaanse griep woedde. Met dezelfde verbijstering als de jongen van vroeger herinnerde hij zich de lijken die door karren van de gemeente van deur tot deur werden opgehaald. Ik bezocht drie Joodse tehuizen. In een daarvan vertelde een hoogleraar van in de negentig me gedetailleerd hoe hij in 1942 uit het getto van Warschau was ontsnapt. Hij had een chirurgische ingreep uitgevonden om voor de Duitsers te verbergen dat hij besneden was.

De vanzelfsprekendheid waarmee de oudsten spraken over gebeurtenissen en personen die voor jongeren encyclopedische legenden zijn is indrukwekkend. Vargas, Lenin, Hitler, Einstein. In minder dan een maand had ik een stapel cassettes volgedraaid en voldoende geleerd om voor erudiet door te gaan. Ik was natuurlijk tevreden, hoewel me nog een spil, een stuwende passie ontbrak om de eerste stap te kunnen zetten.

Een vriend deed me de suggestie de Clube Monte Sinai in Tijuca te bezoeken, waar op dinsdagen een groep bejaarden bijeenkwam. Een medewerker leidde me naar een enorme zaal waar achterin, achter een kamerscherm, vijftien tot twintig mensen rond een goedgevulde tafel zaten te praten. Ze waren allemaal keurig gekleed omdat het een feestdag was. Dona Rosa Schneider, de leidster van de groep, legde me uit dat een van hen zijn honderdste verjaardag vierde. En de jarige, helder en energiek, deelde papieren feestmutsen uit aan de genodigden. Enigszins overdonderd zette ik de mijne op. De man, onberispelijk gekleed in een marineblauwe blazer met een zijden pochet, was een verheerlijking van het leven in plaats van een ondergaande zon. Ik had hem niet meer dan tachtig jaar gegeven, wat misschien een grap lijkt voor wie ouderen beschouwt als een verschrompelde kudde van louter rimpels en wandelstokken. Even later duwde de honderdjarige een rolstoel de zaal in met daarin de vrouw met wie hij ruim zestig jaar geleden getrouwd was. Ze droeg een jurk met rode bloemen, was heel zwak en kon nauwelijks haar dunne armpjes bewegen. Dona Rosa vertelde dat het wisselen van de ringen een 'stoutmoedige' daad was geweest die nooit door rabbijnen was erkend. Waarom stoutmoedig? Dat moest ik maar aan Max vragen. Sommige mensen vonden het gedwongen samenleven met hun vijandelijke verleden nog altijd een 'crime'. De polemiek had al tot serieuze aanvaringen geleid en de trauma's van Praça Onze doen heropleven. Welke trauma's? Dona Rosa hield van suspense. 'Dat kan Max u vertellen.'

We zongen de jarige toe en ik at een stuk taart. Max en zijn vrouw gaven elkaar een minzame kus waarbij bleek hoe fragiel ze was. Daarna stelde ik me zo beleefd als ik kon voor als schrijver en vroeg ik of hij me een interview wilde toestaan. 'Ik heb het veel te druk, dat moet een andere keer maar!'

En gedurende lange maanden bleef hij druk, totdat zijn vrouw overleed. Er was een begrafenisplechtigheid op de club, maar ik ging er niet heen om niet opportunistisch te lijken. De waarheid was echter dat de man me fascineerde, ik wist niet waarom. Het weduwnaarschap had hem zo zwaar getroffen dat hij de groep had verlaten om de kinderen in de speeltuin van de club te verbazen, waar hij hele middagen zat te kijken naar een vijver met siervissen. Ik zocht toenadering door toevallige ontmoetingen te simuleren en hem mijn visitekaartje te geven. Tevergeefs. Max staarde naar de vissen alsof de rest van de wereld niet bestond. En die bestond ook niet. Max was zijn eigen onaantastbare wereld.

Wat kon ik anders dan hem respecteren? Ik stelde de roman uit en werd een regelmatig bezoeker van de groep die, kwam ik toen te weten, de 'Club van Grootmoeder' heette. Het was een heerlijke omgeving, zonder valse beloften of politiek correcte aanstellerijen. Ik hoorde verhalen, kreeg cadeautjes, maakte vrienden. Een man onthulde dat hij een lift had gegeven aan Getúlio Vargas nadat een ongeluk de president bijna had gedood op de snelweg Rio-Petrópolis. Op een helling was een rots losgeraakt die op de dienstauto was gevallen en de assessor op de voorbank op slag had gedood. Op een haar na was Vargas, die op de achterbank zat, aan de dood ontsnapt. En dat nog voor de Nieuwe Staat en de Tweede Wereldoorlog. Een meter meer of minder en de geschiedenis van Brazilië was anders geweest. Wist iemand daarvan? Ik niet.

Ik werd langzamerhand opgenomen in de groep. Soms ergerde het me te zien hoe die mensen samen in een hoekje werden gestopt, alsof ouderdom voor een reële verwantschap zorgde en niet slechts een bijkomstigheid was. En dan: niemand was oud omdat iedereen daar oud was. De contrasten en parameters uit de buitenwereld die hen oud maakten ontbraken, vandaar dat de echte verschillen in het oog sprongen en niet zelden leek de groep meer op een soep gemaakt van restjes, verschillende soorten vlees en groenten die onder dwang kookten in een vergeten ketel. Feit was dat de omgang met zulke onmiskenbaar unieke mensen met zo veel levenservaring iets onthulde wat jongeren niet konden begrijpen of waarvoor ze de moeite niet namen het te begrijpen. Het was een uitstekende les voor wie, zoals ik, de ouderdom beschouwde als de antichambre van de dood. Wanneer iemand griep had of niet naar de groepsbijeenkomsten kwam, hoorde ik morbide voorspellingen. Maar niemand stierf. Een vriend herinnerde me er wijselijk aan dat oude mensen alleen oud zijn omdat ze niet zomaar sterven. Hij had gelijk. Hoeveel opa's en oma's houden het niet moedig vol, zonder op te geven wat hun kinderen en kleinkinderen zo vroegtijdig verkwisten?

Toen Max naar zijn vissen keek besloot ik me te wijden aan een verhaal geïnspireerd op de leidster van de 'Club van Grootmoeder', Rosa Schneider, die actrice was geweest bij het Joodse theater op Praça Onze. Dona Rosa zei dat een artiest niet sterft, maar van het toneel verdwijnt om altijd grappen te blijven vertellen en oude liedjes te zingen. Ik hoorde confidenties en stukken van een toneelstuk dat ik, ingebonden, tegenwoordig thuis bewaar (*Een lot uit de loterij* van Sjolem Aleichem). De bewonderaars van Dona Rosa, dat waren er niet weinig en ook niet de minsten, waren namen geworden van straten, pleinen, en zelfs een luchthaven. En toen ik de laatste hand legde aan het verhaal, precies op de dag waarop de wakkere dame de definitieve versie van het verhaal nalas, ging mijn mobiele telefoon en een schorre stem vroeg of ik nog zin had om te praten met meneer Kutner.

'Kutner?' vroeg ik verbaasd.

'Max Kutner, daar spreekt u mee.'

De eerste ontmoeting vond plaats op een kille, bewolkte zaterdag. Max, die vier blokken van Monte Sinai af woonde, toonde zich nu vriendelijk en bijna gastvrij. Tijdens de tweede ontmoeting begon hij los te komen en al de derde keer kreeg ik de indruk dat hij me graag mocht. Hij praatte, praatte, hij praatte door tot hij bijna geen adem meer had. Dan maakten we meer koffie in de keuken en daarna begonnen de onderwerpen weer te vloeien. Ik moet bekennen dat ik aanvankelijk moeite had Hannah Kutner te verbinden met de kromgegroeide en onttakelde oude dame uit de zaal van de club. Anderzijds mocht een roman die episch wilde zijn niet terugschrikken voor de effecten van de tijd. Eigenlijk zou die ze naar voren moeten halen.

Goed. Al een uur zat Max 'het was Guita' te mompelen, met een lege blik en zijn handen roerloos op de leuningen van zijn fauteuil. Ik deed of ik hem begreep en trok gezichten en monden van een dubieuze neutraliteit. Op een gegeven moment vroeg ik of ik naar het toilet mocht, waar nog verkleurde en vettige parfumflesjes stonden van mevrouw Kutner. Ik kon de verleiding niet weerstaan er een te openen en met een fetisjistische huivering rook ik een postume, zoetige geur. Als kind was ik bang voor oude parfums. Ik dacht dat de flesjes op de kaptafel van mijn oma geesten bewaarden en dat de vreemd bedwelmende geuren emanaties uit andere werelden waren. Welbeschouwd denk ik dat nog.

Ik keerde terug naar de kamer, bladerde in een boek en deed mijn best om de verstomde schoenmaker te laten ontspannen. Niets. Oy vey, ik begon al wanhopig te worden! Wat verzweeg Max om me zo te folteren? Omdat wreedheid inherent is aan macht? Omdat de mensen die ik nodig had nooit zo toeschietelijk waren als degenen die mij nodig hadden?

Ineens: 'Koffie?'

In de keuken, terwijl de koffie doorliep, liet hij het me weten.

* * * * *

Guita was een prostituee, net als Hannah. Ze had Polen in 1927 verlaten, vóór haar zus, aangetrokken door verwanten in Argentinië die handel dreven in Rosário. Haar grote droom was te trouwen met een cowboy over wie haar verwanten schreven in dikke brieven. Op een dag stuurden ze een passagebiljet voor de boot. In de haven van Buenos Aires werd Guita begroet door een onbekende man die haar samen met een ander meisje meenam naar Rosário. De cowboy liet zich niet zien. Guita hoopte nog hem te leren kennen toen ze ging werken bij een kapsalon die Hermosita heette, waarachter een clandestien huis werd gedreven. Kortom, een bordeel. En de zo begeerde cowboy – moet het nog gezegd? – bestond niet.

Guita verzette zich tegen samenwerking met de rufiões, die haar alleen niet sloegen omdat haar 'malse en onbevlekte' vlees werd aangeprezen in de bodega's en kampementen in de omgeving. Haar handen en voeten werden vastgebonden om te voorkomen dat ze zich toetakelde tijdens de veiling waar haar maagdelijkheid bij opbod werd verkocht. Haar eerste nacht was geen nacht maar een uitputtende week met een landeigenaar die zo rijk was als de gedroomde echtgenoot die ze al niet meer verwachtte tegen te komen. Twee maanden later had ze met een bataljon mannen geslapen en zelfs een abortus ondergaan. In haar vrije tijd schreef ze leugens aan haar zuster.

Een gedwongen seksslavin zijn leer je niet van de ene dag op de andere. De meisjes bevechten, tarten en betwijfelen bijna altijd hetgene waar ze zelf geleidelijk en onherroepelijk in veranderen. Op een dag zijn ze zo verward geraakt in hun omstandigheden dat ze zich er niet meer van onderscheiden. Dan ontkennen ze die niet langer maar gaan ze de valselijk gewekte romantische dromen en te grote ambities ontkennen die hun toestand kunnen destabiliseren. Sommigen noemen dat conformisme, anderen rijpheid. Hoe dan ook, in 1928 kreunde Guita in het Spaans en leerde ze minder ervaren meisjes hun littekens met make-up weg te werken. Ze was een onvervaarde hoer van het soort dat nooit schandaal over de vloer haalde als ze een plek om te wonen had. Ze leefde van bed naar bed en zwierf door verre uithoeken als Neuquén, Bariloche en de moerassen van Patagonië. Tussen de ene beproeving en de andere door beschreef ze aan haar zus de meren van Santa Cruz en de pinguïns op Vuurland. Ze stelde er een eer in de enveloppen eigenhandig te verzegelen en op het postkantoor te posten. Tegen die tijd was ze er al aan gewend geraakt ongelukjes te aborteren en op slappe huid te sabbelen, maar ze wende nooit aan het idee Hannah de waarheid te vertellen. Ze werd al gek als ze alleen maar dacht aan een toevallige samenloop van die twee zo andere en absurd onverenigbare werelden – die niettemin bestonden in haar eigen strijdbare hart. Ze zou al het mogelijke en onmogelijke doen om ze gescheiden te houden. Geen enkele waardigheid zou onherroepelijk verloren zijn zolang Hannah niet alleen van haar hield maar haar ook bewonderde.

In Ushuaia verzachtte Guita de winter van een strafinrichting voor ze in 1931 begon te tippelen in het kosmopoliete Buenos Aires. Ze trof het métier in paniek aan omdat twee jaar eerder de bekentenissen van een voormalige polaca hadden geleid tot de implosie van Zwi Migdal. Binnen enkele maanden waren de tentakels van de organisatie een voor een afgesneden. Ineens bestonden de bordelen, de façadewinkels en de steunfondsen niet meer en werd zelfs het luxueuze hoofdkantoor aan de Avenida Córdoba gesloten. Rufiões die de vorige dag nog miljonair waren werden kaalgeschoren als de schapen in Patagonië en moesten vluchten voor de politie, zonder een cent om ergens anders een leven te beginnen. Zo ook Jayme.

Het toeval wilde dat de twee een appartement deelden in La Plata, dicht bij Buenos Aires. Guita had nooit gehouden van de kerel, in werkelijkheid ene Augusto Strizansky, ex-penningmeester van Zwi Migdal, die werd gezocht door alle politiediensten op het continent. Acht jaar lang kwam hij bijna zijn slaapkamer niet uit, terwijl zijn huisgenote haar lichaam verkocht om de droom haar zus in Rio de Janeiro terug te zien te verwezenlijken. Omdat ze naar bed ging met een naaste medewerker van een magnaat uit Buenos Aires kon ze een indrukwekkend adres op haar enveloppen schrijven. Guita draaide een complete bioscoopfilm aan leugens af in de brieven die Max vertaalde en gaf zich uit voor een aristocrate, de gastvrouw van ambassadeurs, enzovoort, enzovoort. Intussen werd ze afgeperst, gevangengezet, verhandelde ze drugs en zelfs wapens, en werd ze uitgezogen door de hufter die ze haar echtgenoot noemde. In een koud voorjaar versierde ze een paspoort voor hem dat valser was dan de in de haven van Buenos Aires aangespoelde adel en vertrokken ze op een oceaanstomer.

Tijdens het verblijf in Rio de Janeiro, in 1939, had Jayme orders alleen het hoogstnodige te zeggen en zijn mond verder bezig te houden met sigaren om geen stommiteiten uit te kramen. Landgoederen, sinaasappels, koffie? Allemaal sprookjes. In wezen een even breed opgezette en overtuigende schijnvertoning als die Hannah en Max opvoerden. Twee plots, twee casts, twee theaters. Wie had gedacht dat Guita en Jayme alleen in Hotel Glória gelogeerd waren op de avond dat Hannah en Max kwamen dineren? Wie zou zeggen dat de piekfijne garderobe van Guita was gekocht in uitdragerijen en versteld met de draden van haar opofferingen? Wie zou zeggen dat Guita en Hannah twee zielen waren die waren verslonden door dezelfde hydra, verenigd door het lot waarvan zij dachten dat het hen had gescheiden? Guita en Hannah logen om de enige waarheid van hun levens te beschermen: hun wederzijdse liefde.

Toen ze de schoenmaker zag op het politiebureau in Santos, had Guita zo geworsteld en geschreeuwd dat ze haar een injectie hadden moeten geven om haar te kalmeren. De volgende morgen, in een ziekenhuisbed: 'Ze mogen me vermoorden, maar zeg niets tegen Hannah!' En Max, verbijsterd en aangedaan: 'Maak je geen zorgen, ik zal niets zeggen.'

Hij beloofde ook te vergeten dat Augusto Strizansky, ofwel Jayme, de 'haai' was die in de politienetten was gevangen. Op het bureau in Santos had Strizansky zijn polsen doorgesneden met de scherven van een parfumflesje om te sterven in de armen van zijn 'hoertje' (zo noemde hij zijn levensgezellin).

'Ze mag het niet weten, nooit ...' Guita woelde in haar

bed, gewikkeld in gaas en pleisters. 'In godsnaam, zeg haar niets!'

Hierna verliet de schoenmaker de ziekenhuiskamer, begeleid door een sergeant die hem rechtstreeks naar de vliegbasis van Santos bracht. Het vliegtuig was om tien uur 's morgens opgestegen. Wat hij ook beloofd had, Max was vastbesloten Hannah de waarheid te vertellen – en zo gauw mogelijk. Hij voorzag haar schrik, haar ongelovige blik, het mengsel van afschuw en opluchting. Een nieuwe wereld proclameerde zijn logica! Hoeveel geboete schulden en hernieuwde vrezen? Max wilde de woorden zo doseren dat hij de prelude, de aanjager, de helper van Hannahs eigen herontdekking zou zijn – om haar zo zelf te herontdekken.

Het vliegtuig landde rond lunchtijd. Van het vliegveld Santos Dumont belde de schoenmaker alle telefoonnummers die hij van Hannah had voor hij een taxi nam naar Rio Comprido. Hij bonsde op de deur van nummer 310 van het Topáziogebouw, ging naar haar vragen bij alle buren, verdieping na verdieping, en beledigde zelfs de portier die hem ronduit 'geen idee' had geantwoord. Hij forceerde de deur van nummer 310 met een koevoet. Niemand thuis, garderobe intact, bed opgemaakt en de tafel gedekt voor het diner van de vorige avond. Vaatwerk, kristal en zilver stonden postuum te glimmen. In de keuken stond een kandelaar met twee kaarsen, op het fornuis drie volle pannen.

Max sjouwde de stad af. In de bar naast de flat wisten ze ook niets van Hannah, bij de kapper ertegenover, en op Praça Estrela evenmin. Hannah was niet komen opdagen voor een belangrijke afspraak in het Gele Huis. Ze had al vierentwintig uur niets van zich laten horen. Dona Ethel van de B'nai Jisraël-groep zou de meraglim inschakelen en kapitein Avelar gaf orders aan zijn troepen. De volgende dag waren alle Braziliaanse politiekorpsen gemobiliseerd. Binnen een paar uur hingen er opsporingsberichten over Hannah op straathoeken en aanplakborden, zelfs bij gevangenissen, gekkenhuizen en begraafplaatsen. In Petrópolis werden twee vermeende Hannahs opgepakt in kennelijke staat. In Juiz de Fora zeven. Op politiebureaus in São Paulo zeiden in totaal elf vrouwen dat ze Hannah waren. Vijfenveertig vrouwen beweerden dat ze haar de vorige avond ontmoet hadden, vier verklaarden dat ze dood was en twee gekkinnen kwamen haar geboorte aangeven. Valse tips bezorgden de politie handenvol vergeefs werk toen de koppige schoenmaker terugkeerde naar Santos. Uiteraard had Hannah inmiddels al over haar zus vernomen. Het ontbrak haar niet aan contacten en radars om het te weten te komen. En de enige manier om haar te vinden was natuurlijk door Guita in de gaten te houden.

Maar het lot had haast. Max was amper in het ziekenhuis toen hij het gebrul hoorde van luitenant Staub, die knalrood rondijsbeerde met geheven wijsvinger en vlammen spuugde in het gezicht van dokters, verplegers, ziekenhuismedewerkers en politiemannen. Tevergeefs: niemand wist ergens van of had zelfs maar een flauw idee hoe het had kunnen gebeuren. Guita werd immers dag en nacht bewaakt in een kamer zonder ramen of luchtkokers. De dreigementen van Staub hielpen geen zier. Hij moest maar onderzoeken laten instellen en gevangenzetten of ontslaan wie hij wilde als hij een verklaring wilde voor de verdwijning van Guita.

Specialisten van het leger onderzochten het ziekenhuis bed

voor bed en verwijderden zelfs verbanden en trokken de lakens van lijken. Niemand ging het gebouw in of uit zonder te worden ondervraagd. Onderwijl krioelde het in de stad van de geheime en geüniformeerde agenten die huizen binnenvielen en onschuldigen in de boeien sloegen. Spoedig volgden de eerste inhechtenisnemingen, smokkelzaken en gevallen van subversieve activiteiten die Staub spoorslags moest laten afblazen om de zoekacties niet in opspraak te brengen. Hannah Kutner was zijn enige doelwit. En van Max ook.

* * * * *

Nu zaten we aan een vierkant tafeltje in de hoek van de kamer te eten. Max roerde zonder eetlust in zijn soep: 'Ik zocht Hannah door de hele stad. Ik wist zeker dat zij en Guita in Santos waren, maar waar? Hoe leefden ze en wat deden ze?

Ik liep door regen, zon, wind en duisternis. Ik stroopte straat na straat, kanaal na kanaal af, acht dagen zocht ik Hannah in alle hotels, pensions, bordelen en huurkazernes. Ik ging naar São Vicente, beklom Monte Serrat, bezocht het casino, kerken, begraafplaatsen, alles. Ik vermagerde, werd vel over been, ik werd bekend als de verliefde gringo. Luitenant Staub had de politie van Argentinië, Uruguay en Paraguay, en ook van Bolivia en Chili gewaarschuwd. In Rio hielden agenten het Topáziogebouw en het Gele Huis in de gaten.'

Ik begon geïntrigeerd te raken en kon mijn ogen niet afhouden van het portret van het echtpaar op de grote tafel. Natuurlijk was dat Hannah, wie anders?

'Intussen bleef ik vragen en lopen en lopen en vragen. Winkels, markten, hoerenkasten, musea, treinstations; ik nam de tram, de bus, de boot. Ik was een bedelaar, een arme stakker tegen wie de mensen telkens nee zeiden. Of ze dreven de spot met mij, gaven valse tips of hingen onzinverhalen op. Een man bood me zijn vrouw aan, een ander zijn schoonmoeder. Op een dag viel ik flauw.

Ik werd wakker in een ziekenhuis, anemisch. Ik lag er een week. En toen ik opknapte en weer de straat op kon, nam ik de moeilijkste beslissing van mijn leven. Niet dat ik de hoop opgaf haar te vinden. Ik gaf het op haar te zoeken.'

Max droogde zijn mond aan zijn servet.

'Weet je, jongen, de enige troost van wie zoekt is de zekerheid dat degene die hij zoekt niet gevonden wil worden. Als ik haar een laatste keer zou kunnen zien, zou ik haar vertellen wat ik leerde in de straten van Santos. Dat afscheid nemen minder zwaar is dan niets meer van iemand horen.'

'Niet te geloven!' Ik legde mijn lepel neer: 'Hebt u Hannah opgegeven?'

'Ja.'

'Voor altijd? Dat kan toch niet!'

'Waarom niet?'

'Nou ... daarom niet!'

De stem van de schoenmaker klonk mild. Hij had de meewarige blik van een wijze die de onnozelheid van zijn leerlingen peilt.

'Die vrouw daar, die vrouw ...!' Ik wees naar het portret.

'Ach ja, mijn vrouw. Dacht je dat ze Hannah was?'

Ik reageerde bijna grof: 'Had ik dat dan niet moeten denken?'

Max legde zijn handen plat op tafel: 'Zalige onwetendheid! Denk je dat het mogelijk is zestig jaar je leven te delen met iemand van wie je zo veel houdt als ik hield van Hannah?'

'En acht u het mogelijk uw leven te delen met iemand van wie u niet zo veel houdt?'

'Nu moet jij eens goed luisteren!' Max wond zich op: 'Er bestaan twee soorten mensen op de wereld: degenen die ons laten dromen en degenen die ons wakker houden. Twee heel verschillende types, begrijp je? En mijn echtgenoot behoorde uiteraard tot het tweede type. Of dacht jij dat ik het zestig jaar had uitgehouden met Hannah? Wat een onzin! Liefde en respect zijn niet bestand tegen de dagelijkse werkelijkheid, jongen!' Hij wees naar het plafond: 'De mensen hebben alleen maar liefde en respect voor de Schepper omdat ze nooit de badkamer met hem hoeven te delen!'

Ik was uit het lood geslagen. Maar wie anders dan Hannah was dan het oudje dat Max op zijn honderdste verjaardag had gekust in Monte Sinai? Met wie was hij getrouwd zonder goedkeuring van de rabbijnen? Wie had schandaal gewekt bij de 'Club van Grootmoeder' en de trauma's van Praça Onze doen herleven? Een andere polaca? Dat was absurd! Wie het ook was, feit was dat ik niet voorbereid was op die ontknoping. Ik wilde een boek over een lange liefde schrijven, niet over een misgelopen liefde en berusting of verdriet dat was begonnen en geëindigd in de jaren dertig.

'Ik was niet het enige slachtoffer van Hannah Kutner', vervolgde de schoenmaker. 'De arme luitenant Staub is gek geworden vanwege haar. Hij negeerde orders, was met geen stok uit Santos weg te krijgen. Ze sloten hem op in een sanatorium in Campos do Jordão. Maar Staub ontsnapte, keerde terug naar Santos en werd roeiend in een bootje gezien op de rivieren in de buurt. Op een dag zou hij zijn beloning krijgen.'

'Hoe?'

'Staub ontdekte een nederzetting van vissers, Ilha Diana, verborgen in de bocht van een rivier. Een heel eenvoudig oord, houten huizen, vloeren van aarde, en er woonden niet meer dan twintig gezinnen. Zelfs elektriciteit bestond er niet. Hannah en Guita zouden daar in een kano zijn aangekomen en een week zijn gebleven. Ze sliepen in hangmatten, aten vis en fruit, zwommen in de rivier, brachten de mannen het hoofd op hol en leerden de vrouwen hoe ze gefilte fisj moesten maken. Ze lachten en dolden wat af en praatten over dingen die niemand begreep. Daarna vertrokken ze.'

'Waarheen?'

'God weet waarheen, maar de kano werd dicht bij Santos teruggevonden. Ze zullen op een schip zijn gevlucht naar andere werelden ...'

'... en leefden nog lang en gelukkig', voegde ik er sarcastisch aan toe. Tegen die tijd was de soep al een dikke koude prut geworden. Ik slaagde er niet in mijn teleurstelling te verbergen en beet alleen in een stukje brood om mijn handen bezig te houden. Gekrenkt: 'En wie is zij dan?' Ik knikte naar het portret.

'Wil je het echt weten?' Max trok een ondeugend gezicht. 'Moet ik het zeggen?'

'Waarom niet?'

'Goed dan. We keren terug naar Santos, op de dag dat ik het ziekenhuis verliet. Ik had er niets meer te zoeken en het was tijd om naar huis te gaan. Ik pakte mijn koffer en ging naar het treinstation. Het was al laat in de avond en je zag niemand op straat. De trein naar São Paulo zou over een half uur vertrekken en ik wilde wat drinken. Er was maar een bar open. Ik herinner het me nog goed, een lange pijpenla met een toog vol flessen en worsten aan het plafond. Ik bestelde een glas water. Ik was triest maar kalm. Mijn hele lijf deed pijn en mijn ogen zagen niet goed meer. En toen ik een eerste slok nam kwam er achter me langzaam iemand aanlopen die naast me stilstond en naar me bleef staan kijken. En wie was het?'

'Guita?' waagde ik. Max lachte, nee, Guita was het niet.

'De vrouw keek me een beetje wantrouwig aan. Ze was bleek en maakte een bange indruk. Ik had het gevoel dat ik haar ergens van kende maar wist niet waarvan, tot ik hoorde: "Meneer Kazinsky?"' Een pauze. Met een scheve grijns: 'Geloof me, jongen, ik had nooit gedacht dat ik zou trouwen met Marlene Braun. Ik zweer het je!'

Afgrijzen: 'Met wie?'

'Marlene, de vrouw van Franz.'

'Die nazi?'

'De nazi was Franz, zij niet! Marlene had de politie geholpen haar man en de bende die hij aanvoerde te arresteren, en daarom kreeg ze toestemming in Brazilië te blijven. Het was een goede vrouw, slachtoffer van de omstandigheden. Arme stakker. Ze was er slechter aan toe en eenzamer dan ik die avond ...'

Ik was lamgeslagen. Dus Max was getrouwd met de bleke, zure mevrouw Braun, de anti-Hannah, de ruïne van alle dromen en om die reden zijn uitzonderlijke bron van rust!

'We waren gelukkig. Ze hield op met roken voor mij, wist je dat? Hoeveel echtgenoten of echtgenotes doen dat voor de ander? Ik sliep goed, werkte goed, leidde een rustig bestaan en we hebben nog een hondje gehad. De nachten waren nooit wild, maar we waren tevreden en erna aten we nog wat. Koekjes, een appel, een kop thee. Op een dag besloten we alleen wat te eten. Dat was beter.'

Oy vey, het oude vrouwtje was Marlene Braun!

'We zijn alleen voor de burgerlijke stand getrouwd', preciseerde de schoenmaker. 'Welke rabbijn had ons willen trouwen? Niemand.'

'En Franz?'

'Die werd gedeporteerd naar Duitsland en stierf op de boot. De duivel mag hem halen.'

Ik kon mijn oren niet geloven.

'We zijn in 1958 weggegaan uit Flamengo en hierheen verhuisd omdat Marlene moeite kreeg met traplopen. Een prima vrouw, lief, een echte vriendin, die me tot de laatste dag heeft geholpen in de werkplaats.'

Geen enkel portret, geen enkel aandenken aan Hannah. Ik kon er niet in berusten: 'Als uw echte naam Max Goldman is, zoon van Leon Goldman, waarom hebt u uw valse naam dan aangehouden?'

'Goeie vraag!' Hij stond op, verzamelde het vaatwerk: 'Ik veranderde mijn naam niet toen ik tot Braziliaan werd genaturaliseerd. Om praktische redenen natuurlijk. Waarom zou ik me problemen met de politie op de hals halen?' In de keuken sloeg Max zijn betraande ogen neer, haalde diep adem en ging op een krukje zitten. Ik had een gevoelige snaar geraakt.

'De waarheid is dat ik de naam Kutner behield als hommage aan haar, om haar dicht bij me te voelen.' Hij snoot zijn neus in een stuk keukenrol: 'Weet je, jongen, als het jodendom een mannelijke versie van de *agoenot* zou hebben … Als er *agoenim* of zoiets bestonden, zou ik de eerste van hen zijn. Een geketende man, dat is wat ik was, ben en zal zijn geweest.'

We bleven een lange tijd zwijgen.
'Hebt u niet meer geprobeerd haar te zoeken?'
Diepbedroefd: 'Ze wilde niet gevonden worden.'
'Wist Marlene van uw gevoelens?'
'Ik heb het nooit met haar over Hannah gehad. Dit is trouwens de eerste keer dat ik met iemand over Hannah praat.'
'Hebt u zestig jaar gezwegen?'
'Nou ja ... bijna. Kom eens met me mee.'
Max nam me mee naar zijn slaapkamer en wees naar het hoofdeinde van zijn bed. 'Hij heeft me nooit in de steek gelaten.'
Een sepiafoto, een oeroud gezicht. Ik raakte het lijstje aan om het te kunnen geloven: 'Shlomo?'
Max bevestigde eenvoudig: 'Zeide.'
Hij had een trots gezicht, de sereenheid van de rechtvaardigen. Zijn blik was gevestigd op een verte vol geloof maar ook vol leed. Wat zag Shlomo?
Gezeten op de rand van zijn bed: 'Op een keer vroeg Marlene wie de vrouw uit São Lourenço was. Ik zei dat ze een spionne was, een opsporingsambtenaar, en dat ik haar ook niet kende en nooit meer gezien had.'
'Geloofde ze dat?'
'Natuurlijk niet!' En terloops: 'En ik geloofde niet dat Marlene Franz was vergeten.'
Een mooi stel, foeterde ik tegen mezelf. En Max: 'Marlene en ik hebben altijd tegen elkaar gelogen, maar we hebben elkaar nooit willen bedriegen. Als dat geen liefde mag heten, wat dan wel?'

* * * * *

Ik zag Max voor het laatst op een zomerse zondag. Heel Rio bakte zich bruin op de stranden toen hij me belde voor een 'urgente missie', zonder in details te treden. Hij kwam uit de deur van zijn flat in luchtige lichte kleren onder een hoedje met een brede rand. Voordat hij in de auto stapte pakte hij een steen van de grond: 'Om op het graf van Fanny te leggen. Weet je de weg naar Inhaúma?'

Oy vey, mopperde ik in mezelf. Ik kende die kant van de stad niet en had geen idee hoe ik er moest komen. Wijken als Inhaúma, Pilares of Cascadura waren voor mij één grote kluwen voorsteden zonder begin of eind. Dat beloofde wat!

'Je volgt gewoon de spoorlijn naar Méier.'

Pfff, die oudjes en hun manies! Ik trok op.

'Hoe vordert je roman?'

'Heel goed', jokte ik.

Niets van waar. In wezen was ik nog niet heen over de frustratie dat hij de weduwnaar was van Marlene Braun. Daar kwam bij dat ik me inmiddels afvroeg of Hannah eigenlijk wel bestaan had. Het was beledigend de schoenmaker te wantrouwen en me beetgenomen te voelen. Wat de roman betreft, dat waren een paar opzetten die ik in een la had gestopt toen ik op internet ontdekte dat een zekere William Staub tijdens de Tweede Wereldoorlog kolonel was geweest van de Braziliaanse strijdkrachten in het buitenland. Jammer dat hij al ruim twintig jaar dood was. Ik ontdekte ook dat de postcensuur van de regering had voortgeduurd tot 1948, nadat Vargas het presidentiële paleis had verlaten en zijn dictatuur was beëindigd. In het Joods Museum kwam ik te weten dat de polacas een vereniging voor onderlinge steun hadden gehad tot in 1968, jaren voordat hun synagoge tegen de vlakte ging voor de bouw van de metro op Praça Onze. Van het plein zelf was niets overgebleven nadat tractoren het in de jaren veertig hadden platgewalst voor de aanleg van de Avenida Presidente Vargas. Vijfhonderdzoveel gebouwen gingen omver tussen Candelária en Cidade Nova vanwege de vooruitgangskoorts van Getúlio. De resterende scherven van het jodendom zouden stukje bij beetje worden weggeveegd uit de omgeving totdat er niets meer overbleef in wat nu een verminkt stuk Rio de Janeiro is.

'Ik wil de eerste lezer zijn. Heb je al een titel?'

'Hannah', zei ik om wat te zeggen en ik zette de radio aan om het onderwerp te smoren. Waarom de twijfels en onzekerheden erkennen van de afgelopen maanden? Ik vertelde liever niet dat in de officiële archieven niets bekend was over het Gele Huis en dat het Edifício Topázio – inderdaad gelegen in Rio Comprido – maar zes appartementen per verdieping telde, zodat nummer 310, waar Hannah zou hebben gewoond, ontbrak.

Ik kon de missers en onnauwkeurigheden van de schoenmaker natuurlijk toeschrijven aan zijn leeftijd, of erkennen dat mijn realiteitsobsessie mijn vrees om aan het werk te gaan verdoezelde. De week tevoren had ik foto's gemaakt van het voormalige hoofdbureau van politie, tegenwoordig een luguber paleis in de Rua da Relação, ten prooi aan de vergetelheid waartoe de verdoemden veroordeeld zijn wanneer ze de macht verliezen. Ik was ook de baai van Guanabara overgevaren om het vogelkerkhof op Paquetá te bezoeken, een poëtische heuvel, aan de ingang waarvan ik aan een perplexe waker (om niet te zeggen werkeloze) vroeg of er een of ander register bestond met de namen van de begravenen. Hij keek me zwijgend en doordringend aan. Later besloot ik een huilend kind te helpen bij het begraven van wat ik dacht dat zijn lievelingsdier in een schoenendoos was, maar wat uiteindelijk een gekookt kippenpootje in quiabosaus bleek.

'Ik zeg altijd tegen mijn mamma dat ik dat niet lust', huilde het jochie.

Kortom, ik verzon van alles om het project uit te stellen.

Ter hoogte van Norte Shopping wees iemand ons het viaduct naar Inhaúma. En het landschap, dat al niet uitblonk in oogstrelendheden, werd definitief niet om aan te zien toen we een straat met tweerichtingsverkeer in reden. Rechts van ons een stoep vol gaten, links een krottenwijk. We passeerden aftandse gebouwen, autokarkassen, vuilnishopen en overwoekerde pleinen. Hoe kon iemand dat de Wonderbaarlijke Stad noemen?

Max zat naast mij een uiltje te knappen. De steen voor Fanny op zijn schoot herinnerde aan een eeuwenoud – en voor mij mysterieus – gebruik. Ik had nooit geweten waarom ze steentjes legden op Joodse graven.

'We zijn er.'

Ik parkeerde dicht bij de ingang van de begraafplaats. Max maakte geeuwend aanstalten om uit te stappen toen ik zijn arm pakte: 'Blijf even zitten, ik ben zo terug.'

Ik liep een meter of tien, mijn ogen toeknijpend tegen het felle licht. Niets of niemand in de buurt.

Ik stopte voor een ijzeren poort met een verroeste davidster. Hij was gesloten met een kettingslot dat verschillende keren door twee gaten was gehaald. De ingang forceren had geen zin; iemand roepen, een bel of iets anders zoeken evenmin. Ik klakte met mijn tong: wat nu? Had ik voor niets de hele stad doorkruist? Op dat moment zag ik het. Ik stond aan de grond genageld.

De graven zagen er afgrijselijk uit, de stenen smerig en bemost, sommige gescheurd. De paden waren overgroeid met dicht en stekelig onkruid, bewogen door ratten die tussen de graven rondrenden. Op een marmeren zerk groeide een hoge struik waar vogels in zaten die Hebreeuwse symbolen en inscripties besmeurden. In de linkerhoek stond een in elkaar gezakt huisje. In een andere hoek beschaduwde een wilg een vuilhoop. Ineens joeg de knal van een vuurpijl (of een geweer) een koppel aasgieren bij de achtermuur de lucht in. Er was nog geen simpele tuinman te zien, geen enkel bemoedigend teken, alles was verwaarlozing en ellende. Ik vroeg me af waarom dat zo was. Er waren andere begraafplaatsen in de buurt – de polacas bezaten een perceel van een uitgebreid complex – en ik kon hulp gaan halen. Maar de kansen op succes waren klein en de verroeste ster kondigde de verbazing aan die ik zou wekken als ik binnen wilde waar blijkbaar gedurende tientallen jaren niemand uit eigen beweging had willen komen. En dan: waarom zou ik Max meenemen naar een zo door en door verwaarloosde plaats? Wat kon de schoenmaker anders dan diep en nutteloos lijden om wat hij zag?

Fanny moest het ons maar vergeven, maar ik besloot hem, zijn steen en zijn weemoed te sparen. Het was bloedheet en ik wilde weg. Maar niet zonder me eerst voor te stellen hoe de begraafplaats in zijn glorietijd was geweest, de schone paden, de gepolijste stenen en de rituelen die de polacas onderhielden om zichzelf te troosten, te eren en hun identiteit te bevestigen. Ik probeerde me de picknicks voor te stellen, de tranen, het zweet, het geloof in die harten die ondanks alles steeds probeerden hun eigenwaarde te verheffen en te behouden. Ik probeerde me de verontwaardiging voor te stellen van de landgenoten die hun symbolen en geloofswaarden gebruikt zagen worden door 'tuchtelozen' die koppig bleven beweren dat ze waren gemaakt uit dezelfde klei als zij.

Ik was verbijsterd. Bestond er dan binnen de grenzen van Praça Onze geen sprankje tederheid of medelijden voor die vrouwen? Was er niemand die vermoedde dat het leven niet in regeltjes paste en dat het lot een stuurloos schip is waarop ons niets anders rest dan het dek te schrobben? Was er daar niemand die begreep dat goed en kwaad zich niets aantrekken van doctrinaire begrenzingen en dat er in naam van het ene al genoeg van het andere werd gedaan? Misschien waren er die daar niet eens over nadachten omdat het gemakkelijker was zich vast te houden aan tradities dan aan waarden; omdat het gemakkelijker was kaarsen te branden dan zich te laten inspireren door hun licht.

Ja, ik was verontwaardigd. Hoewel ik Praça Onze uit zijn context probeerde te begrijpen, sneed de aanblik van die begraafplaats elke mogelijke context aan flarden om te bewijzen dat onrechtvaardigheid tijdloos is. Gisteren, vandaag en altijd zullen er zondebokken zijn; zullen er reinigingen en valse tweedelingen worden gepredikt door mensen die, bij ontstentenis van iets goeds en consistents om te delen, hun troost vinden in de verachting voor wie of wat zij nooit kunnen en ook nooit willen begrijpen.

Eindelijk leerde ik hoeveel mensen en wilde dieren op elkaar lijken in het afpalen van hun ruimtes. Maar de door de mensen zwaarst verdedigde ruimtes zijn etherisch, daar hoog in de verhevenheid waar ze hun zekerheden cultiveren en vanwaar ze grommen naar alles en iedereen die hun een glimp laat zien van het onweegbare, die hen doet vermoeden dat de toppen van hun kennis en kunnen niet meer zijn dan armzalige heuveltjes in een diep dal, omringd door bergen die werkelijk hoog zijn.

Inhaúma zette me aan tot actie. Nu besefte ik dat mijn taak, in plaats van me af te vragen of Hannah had bestaan – waar, hoe, wanneer? – was te zorgen dat ze bestond.

* * * * *

Max keek niet vreemd op toen ik hem voorstelde de steen te bewaren voor een andere gelegenheid.

'Goed idee.' Het waren zijn eigen woorden.

Ze gaven me de indruk dat hij het wist, dat hij alles gepland had en zelfs mijn reactie had voorzien. Zijn motieven? Een mysterie.

Even later waren we op de Avenida Brasil.

'Waar gaan we heen?' vroeg ik terloops toen we richting centrum reden.

Max opende zijn raampje: 'Maakt niet uit.'

Ik reed zonder haast. We keken naar fabrieken, opslagplaatsen, de kant van de weg. We roken stof en stadslucht vermengd met de modder van een kanaal. De rijbanen waren vrij en het asfalt voor ons zinderde. Ik stelde voor te gaan lunchen bij een barbecuerestaurant in Aterro do Flamengo, wat hij best vond. Toen vertelde hij dat hij in 1940 de postcensuur had verlaten.

'Ik heb ontslag gevraagd, ik kon er niet meer tegen.'

In zijn laatste jaar als vertaler werd hij gemarteld door de hoop nieuws te ontvangen en door de twijfel over wat er was gebeurd tijdens het etentje bij haar thuis.

'Het was een verschrikking zo veel brieven te zien en te weten dat Hannah er niet bij was ... Als ze dat al ooit was geweest.'

'Hoe bedoelt u dat?'

Max antwoordde niet en streelde zijn steen.

We reden naar het centrum via het Manguekanaal. De zon ontkleurde het landschap en een thermometer voor het Leopoldinastation stond op 36 graden. Een zucht: 'Ik heb nooit de hoop verloren haar weer te zien.'

Ik ging linksaf, we reden het viaduct van Pracinhas op en zagen voor ons de Avenida Presidente Vargas. Daar waren we, op die geasfalteerde onafzienbaarheid die in de boeken uit mijn jeugd werd beschreven als 'de breedste avenida ter wereld'. Ik zou er 'en de lelijkste' aan hebben toegevoegd. Na het gebouw van de posterijen zag je betonnen vlaktes met hier een boom en daar een muurtje – op zijn zachtst gezegd een onmenselijke plek. De tractoren van Vargas waren werkelijk wonderbaarlijk geweest in het doorploegen van de stad en het aanbrengen van littekens. Het bedelaardom en het Sambódromo werden opgesierd voor het carnaval. We reden onder het viaduct door bij de torenflat die in de volksmond 'Wankelt, maar valt niet om' heet. Verderop verrees de toren van het Centraal Station van Brazilië met zijn gigantische klok.

'Stop! Nu!'

'Waar?'

'Hier, nu meteen!'

Ik zette de auto aan de kant: wat was er in godsnaam gebeurd? Max opende het portier, stapte uit en haastte zich naar de middenberm. Ik begreep er niets van! Ik deed de auto op slot en ging achter hem aan. Hij rende en gesticuleerde, immuun voor mijn kreten. We leken twee soldaten op een dolgedraaide speedmars tot hij aan het eind van de berm bleef staan, tussen twee rijbanen en een kruising. Hij bestudeerde het decor voordat hij als gedreven door een hogere instantie het asfalt op liep, zwalkend van rijbaan naar rijbaan. Hij stond opnieuw stil en strekte zijn armen – hij leek iets te meten, maar wat? –, waarna hij drie passen naar links deed, een stukje terugweek en een pirouette maakte als een balletdanser.

'Hier!'

'Wat is hier?'

Blozend van zekerheid: 'Hier stond mijn werkplaats.'

Ik huiverde. Er was niemand te zien, niets in de wijde omgeving. We stonden op een onherbergzaam plateau.

'Hoe weet je dat?'

'Door de bergen.'

Achter ons lag de Morro da Providência; voor ons de Morro de São Carlos; in de verte de Corcovado en de Sumaré.

'Welkom in de Rua Visconde de Itaúna.' Max glimlachte minzaam. Hij trok aan mijn hand: 'Kom, we gaan hierheen! Goedemiddag, meneer Pedro!'

Welke Pedro?

'Dona Helena, gaat het weer beter met u?'

Welke Helena?

'Zie je die vent daar?' Hij legde een gekomde hand voor zijn mond: 'Dat is de zoon van de buurvrouw ... een communist die altijd moeilijkheden maakt.'

Een auto schoot rakelings langs ons heen, een andere remde abrupt.

Max bleef doodkalm midden op het asfalt staan: 'Oy vey, waarom moeten die juist hierlangs komen marcheren?'

'Wie?'

'De integralisten! Ze willen ons provoceren. Groene kapoenen, groene kapoenen!' Hij rende weg naar een andere rijbaan.

Max was definitief gek geworden.

'Opgepast, jongen! Kijk uit voor de tram! Gisteren is er nog iemand die niet oplette doodgereden. Goedemiddag, meneer Heitor! Nee, ik wil niets kopen.' Tegen mij brieste hij: 'Clientelshiks ...'

En hij verslingerde zich weer in het voorbije, tussen verdiepingen en rijtjeshuizen van vroeger – 'daar heb je het gebouw van de Zionistische Federatie, hier, de orthodoxe synagoge.' Euforisch: 'We zijn in de Rua Senador Eusébio.' Ineens trok hij me met geheven wijsvinger mee: 'Ik zet geen voet in die ballentent!'

'Waarom niet?'

Hij verhief zijn stem, handen in de zij: 'Zie ik eruit als iemand die gaat biljarten? Ik leef van mijn schoenen, ik heb geen tijd voor gekleurde balletjes!' Voordat ik kon reageren lichtten zijn ogen verrukt op: 'Zie je dat? Daar is ze!'

'Wie, Hannah?'

'Nee, Praça Onze! Zie je wel, de muziektent, het park, de Centenáriobioscoop? Goeie god, wat mooi! Ze hebben de tuinen gesnoeid en de fontein schoongemaakt!'

En hijgend liep hij verder, spoken groetend en het onontwijkbare ontwijkend totdat hij ineens stil bleef staan. Hij sloot zijn ogen, geblakerd door de middagzon. Ik dacht dat Max voor mijn voeten zou doodvallen, maar wat hij deed was: de steen uit zijn zak halen, zijn ogen weer openen, neerhurken en de steen op de grond leggen. Hij richtte zich op, ademde diep in en keek me plechtig aan: 'Hier rust Praça Onze.'

Ik voelde opnieuw een huivering. We bevonden ons op een onplaats, een kale plek, een grijze verkeersader; we stonden op een nergens waar niemand heen gaat en niemand vandaan komt.

Max zuchtte met een ondubbelzinnige tegenwoordigheid van geest: 'Weet je waarom wij Joden stenen op graven leggen wanneer we de doden bezoeken?'

Hij was de nuchterste leermeester: 'Er bestaan verschillende versies, maar ik prefereer de eenvoudigste. Deze: ons volk leefde in de woestijn en de mensen werden begraven in kuilen die door de wind, door de zandstormen, konden worden opengeblazen. Dus werden er stenen neergelegd om de doden te beschermen en de graven te markeren. Wie langskwam verrichtte een goed werk door nog een steen neer te leggen.'

Op de avenida heerste roerloze stilte. Er was geen auto en geen mens in de omtrek te bekennen. Armen gespreid: 'Zie je, jongen? Zie je wat er gebeurd is? De tijden zijn veranderd, alles is veranderd, maar de stenen liggen nog op de graven.'

Max sprak langzamer, met een rustige stem. Ouderen wekken een indruk van wijsheid en vooruitziendheid bij begrafenisrituelen. Ze hebben een buitengewone begaafdheid in het omgaan met wat jongeren nog moeten leren aanvaarden – het gemis.

'Zie je, jongen? Tegenwoordig hebben de begraafplaatsen gedenkstenen en allerlei poespas. In Europa worden adellijke heren zelfs begraven in de tuinen van hun kastelen.' Hij zweeg en wiste het zweet van zijn voorhoofd. 'Zo gaat dat. Tegenwoordig heeft de mens geen God, geen stenen, geen zand, helemaal niets meer nodig. Waarom? De mens heeft ontdekt hoe hij zijn eigen stormen kan maken ...'

Ik sloeg mijn ogen neer en hoorde: 'En zijn eigen woestijnen.'

WOORDENLIJST

agoena (Hebr.): vrouw die niet kan hertrouwen omdat verblijfplaats en lot van haar verdwenen man onbekend zijn of omdat haar man geen scheiding wil

alia (Hebr.): emigratie naar Israël

Beth Jisraël (Hebr.): Huis van Israël

B'nai Jisraël (Hebr.): Zonen van Israël

briet mila (Hebr.): besnijdenis

clientelshik (Jidd.): ambulante verkoper, straatventer

dreck (Jidd.): 'shit!'

gewalt (Jidd.): 'help!'

Goet jor (Jidd.): 'goed jaar'; gelukkig (joods) Nieuwjaar

kabalat sjabbat (Hebr.): vrijdagavondgebed voorafgaand aan de sjabbat

Keren Kajemet Lejisraël (Hebr.): Joods Nationaal Fonds

kurwa (Pools): hoer, slet

meraglim (Hebr.): spionnen

moheel (Hebr.): besnijder

(oy) main Got (Jidd.): '(ach,) mijn God'

oy vey (Jidd.): 'o wee!'

parasja (Hebr.): wekelijks wisselende toratekst die in de synagoge wordt gelezen

shmuck (Jidd.): lul, klootzak

sjema (Hebr.): afkorting voor het gebed 'Sjema Jisraël' (Hoor, Israël)

sjivve (Jidd.): rouwperiode van zeven dagen na de begrafenis van een familielid

sjlepper (Jidd.): letterlijk 'sleper', iemand die moeilijk loopt of draagt, slome, sukkel
sjlousjem (Jidd.): rouwperiode van dertig dagen
sjolem (Jidd.): 'vrede' (groet)
warnisjkes (Jidd.): *kasja warnisjkes*: gerecht van boekweit en Italiaanse deegwaar
zeide (Jidd.): grootvader

Twee miljard mensen voeren dagelijks een harde strijd om uit de greep van de armoede te komen. Oxfam Novib steunt hen daarbij. Omdat wij geloven in het zelfdoen van mensen. Armoede is oplosbaar, zolang mensen maar de mogelijkheid krijgen om te werken aan een zelfstandig bestaan.

Daarom steunt Oxfam Novib projecten in ontwikkelingslanden. We lobbyen en voeren campagne voor een rechtvaardige wereld. We werken samen met burgers, organisaties, bedrijven en overheden: iedereen kan ambassadeur zijn van het zelfdoen. Ook werken we samen in Oxfam International, een groep van zeventien ontwikkelingsorganisaties wereldwijd.

Met de boekenreeks waarin *Hannah* is opgenomen, biedt Oxfam Novib schrijvers uit niet-westerse landen een podium en een stem. Hiermee willen we hun originaliteit en kracht laten zien.

Meer informatie over Oxfam Novib en de boeken in de De Geus/Oxfam Novib-reeks vindt u op www.oxfamnovib.nl. Daar kunt u ook ambassadeur van het zelfdoen worden. Door u te abonneren op de Oxfam Novib-boekenabonnementen of de leverbare titels te bestellen in de webwinkel.

Oxfam Novib, Postbus 30919, 2500 GX Den Haag.
Telefonisch bereikbaar op 070-3421 777 en per mail via info@oxfamnovib.nl.